KORENBLOEMBLAUW

Anne-Marie Hooyberghs

Korenbloemblauw

Westfriesland

1 7. 08. 2009

Eerste druk in deze uitvoering 2009

NUR 344
ISBN 978 90 205 2924 1

Copyright © 2009 by 'Westfriesland', Hoorn/Kampen
Omslagillustratie: Kees van Scherpenzeel
Omslagontwerp: Van Soelen Communicatie

HOOFDSTUK 1

Antwerpen, Stuyvenbergziekenhuis, winter 1903

Dokter Viktor Wouters trok met de klemmen de huid over de bloederige stomp en stak zijn vrije hand uit naar de verpleegster. Geroutineerd gaf ze hem het hechtingsmateriaal aan. Terwijl hij de samengetrokken huid dichtnaaide, begon de man op de operatietafel te kreunen. Zijn hoofd begon heftig heen en weer te schudden en hij trok verwoed aan de riemen die zijn armen en benen stevig op de tafel hielden.

'Ik heb gevraagd om hem in de gaten te houden,' snauwde Viktor. De jonge, bleke man, die aan het hoofd van de patiënt stond, druppelde zenuwachtig een beetje chloroform op de lap stof die de mond en de neus van de onfortuinlijke patiënt bedekte. Het duurde niet lang voordat de man ophield met kreunen en hij weer stil lag.

'Het spijt me, dokter. Ik was aan het kijken hoe u die stomp dichtte.'

Viktor keek hem met een koele blik aan. 'Ik heb je niet gevraagd om me te assisteren bij de operatie zelf. Het is jouw taak om te zorgen dat mijn patiënt onder narcose blijft, meer niet!'

De jonge man deed er het zwijgen toe. Hij keek even naar de verpleegster die net een kom wegnam waarin de afgezette voet in een plas bloed lag. Hij richtte zijn blik weer op de patiënt, zag dat deze nog stevig sliep en waagde het om vanuit een ooghoek de operatiekamer in te kijken. Veel was er niet te zien. Een operatietafel en een instrumententafel op wielen, die nu tot vlak bij de operatietafel was gerold. Boven hem een lamp die brandde op elektriciteit, een van de grootste uitvindingen van deze eeuw. Op de vloer, op het witte laken en op de witte schorten van de dokter en de verpleegster waren helrode bloedspatten te zien. Op de muur waren de oude bloedspatten haast zwart van kleur geworden. Ze hadden zich in de kalklaag gezogen en konden niet meer verwijderd worden.

Het rook er naar verbrand vlees door het dichtschroeien van de wond; naar bloed, etter en zweet. Door een raam aan zijn rechterkant zag hij een dun laagje sneeuw op een klein grasperk liggen, of was het gewoon een laagje rijp? Een duif zat op de vensterbank tegen het raam aangedrukt in een poging aan de ijzige wind te ontkomen. Hij was blij dat hij tenminste warm binnen zat. Hij keek voor zich uit naar de potkachel die roodgloeiend stond en de operatiekamer verwarmde. Maar de warmte maakte ook de stank intenser. Hij werd er misselijk van.

Viktor legde de laatste steken vast en wiste het zweet van zijn voorhoofd. De lamp was een prachtige uitvinding, maar de hitte die ze uitstraalde zo vlak boven zijn hoofd was een nadeel dat hij voor lief moest nemen. Hij keek naar de jonge student die voor de eerste maal een operatie had bijgewoond. Ondanks zijn verslapte waakzaamheid had hij het behoorlijk gedaan. Misschien kon hij deze kerel nog eens vragen.

'Hoe was je naam ook weer?'

'Hendrik… Hendrik van Wezenmaal,' mompelde de jonge man vlug toen hij zag dat Viktor het woord tot hem richtte.

'Je hebt het goed gedaan, jongeheer Van Wezenmaal. Misschien vraag ik je nog wel een keer.'

Na deze woorden trok hij zijn bebloede schort uit en verliet de operatiekamer. Hij bekommerde zich in het geheel niet over de verzorging en het verbinden van de wond. Dat was het werk van de verpleegster en daartoe verlaagde hij zich niet.

Nu de operatie achter de rug was, ging Viktor naar de dokterskamer om van een goede sigaar te genieten. De zitruimte was alleen op mannen gericht, met enkele goedzittende sofa's, een open haard, een kleine bar waar een versterkend middel genuttigd kon worden en rookgerief. Hij trof er alleen zijn docent en vriend Henri Ballancer aan, een man van in de zeventig, kalend en gezet, die hem de knepen van de chirurgie had bijgebracht en waaraan hij veel te danken had.

Henri legde zijn krant neer toen hij Viktor zag binnenkomen en een Havana sigaar zag nemen.

'Hoe is de operatie verlopen?' vroeg hij.

Viktor nam tegenover hem plaats, hield een houtje in het vuur van de open haard en stak daarmee zijn sigaar aan. Genietend blies hij een rookwolk de lucht in.

'Goed. Ik denk wel dat ik van een geslaagde operatie kan spreken,' antwoordde hij ten slotte. 'De beenstomp zag er in ieder geval behoorlijk uit. Ik verwacht een goed herstel.'

'Beenstomp? Ik dacht dat je een teen moest amputeren? Het gangreen was toch nog niet verder doorgezet?'

'Ik heb geen risico's genomen, Henri. Bovendien heb ik ditmaal de

voet iets boven het gewricht afgezet. Ik denk dat deze manier betere overlevingskansen zal geven.'
'Was het echt nodig om hem zo te verminken? Met een teen minder had hij nog best kunnen werken, maar nu...'
'Ach!' Viktor wimpelde deze bezorgdheid weg en trok geïrriteerd aan zijn sigaar. 'Die boerenfamilies hangen allemaal aan elkaar. Ze zullen elkaar wel helpen. Trouwens: aan een stuk brood en een aardappel hebben deze mensen al genoeg.'
'Als hij blijft leven, tenminste!'
'Je weet net zo goed als ik dat elke operatie een risico inhoudt, Henri. De operatie is goed gelukt. Als die man nadien sterft is het niet mijn schuld! Ik kan het toch ook niet helpen dat de wond ontsteekt?'
'Nee, maar een kleine teenwond zal vlugger genezen dan een grote beenwond.'
Viktor keek Henri even bedenkelijk aan. 'Je lijkt me vandaag toch wel erg vaak terecht te wijzen, Henri. Ik dacht dat je mijn werkwijze appreciëerde?'
Henri stond op om zijn glas bij te vullen. Hij had dit moment van de dag uitgekozen omdat hij wist dat hij Viktor op dit ogenblik alleen zou treffen. Wat hij zijn pupil ging zeggen kon beter niet door iemand anders gehoord worden.
'Ik heb al eerder gezegd dat er te veel doden onder je handen vallen, Viktor,' zei hij terwijl hij de cognac inschonk. 'De laatste jaren loopt het de spuigaten uit.'
Viktor wimpelde zijn woorden weg. 'Ik kan niets bereiken door voorzichtig te zijn. Daar zijn nu eenmaal slachtoffers voor nodig.'
Henri ging weer zitten, nam een slok en keek de man voor hem aan. 'Ja, dat geef ik graag toe. Ik neem ook weleens een risico, anders kunnen we inderdaad niet evolueren. Maar ik houd het discreet, minder opvallend, zodat er ook minder klachten komen, begrijp je?'
'Klachten? Wie durft er een klacht te uiten? Die arme drommels moeten blij zijn dat wij ze willen helpen!'
'Maar ze bekopen het wel met hun leven! Die arme drommels hebben ook familieleden. Bovendien heb jij je de laatste jaren niet alleen beperkt tot die arme drommels, Viktor. Dat wreekt zich.'
'Bedoel je die gepensioneerde houthandelaar? Maar die man was zo oud als de straatstenen! Geen wonder dat hij onder die operatie bezweek.'

7

Henri zuchtte diep en schudde het hoofd. 'Het heeft geen zin om hun namen en hun functie op te noemen, Viktor. Zoals je weet zit ik in de bestuursraad en deze ochtend is de raad, naar wekelijkse gewoonte, bijeengekomen. Sinds dat jonge meisje drie dagen geleden onder je handen is gestorven, zijn de gemoederen weer hoog opgelaaid. Volgens de raad was haar lijden zinloos. Je had haar kunnen redden als je de normale procedure gevolgd had.'

Viktor haalde minachtend zijn neus op. 'Krijg ik weer een waarschuwing? Hoe kan ik nu iets bijleren als ik me altijd aan de regels moet houden? Bovendien was dat wicht net zo goed gestorven als iemand anders haar had geopereerd.'

'Je weet dat ik achter je sta, Viktor, maar ik kon hen niet tot andere gedachten brengen... De raad acht het nodig om je voor een tijdje te schorsen. Ik heb het voor je opgenomen. Ik heb er alles aan gedaan om het goed te praten, maar het kon ditmaal niet helpen. Ze waren unaniem en resoluut.'

Viktor stond perplex. Ze zouden hem, na al die jaren van zelfopoffering, willen schorsen?

'Het spijt me, Viktor. Normaal ben ik geheimhouding verplicht, maar ik heb je altijd een uitmuntende chirurg gevonden én een goede vriend. Daarom breng ik je nu zo vlug mogelijk op de hoogte van de toestand, zodat je nog een kans hebt om je reputatie en je eer te redden. Wacht niet af tot de bestuursraad je schorst met alle gevolgen vandien. Neem zelf je ontslag, zodat jij je naam als chirurg in ere kunt houden. Zeg hen dat je aan rust toe bent en houd je een poosje kalm. Daarna kun je weer je gang gaan. Als je wacht tot de raad je schorst, dan zal dat als een lopend vuurtje rondgaan en je naam zal door iedereen besmeurd worden. Denk aan je vrouw en zonen, Viktor, denk aan hoe zij zich zullen voelen als je welgestelde vrienden niets meer van zich laten horen. Denk aan de kansen die je voor altijd ontnomen zullen worden.'

Henri dronk in één teug zijn glas leeg. 'Denk eens goed na over wat ik je hier gezegd heb. Ik heb het je gezegd als vriend, maar wacht niet te lang, want dan zou het weleens te laat kunnen zijn!' Na deze woorden stond hij op en verliet het vertrek.

Viktor keek een hele poos roerloos naar de gesloten deur. Ten slotte klemde hij zijn lippen grimmig op elkaar. Waren al die jaren van hard werken dan voor niets geweest? Had hij niet altijd als een voorbeeldige chirurg gewerkt? Natuurlijk waren er veel sterfgevallen. Elke operatie was een risico en elke dokter wist dat de kans op sterfte groot was. Hij gaf toe dat hij opmerkelijk meer patiënten verloren had dan zijn collega's, maar begreep de raad dan niet dat hij bij elke dode iets had geleerd? Hoe kon de geneeskunde erop vooruitgaan als men niet experimenteerde? Bovendien probeerde hij zijn nieuwe technieken alleen maar op arme drommels en verschoppelingen uit. Zij hadden toch alleen maar een ellendig leven. Maar na al die jaren van inzet dacht de raad van bestuur er nu anders over. Dat stelletje pennenlikkers kon niet langer verdragen dat hij beter was dan zij. Begrepen die idioten dan niet dat juist deze experimenten ooit zouden leiden naar een grote doorbraak, naar faam en eer voor hun ziekenhuis? Hij stond met een ruk op en schonk zichzelf een groot glas cognac in, dat hij in één teug achterover sloeg. Hij wist dat hij geen kant meer op kon. Ze hadden hem met zijn rug tegen de muur gezet, klaar om te executeren.

HOOFDSTUK 2

Westerlo, lente 1904

'Zalig!' Maaike legde haar handen onder haar hoofd en zuchtte genietend. 'Hier zou ik wel de hele dag kunnen blijven. Lekker nietsdoen en genieten van de zon.' Emera zat naast Maaike in het gras van de berm en grinnikte honend. 'Je zou mijn moeder nogal tekeer horen gaan! Nietsdoen is haast een doodzonde, dat weet je toch? Ze zal nu al op de kruiden zitten te wachten.' Ze keek even misprijzend naar het rieten mandje dat naast haar in het gras stond. Het was gevuld met speenkruid, barbarakruid en witte waterkers, dat nu volop langs de oevers van de Grote Nete groeide.

Maaike zette zich recht op een elleboog. 'Je moeder zal het heus niet merken, Emera. Nu ik je geholpen heb, blijft er zeker een beetje tijd over om van de zon te genieten.'

Na deze woorden liet ze zich weer op haar rug in het gras vallen. Ze keek naar de bottende takken boven haar. 'Er is niets mis met genieten,' ging ze verder toen Emera niet antwoordde. 'Dit is mijn enige vrije dag in de week. De andere dagen is het hard werken bij rentmeester Naets en als ik zondag thuis mijn neus laat zien, dan eist mijn moeder me volledig op, zodat ik al even hard moet werken. Als je het mij vraagt, moet je genieten als de kans zich voordoet!'

Emera beet op haar onderlip en keek om zich heen. De lucht was helderblauw met hier en daar een donzig wolkje. Het water van de Grote Nete stroomde kabbelend verder, vogels zongen hun lentelied, de bermen waren bespikkeld met madeliefjes en paardenbloemen en het groen van gras en boom was pril en vol leven. Ze snoof de muskusachtige aardegeur diep in en gaf ten slotte toe aan de verleiding. Ze legde zich naast Maaike neer en sloot genietend haar ogen.

'Je hebt gelijk, Maaike. Moeder zal het vast niet merken als ik wat langer wegblijf.'

Maaike schudde haar hoofd. 'Nee, hoor. Ze zal veel te druk bezig zijn.' Ze richtte zich op en waagde het om haar rok even op te trekken tot vlak boven haar knieën. Ze waren hier immers alleen. Niemand die het merkte. 'Heb je al gehoord van die nieuwe dokter?' vervolgde ze toen ze zich weer neerlegde.

Emera knikte. 'Ja, mijn moeder heeft het van Nieke Coomans

gehoord toen zij de wond op haar been ging verzorgen.'
Maaike grinnikte spottend. 'Ja, niemand kan zo vlug zijn als Nieke Coomans. Zij weet altijd alles en ze kan het niet vlug genoeg verder vertellen. Gelukkig heeft zij haar kruidenierswinkel, zodat zij heel de dag door kan roddelen. Ik denk dat ze het anders niet overleefde.'
Ze richtte zich weer op één elleboog en keek Emera met glinsterende ogen aan. 'Dan heb je waarschijnlijk ook gehoord dat die nieuwe dokter twee zonen heeft?'
'Nee, daar heeft moeder niets van gezegd.'
'Dan kan ik dát tenminste als eerste aan je vertellen. En ik zal je nog meer zeggen: ik heb een van hen zelfs al gezien!'
Emera glimlachte ontspannen. Zij kende haar vriendin immers en wist dat er nu iets opzienbarends ging komen. 'En?' vroeg ze dan ook quasi-onverschillig. 'Hoe zag hij eruit? Een beetje gezet met pukkels en een verstrooide blik?'
Maaike legde haar hoofd achterover en keek dromend naar de lucht. 'Nee,' zei ze zacht. 'Het was de knapste man die ik ooit gezien heb.'
Emera draaide haar hoofd naar haar toe en keek haar verbaasd aan. 'Je méént het! En je hebt hem maar één keer gezien?'
'Twee keer. De tweede maal was hij nog knapper en heeft hij naar mij geglimlacht.'
'Misschien omdat je met open mond naar hem stond te staren?'
Maaike schaterde het uit. 'Dat zou best weleens kunnen! Ach, ik weet maar al te goed dat het alleen maar bij dromen zal blijven. Een dokterszoon en de dochter van een knecht zullen wel nooit samengaan. Mijn moeder zegt dat iedereen zijn plaats moet kennen in deze wereld en ze zal wel gelijk hebben. Maar dromen mag toch, niet?'
'Hoe zit het dan met Jan? Verleden week vertelde je me nog dat hij het einde was en dat je al het mogelijke deed om bij hem in de buurt te kunnen zijn.'
'Dat is ook zo. Jan is knap op zijn manier en ik ben heel blij met zijn avances. Ik ben tenslotte al achttien, net als jij, en ik wil geen oude vrijster worden. Maar mijn ogen bedriegen me niet. Die dokterszoon is echt mooi, ook al weet ik drommels goed dat hij een heleboel kapsones zal hebben en geen partij voor mij is.'
Nu was Emera's nieuwsgierigheid wel erg geprikkeld. 'Hoe zag hij er dan uit, Maaike?'

11

Maaike keek even stilzwijgend naar boven, zag in gedachten de man weer staan en begon aan zijn beschrijving. 'Hij heeft heel donker, sluik haar, dat hij regelmatig met zijn hand naar achter brengt omdat het anders over zijn voorhoofd valt. Zijn huid is licht gebruind, – op zijn gezicht en armen tenminste – zijn neus is perfect, zijn ogen de donkerste poelen die ik ooit gezien heb en zijn mond zacht en sensueel, maar toch mooi omlijnd door stevige, mannelijke kaakbeenderen. Zijn wangen en kin waren glad geschoren en zijn lichaam...' zonder haar ogen weg te slaan van het punt waarnaar ze dromerig staarde, schudde ze het hoofd. 'Ongelooflijk, wat een lichaam had die man! Hij had een zwarte, tamelijk aansluitende broek aan en een wit linnen hemd waarvan de bovenste knoopjes openstonden. Je zag de spieren er zo doorheen. Het was bijna onzedig als het niet zo wonderwel bij hem leek te passen.' Na deze woorden draaide ze haar hoofd naar Emera toe en grinnikte. 'Mijnheer pastoor zou een hartverlamming krijgen als hij me hoorde.'

Het gelach van de meisjes verstomde plots toen een licht krakend en hobbelend geluid weerklonk.

Maaike had nog net de tijd om haar rok naar beneden te trekken toen Seppe Claes de bocht omkwam en hen zag liggen. De oude man duwde een stootkar voor zich uit. In de kar lagen een sikkel en enkele jutezakken. De meisjes stonden vlug op en klopten het gras van hun kleding. Maar Seppe had genoeg gezien. Toen hij hen voorbij ging kneep hij zijn ogen toe en zijn ingevallen mond werd een strenge streep. 'De jeugd van tegenwoordig is liever lui dan moe,' mompelde hij verontwaardigd terwijl hij verderging. Even later verdween de man in de volgende bocht en was alleen het licht gekraak van zijn kar nog even hoorbaar.

Maaike zuchtte diep. 'Voordat de avond valt zal heel het dorp weten dat wij niets anders te doen hebben dan in het gras liggen luieren. Bah, ik haat dit dorp! Je kunt hier echt niets doen zonder dat iedereen het te weten komt.'

Emera haalde echter haar schouders op. 'Och, dat zal heus wel meevallen, Maaike. Seppe is de slechtste nog niet. Bovendien is hij nogal vergeetachtig. Zo te zien aan de lege zakken op zijn kar moet hij nog beginnen om het gras te maaien. Daar is hij wel een tijdje mee bezig als je weet dat hij wel meer dan twintig konijnen heeft zitten. Misschien is hij straks wel vergeten dat hij ons hier heeft gezien.'

'Nou, voor mij is de lol er in ieder geval af. Ik ga naar huis.' Na deze woorden vertrok ze in de richting die Seppe had genomen. Emera nam het mandje op en ging in tegenovergestelde richting. Haar huis lag immers niet in het dorp en ook niet in het gehucht daarachter, waar Maaike woonde. Ze liep langs het water verder tot aan de Kaaibeekbrug, een houten brug genoemd naar de grote herenhoeve die iets verder lag. Daar sloeg ze een karspoor in tussen wild begroeid gebied dat haar verder weg van de Grote Nete voerde. Dat paadje kwam haaks uit op een haast eindeloze eikendreef met een kasseiweg ertussen. Ze stak deze weg over en nam een klein paadje tussen een dennenbos en weilanden. Er stonden lariksen naast het pad. Ze zette er stevig de pas in, maar toch was het nog een heel eind voordat ze haar huis in de verte tussen de struiken en bomen zag staan. Het stond er alleen. De Bist was niet druk bewoond en de paar andere huizen die het gehucht rijk was, stonden dichter tegen de kasseiweg, zodat het leek alsof ze aan het eind van de wereld woonden. Het huisje stond tegen de rand van een beukenbos. Het was niet erg groot, met een deur en een raam in de voorgevel, een schuurtje ernaast en nog een houten berghok aan de andere kant. Maar het was goed onderhouden. Het erf lag er netjes bij, de pannen lagen recht, het hout was geverfd en de ramen glanzend gepoetst.

Voordat Emera het huis bereikte, verscheen Mimi Loockx langs de zijkant van het huis met een zwarte, goed gevulde tas in haar hand. Ze schudde geërgerd het hoofd toen ze haar jongste dochter zag naderen.

'Zo, ben je daar eindelijk? Ik had je al veel eerder terug verwacht. Je weet toch dat ik naar Nieke moet en naar Betteke Mallegheer!'

'Het spijt me, moeder. Maar ik ben Maaike tegengekomen en we hebben nog even met elkaar gepraat.' Emera kon niet liegen tegen haar moeder. Ze had nog nooit gelogen en ook geen reden gehad om het te doen. Bovendien kwam haar moeder toch alles te weten. Ze kende iedereen in het dorp en iedereen kende haar en daardoor ook haar drie dochters.

'Dan mag ik blij zijn dat je niet nog langer weg bent gebleven, want als Maaike begint te praten, dan staat haar mond niet meer stil.'

'Zo erg is het heus niet, moeder. Ze is alleen maar blij om even thuis weg te zijn. Haar moeder verwacht dat ze altijd klaarstaat.'

'Dat is nu eenmaal de gang van zaken. Ze zal het wel beseffen als ze zelf een stel kinderen heeft. Maar nu moet ik weg. Ik ben al laat. Ik had gehoopt terug te zijn voordat Lisa hier is, maar ik vrees dat ik het niet zal halen. Wil je haar vragen of ze even wacht? En als je dan nog zo goed wilt zijn om de kruiden die je net hebt geplukt in de zon te drogen te leggen, dan ben je een schat.'

Ze gaf Emera een vluchtige kus op het voorhoofd, drukte de zware tas tegen haar lichaam en repte zich over het pad in de richting van de kasseiweg die naar het dorp liep.

Emera keek haar nog even na. Een gevoel van trots kwam in haar op toen ze haar moeders slanke figuur en rechte rug zag. Ondanks haar achtenveertig jaar mocht haar moeder er nog best wezen. Ze droeg haar lange kastanjekleurige haar altijd in een wrong bij elkaar, wat haar een vorm van distinctie gaf. Maar dat kwam niet alleen door haar haardracht, het was ook haar houding, eigenlijk haar hele uitstraling die maakte dat ze nog altijd heel elegant en mooi was. Geen wonder dat enkele vrijgezellen en weduwnaars uit het dorp al het mogelijke deden om haar aandacht te trekken. Maar na de dood van haar vader – nu al meer dan tien jaar geleden – was haar moeder op geen enkele hofmakerij ingegaan. Ze bleef liever alleen, zorgde voor haar drie dochters en verdiepte zich in kraamzorg, kruiden en zalfjes. Ze wist heel veel over de geneeskracht en de helende werking ervan. Emera had nog niemand ontmoet die er meer van wist dan haar moeder. Toen haar vader nog leefde was haar moeder al bekend tot ver in de omliggende dorpen. Als vroedvrouw had ze al heel veel kinderen op de wereld geholpen, ontelbare wonden genezen en pijnen verzacht. Zij had het van háár moeder geleerd en Emera op haar beurt weer van haar. Emera ging regelmatig met haar moeder mee om gewonden en zieken te verzorgen of om te helpen bij een bevalling, maar moest nog een heleboel bijleren. Ze vond het spijtig dat ze haar grootmoeder van haar moeders kant nooit gekend had. Volgens haar moeder was dat een heel speciale en verstandige vrouw. Emera had haar uiterlijk en haar gevoel voor kruiden en planten geërfd. Zij had ook dat donkere, bijna gitzwarte haar en die blauwe ogen, wat haar grootmoeder zo deed opvallen tussen de andere dorpsgenoten.

Emera was nog niet geboren toen haar grootmoeder op een donkere, stormachtige nacht onder een omvallende boom terecht was gekomen. Het gebeurde toen ze, op de terugweg van een bevalling, een man wilde helpen die in de beek gesukkeld was, in een poging om zijn koe te redden die door het stormweer in paniek was geraakt.

Gelukkig had Emera haar vaders moeder wel gekend. Deze oma was een zachte, lieve vrouw die ze voor altijd in haar hart zou meedragen. Zolang ze zich kon herinneren had oma bij hen ingewoond. Nadat Emera's vader was gestorven, bleef ze voor zijn drie dochters zorgen die toen nog jong waren. Op die manier kon Mimi de mensen blijven helpen, zodat er wat brood op de plank kwam.

Emera zuchtte diep bij de gedachte aan haar oma. Zij was twee winters geleden gestorven aan een longontsteking. Geen enkel zalfje of kruid had haar kunnen helpen. Ook dokter Goossens kon niets meer doen. Net zoals bij haar vader, die door een onbekende ziekte werd getroffen en ondanks de geneeskundige kennis van zijn vrouw toch stierf. Emera besefte maar al te goed dat haar moeder daar nog altijd onder leed. Zij had zoveel mensen geholpen, zoveel zieke en gewonde mensen genezen, maar diegenen die haar het dierbaarst waren had ze niet kunnen helpen. Zij had alleen hun pijn wat kunnen verzachten en machteloos moeten toezien hoe zij langzaam het leven verlieten.

Emera schudde deze nare gedachten van zich af, draaide haar hoofd weg van de richting waarin haar moeder allang was verdwenen en ging langs de schuur naar de achterkant van hun huis, waar de zon een kleine open plek bescheen. Een tiental meters verder, tegen de rand van het bos, stond hun geit te grazen. Ze mekkerde toen ze Emera de hoek zag omkomen en trok aan het touw waarmee ze aan een boom was vastgezet.

In de zon lagen een paar dichtgevlochten matten op de grond. Op één van deze matten lagen enkele overlangs doorgesneden wortels te drogen. Emera zag in één oogopslag dat het smeerwortel was. Ze wist haast zonder erbij na te denken dat deze gebruikt kon worden om ontstekingen en irritaties tegen te gaan en om snij- en schaafwonden te helen. Aangezien ze alleen de wortels zag liggen, veronderstelde Emera dat haar moeder het kruid had bijgehouden voor de stamppot die ze straks zou bereiden.

Ze nam de witte waterkers en het speenkruid uit haar mandje en hing ze aan het droogtouw dat boven de matten was gespannen en waaraan al enkele bosjes kruiden hingen te drogen. Daarna nam ze het barbarakruid en ging het huis binnen. De jonge rozetbladen van deze plant hadden weinig geneeskrachtige werking, maar als groente waren ze erg lekker. Ze ging dan ook direct naar de kleine bijkeuken, waar ze het barbarakruid bij de bladen van de smeerwortel legde. Nu zou ze eerst de kachel aanmaken en daarna kon ze aan de stamppot beginnen. Dan konden ze meteen aan tafel als haar moeder thuiskwam.

De potkachel stond in de enige leefruimte die ze bezaten. Ondanks de beperkte ruimte was de kamer gezellig ingericht. Een ruwe houten tafel en vier stoelen stonden tegen het raam aan, waarvoor een spierwit, ragfijn gehaakt gordijntje hing. Ook op de tafel lag een wit, gehaakt sierdoekje waarop een grote tinnen beker stond met daarin een bont boeket wilde bloemen. Tegen de rechtermuur stond een hoge, donker gebeitste kast waarin het weinige servies stond dat ze bezaten en enkele voor hen waardevolle dingen zoals de schaarse tastbare herinneringen aan hun dierbare overledenen. Langs de andere kant van de kamer, waar vroeger een open haard was, stond nu de kachel met aan beide kanten een gemakkelijke leunstoel.

Naast de haard was een bakoven ingebouwd, waar eenmaal per week het brood in gebakken werd. Er hing een kruisbeeld boven de deur en op een piëdestal in een hoek stond een plaasteren beeld van de Heilige Maagd Maria met een felle blauwe mantel in alle devotie te pronken. In het achterste deel was nog een kleine ruimte die dienst deed als bijkeukentje. Er waren verschillende planken aangebracht, waarop potten, pannen en kruiken stonden. Eén plank was gevuld met aardewerkpotten waar de gedroogde kruiden en zalven in bewaard werden. Naast de buitendeur stond een stenen wasbak met een afvoer naar de goot. Daarnaast stond een houten putemmer gevuld met helder water. Aan de andere kant waren enkele spijkers kromgeslagen, waaraan een paar omslagdoeken en een zwart werkschort hingen. In de bijkeuken was ook de kelder met daarboven het kleine kelderkamertje waar haar moeder sliep. Het kleine trapje naar de kelderkamer liep haaks verder naar boven tot aan een valluik. Meestal stond dit luik open. Onder de pannen lag de kamer van de meisjes. Een grote kamer met twee dubbele bedden en een grote kast waarin, buiten hun schamele kleding, ook het weinige linnengoed een plaats had gekregen.

Nog niet zo lang geleden lagen ze hier gezellig met zijn drieën. In de winter meestal in één bed zodat ze het lekker warm hadden. Maar vier jaar geleden was haar oudste zus Lisa getrouwd met Petrus Galvaren – Peet, zoals ze hem noemde – een boerenzoon uit het gehucht Heultje. Ze hadden ondertussen al twee zoontjes. Lode van drie jaar en de baby Seppe van net zes maanden. En verleden jaar was haar zus Trude getrouwd met Theo Daane, een loonarbeider die op de ijzerertsontginningen in de Kwarekken werkte. Zij waren nu allebei het huis uit. Lisa woonde op de boerderij bij de ouders van haar man in en Trude en Theo woonden in een van de vele kleine arbeidershuisjes in De Zoerledreef.

Emera miste de gezellige avonden die ze met zijn allen rond de kachel doorbrachten. Er werd toen heel wat gepraat en gelachen. Meestal gingen de gesprekken in bed verder tot de moeheid zijn tol eiste en ze in slaap vielen. Nu was het huis leeg zonder hen, maar Emera misgunde hen hun geluk niet. Zij hoopte ook ooit de ware tegen het lijf te lopen. Als ze zag hoeveel haar zussen van hun man hielden, dan wilde ze ook van dat geluk proeven. Maar ze had nog niemand gevonden en bovendien moest ze nog zoveel leren voordat ze evenveel wist als haar moeder.

Ondertussen had ze de kachel aangekregen met wat aanmaakhoutjes en begonnen de vlammen aan een groter houtblok te likken. Ze waste haar handen in de daarvoor bestemde emmer en begon net met het reinigen van de groenten toen Lisa het huis binnenkwam. Ze duwde een geïmproviseerde kinderwagen voor zich uit. Het was een kleine houten stootkar met vier wielen die Peet voor haar gemaakt had, zodat ze gemakkelijker met de kinderen naar haar moeder kon gaan. Lisa had er een matrasje voor gemaakt en een zacht dekentje, zodat de baby comfortabel lag. Aan het voeteinde was een plank bevestigd op de zijwanden waarop Lode zat. Dankzij dit hulpmiddel kon ze elke week eens even bij haar moeder langskomen. Heultje lag tenslotte een eind van De Bist vandaan en met twee kleine kinderen was het niet makkelijk om even vlug binnen te wippen. Meestal ging ze pas in de late namiddag weer terug naar huis.

Emera was daar blij om. De komst van haar zus en kinderen verbrak immers de eentonigheid en bovendien hield ze erg veel van hen. Lisa leek uiterlijk sterk op haar moeder. Ze had hetzelfde zachte gezicht en het kastanjekleurige haar dat ze nu met een touwtje op haar rug had samengebonden. Emera liet de groenten liggen en keek stralend naar het binnenkomende jonge gezin.

'Dag Lisa en dag grote jongen!' Ze tilde Lode van de geïmprovi-seerde kinderwagen en zwierde hem even rond, zodat het kind begon te schateren.

Lisa duwde de kinderwagen verder de woonruimte in en liet zich uitgeput in een leunstoel vallen. 'Poeh! Ik ben bekaf! Dat komt zeker door de warmte. Het is nog maar begin mei en de zon brandt al alsof het zomer is.'

'Ik wil buitenspelen,' zei Lode, terwijl hij hoopvol naar zijn moeder keek.

Lisa grinnikte. 'Nou, jij hebt duidelijk niet veel last van de warmte. Vooruit dan maar. Maar niet verder dan het pad, hoor!'

Lode schudde zijn hoofd en was al door de openstaande deur verdwenen voordat zijn moeder haar zin voltooid had.

Emera keek hem glimlachend na, terwijl ze de baby uit de kinderwagen tilde. 'Ze worden allebei groot, Lisa.' Ze drukte een kus op Seppes wangetje.

'Zeg dat wel. Het gaat me allemaal een beetje te vlug. Lode is de laatste tijd erg druk, alsof hij energie heeft voor tien. Je zou ze voor altijd klein en schattig willen houden, zoals Seppe die haast niets anders doet dan slapen en eten, maar dat is helaas niet mogelijk.'

Lisa knoopte haar schoenen los en zuchtte opgelucht toen ze met haar tenen wriemelde. 'Ik ben blij dat ik zit.'

Emera knikte, terwijl ze de baby wiegde. 'Dat geloof ik. Het is een heel stuk om te lopen. Maar na dat gure voorjaar mogen we niet mopperen. Het is zalig buiten. Echt een dag om niets te doen, om alleen maar te genieten.'

'Nietsdoen? Genieten? Ik weet niet eens meer wat dat is! Ach, zusje, wacht maar zo lang mogelijk met trouwen. Je weet niet half hoe goed je het hebt hier bij moeder. Eenmaal getrouwd en kinderen, heb je geen enkel moment meer voor jezelf. Dan is het alleen maar werken geblazen.'

'O, het spijt me voor je, Lisa. Ik wist niet dat je zo hard moest werken op de boerderij van Peets ouders. Gelukkig kun je hier even tot rust komen.'

Lisa keek naar het bezorgde gezicht van haar jongste zusje en besloot haar geklaag wat af te zwakken. Ze wilde niet dat Emera bang zou worden voor de toekomst. Ze was zeker niet ongelukkig, dat mocht ze niet denken.

'Peets ouders zijn goed voor me, zus, en Peet draagt me op handen. Het is zelfs zijn moeder geweest die erop stond dat ik een dagje in de week ertussenuit trok. Een dag voor mezelf, om eens hierheen te gaan of om iets te doen wat ik graag doe. Terwijl op de boerderij het werk er toch niet minder op wordt. Nee, ik heb zeker niet te klagen. Maar de kinderen en het werk geven je wel de handen vol, zodat er thuis van genieten niet veel meer komt.'

Lode kwam al weer binnen. Helemaal in zijn eentje was er buiten niet veel te beleven. Hij trok even aan Emera's rok. 'Tante Emera, waar zijn mijn blokjes?'

Emera streek met haar vrije hand even liefkozend door zijn blonde krullen. 'Kom je liever bij ons spelen, schat?' Lode knikte. 'Maar ik vind mijn blokken niet.'

'Dan zal ik die eens gauw voor je zoeken.' Ze nam de bak met de houten blokken uit de kast en zette het speelgoed voor hem neer. Algauw was hij een huis met een toren aan het maken.

Lisa nam het gesprek weer op. 'Kijk eens!' Ze voelde met haar handen aan het voeteinde van de kinderwagen en haalde een in lappen gewikkeld pak tevoorschijn en een kan met een deksel erop. 'Meer dan twee liter melk, een pakje boter en een stuk spek. Met de groeten van Peets vader. Ik ben echt wel een geluksvogel met zo'n schoonfamilie en ik mag dus zeker niet mopperen.'

Ze keek even achter Emera's rug naar de buitendeur en vroeg: 'Waar is moeder naartoe?'

'O, die is nog even naar het dorp om Niekes wond te verzorgen en naar Betteke met haar hardnekkige hoest. Ze heeft gevraagd of je even op haar kon wachten. Ze zou haast maken.'

Seppe begon te huilen. Emera zette hem wat rechter op haar arm. 'Wat is er, kleintje? Heb je honger?'

'Dat zou best weleens kunnen. Kom, geef hem maar.' Lisa knoopte haar bloes los en gaf het kind de borst.

Emera stopte nog enkele houtblokken in de kachel en ging daarna terug naar de bijkeuken om de groenten en de aardappelen klaar te maken. Het duurde dan ook niet lang voordat ze een kookpot op de kachel plaatste. Een paar druppels water sisten toen ze op de hete kookplaat terechtkwamen. De baby liet een zacht smakkend geluid horen. Lisa keek met een vertederde blik op haar zoontje neer.

Emera ging in de andere leunstoel zitten en keek even met een glimlach naar haar oudste zus. 'Maaike vertelde me daarstraks dat er een nieuwe dokter in het dorp is,' zei ze.

Lisa keek even op. 'O ja? Nou, dat zou tijd worden! Hoe lang is dokter Goossens al dood? Zeker al meer dan zes maanden! En al die tijd heeft moeder al het werk alleen moeten doen. Samen met jou, natuurlijk, maar je begrijpt wat ik bedoel. En dan mogen de mensen nog blij zijn, omdat moeder altijd voor hen klaar staat. Zij heeft zolang ik me kan herinneren altijd met dokter Goossens samengewerkt en iedereen weet dat ze haast net zo goed is, ook al heeft ze niet gestudeerd. Moeder zal hem trouwens wel erg missen. Ze konden goed met elkaar opschieten.'

'Ja, moeder had het er moeilijk mee toen zijn meid haar kwam vertellen dat ze hem dood in bed had aangetroffen.'

'Hij was ook al heel oud, Emera. Ik geloof dat hij al tegen de tachtig liep. Eens moet een mens voor God verschijnen. Maar hij heeft de hemel zeker verdiend.'

'Zeker! Voor hem was God genadig. En voor moeder eigenlijk ook, want nu is er dan toch eindelijk een nieuwe dokter gekomen en zal het hopelijk wat rustiger voor haar worden.'

Lisa keek haar zus met een vragende blik aan. 'Heeft moeder hem al gezien?'

'Niet dat ik weet. Maar de dokter en zijn gezin zijn nog maar een paar weken geleden in het huis van Trees Moortgat getrokken. Zoals je weet stond het al bijna een jaar leeg, nadat Trees gestorven was. Hij heeft het huis laten opknappen door Stienus en Gerrit van Nieke Coomans, tot het weer als nieuw was.'

Lisa grijnsde ironisch. 'En als Nieke het weet, dan weet heel het dorp het!' Ze werd echter dadelijk ernstig en keek haar zus een beetje bezorgd aan.

'Ik hoop voor moeder dat hij meevalt. Waarschijnlijk is het nog een jonge vent en die hebben meestal andere inzichten en idealen.'

'Nou, zo jong zal hij niet meer zijn.' Emera grinnikte toen ze terugdacht aan Maaikes woorden. 'Volgens Maaike heeft hij twee volwassen zonen en een ervan moet een adonis zijn.'

'Zo! Zei Maaike dat?' Lisa lachte aanstekelijk zodat de baby even ophield met drinken. 'Volgens mij vindt zij dat van veel jongens. Ik dacht toch dat je me verleden week vertelde dat ze weg was van Jan Cruycke?'

'Dat is ook zo, Lisa. Maar volgens haar eigen woorden heeft ze nog wel ogen in haar kop. Ze kan zichzelf toch niet beletten om te kijken!'

Deze woorden deden de twee meisjes in een vrolijke lach uitbarsten.

Het gesprek werd onderbroken door het roffelen van een paar houten klompen die bij de buitendeur werden uitgeschopt. De twee vrouwen en Lode keken om en zagen Trude het huis binnenkomen. De jongen vertoonde een grote grijns. 'Dag tante Tru! Kom je met me spelen?'

Trude drukte een kus op zijn bol. 'Ik zou maar al te graag met je willen spelen, lieverd, maar ik heb nu spijtig genoeg geen tijd.'

Toen ze haar twee zussen bij de kachel zag zitten kon ze het niet laten om hen gemaakt de les te lezen. 'Zo! Hebben jullie niets anders te doen dan gezellig bij de kachel te zitten?'

Trude was net zo donker als Emera, maar haar gitzwarte haar was steil en haar gezicht was meer een mengeling van haar moeder en vader, met bruine ogen en haar vaders dunne mond. Emera was de enige met opvallend blauwe ogen. Haar grootmoeders ogen. Haar haren waren dik en golvend en haar huid opmerkelijk licht in tegenstelling tot de donkerte van haar haren. Haar zussen plaagden haar regelmatig door te zeggen dat ze net een zigeunervrouw was als ze haar lange golvende haren los over haar schouders liet hangen.

'Waarom zouden we werken?' hoorde ze Lisa terugkaatsen. 'Onze Heer heeft de zondag toch geschapen om te rusten? Bovendien hebben we lang genoeg op deze eerste mooie lentedag moeten wachten. Dus vertikken we het om iets te doen!'

Emera keek Trude opgewekt aan. 'Kom erbij zitten, zus.' Ze was blij dat ze nog eens met z'n drieën samen waren. Sinds Lisa en Trude getrouwd waren, gebeurde dat niet zo dikwijls meer.

Trude beet op haar onderlip. Ze had veel zin om toe te geven, maar ze schudde haar hoofd.

'Ik moet dadelijk terug,' zei ze met een spijtige blik. 'Ik kwam alleen maar hierheen om moeders zalf te halen. Theo heeft zijn arm opengehaald aan een roestige spijker. Het bloeden is nu wel gestopt, maar de wond staat een beetje open en ik ben bang dat het gaat ontsteken. Hij verwacht dat ik dadelijk terugkom. Bovendien heeft Theo's moeder vandaag een slechte dag en dan komt heel haar huishouden op mij neer.'

Emera stond op. 'Ga hier maar even zitten terwijl ik de zalf voor je pak, Trude. Enkele minuutjes rust is altijd beter dan niets.' Ze zag dat haar zus aan haar verzoek voldeed en met een zachte blik naar Lisa's kinderen staarde.

Terwijl Emera in de bijkeuken de etiketten op de kleine aarde-werken potten bekeek op zoek naar de juiste zalf voor Theo's wond, voelde ze een golf van medelijden voor Trude opkomen. Haar zus had het niet gemakkelijk, dat kon ze zo zien. Sinds ze als dienstmeid op het kasteel van burgemeester Van Merode werkte, had ze amper tijd voor zichzelf. En als ze al eens een vrije dag had dan eiste Theo's moeder haar volledig op. Het anders zo knappe gezicht van Trude zag er moe uit en haar handen waren grof van het zware werk. Nou, dan had Lisa het wel wat beter getroffen. Peets ouders hadden een eigen boerderijtje, dat hij en Lisa later konden overnemen. Wel niet groot, maar groot genoeg om in hun eigen onderhoud te voorzien. Bovendien had hij nog twee zussen en een jongere broer die heel goed de handen uit de mouwen konden steken en Peets ouders waren nog kranige, hardwerkende mensen zodat Lisa het heel wat gemakkelijker had.

Ze nam een potje met een groene zalf waarop 'wondzalf' stond. Ze wist dat deze zalf gemaakt was van paardenzuring en addertong en dat ze allebei een helende werking hadden. Ze had de planten zelf in olie afgetrokken en in potjes gegoten.

Toen ze terugkwam in de woonkamer zag ze dat Trude Lode op haar schoot had terwijl ze een gesprek voerde met haar zus. Maar zodra ze Emera zag, gaf ze de jongen nog een stevige knuffel. 'Dank je, Emera.' Ze nam het zalfje aan maar aarzelde nog even voor ze vertrok. 'Zou moeder je vandaag niet even kunnen missen?' vroeg ze ten slotte. 'Het zou handig zijn als ik iemand had die me zou kunnen helpen met Theo's moeder.'

Emera knikte. Het was niet de eerste maal dat ze Trude hielp en ze was ervan overtuigd dat haar moeder hiertegen geen bezwaar zou maken.

'Ik kom, zodra ik bij mijnheer Van Haezendonck klaar ben.'

Trude keek haar met grote ogen aan. 'Ga jij nog altijd naar die oude, saaie man?'

'Hij is helemaal niet saai, Trude.'

'O nee?' Trude boog haar lichaam een beetje voorover zoals ze mijnheer Van Haezendonck had zien doen en deed alsof ze een plant in haar trillende hand had die ze vol bewondering aan het bekijken was. Met een gemaakt lage en krakende stem zei ze: 'Dit hier is nu Hippolitus huppeldepup, mijn beste kind. Een plant om trots op te zijn.' Lisa en Emera schaterden het uit om haar treffende nabootsing. Zelfs kleine Lode lachte uitbundig met hen mee.

'Ach, hij is best een aardige man, Trude,' zei Emera, toen ze wat uitgelachen was. 'En ik ben blij dat ik af en toe naar hem toe mag. Alles wat hij me leert over planten en kruiden is heel interessant. Ik moet toegeven dat hij soms verstrooid en onhandig is, maar hij is werkelijk heel verstandig.'

Lisa keek haar jongste zus even bedenkelijk aan. 'Jij bent de enige van ons drieën die in moeders voetsporen treedt, weet je. Net zoals Trude weet ik een heleboel over planten en kruiden omdat we ermee opgegroeid zijn, maar het heeft ons nooit echt kunnen boeien zoals jou. Ik begrijp dan ook niet wat je ziet in al die buitenlandse, rare planten van die oude man.'

Emera dacht een ogenblik na. 'Ik kan het niet verklaren,' zei ze ten slotte. 'Ik weet alleen dat ik graag zoveel mogelijk over allerhande planten wil weten en dat ik het interessant vind dat ik daardoor mensen en dieren kan helpen. Alleen zou ik graag willen dat ik wist hoe een mens in elkaar zit, dan zou ik de geneeskracht van planten nog beter kunnen toepassen. Dokter Goossens heeft me dat wel een beetje bijgebracht, maar dat is niet genoeg.'

'Nou, wijsneus, daar zul je dan toch genoegen mee moeten nemen,' wees Trude haar terecht. 'Universiteiten zijn nu eenmaal geen instellingen voor vrouwen. Bovendien heb je niet te klagen. Ik denk niet dat er iemand in de wijde omtrek is die meer weet dan jij.'

Emera sloeg haar ogen neer. 'Ik wil ook niet zeuren, Trude. Ik ben heel blij met de kennis die ik vergaard heb en ik ben God dankbaar dat hij me genoeg verstand gegeven heeft om dat alles te begrijpen. Maar mijn honger naar kennis raakt nooit verzadigd. Ik denk dat ik daarom zo blij ben dat ik naar mijnheer Van Haezendonck mag gaan. Er zijn altijd nog nieuwe dingen die ik van hem kan leren.'

'Nou, jij liever dan ik! Maar nu moet ik echt weg. Tot straks dan?' Ze keek haar jongste zus even vragend aan tot deze knikte. Daarna draaide ze zich naar Lisa: 'Ik zal Theo vragen om volgende zondag hierheen te komen. Dan kunnen we even gezellig bijpraten.' Ze keek even naar Lode, die al weer bij zijn blokjes zat. 'En dan kan ik even lekker met je spelen, vriend. Goed?' Lode knikte zonder zijn hoofd op te tillen. Hij was juist met een moeilijke constructie bezig en waagde het niet om zijn blik ervan af te wenden.

'O ja, dat zou leuk zijn,' antwoordde Lisa. 'Het is te lang geleden dat we met zijn allen samen waren. Dan zal ik zorgen dat Peet ook met me mee kan komen.'

Trude knikte dankbaar, aaide nog even Lodes blonde haren en streelde met haar wijsvinger over het zachte wangetje van de baby. Daarna draaide ze zich om, stapte in haar klompen bij de buitendeur en verdween.

Emera ging naar de bijkeuken en kwam terug met een pan waarin ze het spek legde dat Lisa had meegebracht. Ze zette deze achter de kookpot op de kachel. Het duurde niet lang voordat het vlees begon te bakken en een heerlijke lucht verspreidde.

Even later kwam hun moeder thuis. Zodra ze haar twee dochters en haar kleinkinderen zag, verscheen er een brede glimlach op haar gezicht. Lode rende naar haar toe en begon een heel verhaal te vertellen over al de dingen die hij deze week beleefd had. Hij eindigde zijn geratel met de vermelding dat zijn tante Trude hier was geweest omdat oom Theo zich verwond had. Mimi, die zich net over de kinderwagen boog waarin de kleine Seppe weer vredig lag te slapen, keek haar dochters vragend aan.

'Was het erg?'

Lisa schudde het hoofd. 'Een snee in zijn arm, opengehaald aan een spijker. Je hebt ons zelf geleerd dat een goede hygiëne en een goede verzorging van groot belang is, moeder. Het belangrijkste zal Trude dus al wel gedaan hebben. Als het echt heel erg was, dan zou ze heus wel op je gewacht hebben.'

'Zo is het, kind! Zelfs het kleinste wondje kan je het leven kosten als het niet met zorg behandeld wordt. Toch spijt het me dat ik niet thuis was. Het is al langer dan een week geleden dat ik Trude heb gezien.'

'Ze maakt het goed, moeder, en ze heeft ons beloofd dat ze volgende zondag samen met Theo langskomt,' zei Emera, toen ze haar moeders bezorgde gezicht zag. 'En straks, als ik bij mijnheer Van Haezendonck klaar ben, ga ik haar even helpen met Theo's moeder. De oude vrouw heeft weer een moeilijke dag.'

Mimi zuchtte diep bij de gedachte aan Theo's moeder. 'Niets van al mijn kennis blijkt bij haar te helpen. Als ze toch maar eens een beetje positiever tegen het leven wilde aankijken. Volgens mij zit haar ziekte tussen haar oren en vindt ze het soms gewoon te moeilijk om het leven aan te kunnen. Maar hoe dan ook: het feit dat ze zich niet lekker voelt, valt niet te ontkennen.'

Emera besloot van onderwerp te veranderen, zodat haar moeder haar patiënten voor even van zich af kon zetten. 'Het eten is zo goed als klaar, moeder. We kunnen dadelijk aan tafel.'

Mimi's gezicht klaarde op. Ze ging naar de bijkeuken waar ze haar tas had neergezet, opende deze en nam er een in geruite doek gewikkeld pakje uit. 'Met de groeten van Nieke Coomans,' zei ze glunderend. Ze maakte de knoop van de doek los, zodat een bruingebakken cake tevoorschijn kwam. 'Uit dankbaarheid voor mijn goede zorgen!'

Lode, die op een stoel was gekropen en met grote ogen naar het gebak staarde, vroeg: 'Is het feest, oma?'

Deze woorden deden de drie vrouwen in een aanstekelijke lach uitbarsten. 'Ja hoor, jongen', zei Lisa. 'Vandaag is het feest omdat het zo een mooie lentedag is en we gaan smullen tot onze buiken dik en rond gegeten zijn!'

Het duurde dan ook niet lang voordat ze inderdaad zoveel gegeten hadden dat ze haast geen pap meer konden zeggen. Emera voelde een sterke neiging om lui in haar stoel te blijven zitten, maar de gedachte aan mijnheer Van Haezendonck deed haar opstaan.

'Ik moet gaan als ik nog op tijd bij mijnheer Van Haezendonck wil zijn,' zei ze.

Haar moeder wendde haar hoofd een beetje naar links tot ze door de deur de stand van de zon kon zien.

'Ja, doe dat, meisje. Zo te zien is het al een eind over de middag en je weet dat hij niet graag wacht.'

Emera knikte. Ze gaf Lode nog een lekkere knuffel, drukte een kus op Seppes wangetje en keek Lisa nog even aan. 'Tot volgende week, Lisa.' Ze wachtte niet op een antwoord, maar verdween door de achterdeur en nam dezelfde richting die haar moeder een paar uur geleden ook genomen had. Ze hoefde haar klompen niet aan te doen, want ze droeg haar enige zondagse schoenen die ze deze ochtend ook al aan had om naar de kerk te gaan.

Ze zette er wel flink de pas in, want het was een heel eind tot in het dorp. Maar het was een zalige, zonnige zondag en Emera genoot van de rust en de schoonheid van het landschap. Al vlug bereikte ze de eikendreef met de kasseiweg die haar naar het marktplein van Westerlo leidde.

Het dorpsplein had de typische vorm van een langgerekte driehoek die wees op een lang vervlogen nederzetting van Frankische oorsprong. Op het smalste gedeelte stond de kerk met de begraafplaats eromheen. Van daaruit werd het plein breder met aan weerszijden een aaneensluitende rij statige, voorname burgerwoningen. Aan de rechte zijde van de driehoek stond het gemeentehuis met een monument van de Boerenkrijg en een statige lindeboom ervoor. Even buiten de dorpskom bevond zich het imposante kasteel van Graaf van Merode met de bijhorende parken, bossen en prachtige dreven zodat het dorp Westerlo als het ware tussen het groen was ingeplant.

Het huis van Van Haezendonck stond aan het begin van het marktplein, niet ver van de kerk. Het was een groot gebouw in Vlaamse renaissancestijl met trapgeveltjes en sierlijk metselwerk. Elke keer als Emera hier naartoe kwam vervulde de aanblik van het huis haar met ontzag. In haar ogen moest deze man ontzettend rijk zijn. Niet alleen het huis straalde rijkdom uit, maar ook de inrichting met zijn grote schilderijen, de glimmend gepoetste meubels en de dikke tapijten waren waardevol en getuigden van een grote welstand. Bovendien stond er een grote glazen serre in de tuin waar mijnheer Van Haezendonck zijn planten kweekte en bestudeerde. De serre was haast zo groot als het huis zelf, zodat Emera altijd wat bang was om erin te verdwalen. Zij besefte dat zij intens dankbaar moest zijn dat deze welgestelde man de tijd nam om haar te onderrichten.

Op een ochtend, nu haast meer dan vijf jaar geleden, had mijnheer Van Haezendonck haar aangesproken toen ze duizendguldenkruid aan het plukken was. Ze was nog een kind toen. Hij vroeg haar wat ze daar deed. Toen ze hem vertelde dat ze deze plant zou drogen en dat deze dan gebruikt kon worden voor spijsverteringskwalen, had hij haar verbaasd aangekeken. Hij had haar planten en kruiden getoond en gevraagd wat ze daarover wist. Toen ze op al zijn vragen een antwoord kon geven, had hij haar lang en verwonderd aangekeken. 'Ik heb van dokter Goossens vernomen dat je moeder een heel verstandige vrouw is en dat zij overdacht met planten te werk gaat, maar ik wist niet dat haar dochter al even verstandig was,' had hij gezegd. Na deze woorden was hij verdergegaan.

Emera had heel dat voorval al uit haar gedachten gezet toen mijnheer Van Haezendonck op een zondag na de hoogmis naar hen toegekomen was. Hij richtte zich voornamelijk tot hun moeder en vroeg haar of ze het erg zou vinden dat haar jongste dochter af en toe eens bij hem kwam. Als botanicus vond hij het heel fascinerend dat een jong meisje zoals zij al zo'n grote kennis bezat. Hij wilde haar bijschaven. Hij wilde haar kundig maken over de scheikundige samenstelling van planten en de Latijnse benamingen. Emera was toen maar iets ouder dan twaalf jaar en Mimi vond dat ze meer dan genoeg te verwerken kreeg door de kennis die ze van haar moeder ontving. Maar dat was buiten Emera gerekend. Iedereen in het dorp wist dat mijnheer Van Haezendonck een grote serre bezat vol met exotische planten – een dorp kent nu eenmaal geen geheimen – maar slechts enkelen hadden het voorrecht gekregen om deze serre te bezoeken. De gedachte alleen al fascineerde haar. Toen ze haar moeders afkeurende blikken bemerkte, greep ze haar hand vast en smeekte: 'Alsjeblieft moeder, mag het? Mijnheer Van Haezendonck heeft zo veel planten die ik nog nooit gezien heb. Het lijkt me vreselijk interessant!'

Natuurlijk was Mimi ook op de hoogte van mijnheer Van Haezendoncks liefde voor exotische bomen, struiken, planten en kruiden. Zij had ook weleens stiekem gedacht dat ze het heerlijk zou vinden om te zien wat voor planten die oude man in zijn serre had staan. Zij kon zich dan ook perfect inleven in Emera's gevoelens. Ten slotte had Mimi toegegeven met de gedachte dat het toch maar voor een aantal maanden zou zijn. Maar ondertussen ging Emera al meer dan vijf jaar naar de oude man toe.

Terwijl ze in gedachten voor de grote rustieke deur van het renaissancegebouw stond, kwam er een jonge man uit het aanpalende herenhuis. Toen hij Emera zag staan ging er een lichte schok door hem heen. Emera had haar donkere haar hoog opgestoken, zodat de zachte lijnen van haar gezicht goed tot hun recht kwamen. Ze droeg haar zondagse donkerblauwe rok en een lichtblauwe bloes. Haar houding was trots en recht en maakte dat ze elegant en voornaam overkwam.

Kasimir Wouters vroeg zich af hoe het kwam dat hij dit meisje nog niet gezien had. Dat zou hij beslist geweten hebben, want een knappe vrouw vergat hij nooit! Hij dacht dat hij alle jonge meiden van het dorp bekeken had, maar nu moest hij toegeven dat hij het mooiste exemplaar over het hoofd had gezien. Hij wachtte niet lang om zijn nieuwsgierigheid te bevredigen, streek zijn donkere haar in één handbeweging van zijn voorhoofd weg en stapte zelfverzekerd op Emera toe.

'Mag ik me even voorstellen,' zei hij met een lichte buiging toen hij voor haar stond. 'Ik ben Kasimir Wouters en ik woon hiernaast. Bent u een verwante van mijnheer Van Haezendonck?'

Emera sloeg haar grote blauwe ogen op. 'O gunst, nee. Helemaal niet,' mompelde ze verward.

'Zo! Dat is spijtig. Ik had gehoopt dat je hier in het dorp zou wonen.'

'Nou, dan hebt u het helemaal mis, mijnheer Wouters.'

'Voor jou Kasimir, alsjeblieft. Met wie heb ik het genoegen?'

Emera aarzelde even. 'Emeranthia Stevens,' zei ze ten slotte. 'Maar iedereen noemt me Emera.'

'Emera... Een mooie naam voor een mooie vrouw. Ik hoop je nog eens terug te zien, Emera.'

Na deze woorden keek hij haar nog even met een warme blik aan, maakte een kleine buiging en ging haar voorbij in de richting van de kerk.

Emera keek hem met grote ogen na. Ze wist dadelijk wie deze jongeman was. Maaike had hem maar al te goed beschreven. Ze bleef zijn groot, atletisch lichaam nakijken tot hij achter de bocht verdween. Ze had nog nooit in haar jonge leven een man ontmoet die zo elegant en voorkomend was. Het was zelfs de eerste keer dat ze zo onder de indruk was dat haar wangen bloosden en ze het kloppen van haar hart tot in haar keel voelde.

Nog enigszins verward trok ze aan het bellenkoord.

Louisa, de oude huishoudster van Van Haezendonck, deed de deur open.

'Kom binnen, Emera,' zei ze dadelijk. 'Mijnheer is in de serre bezig. Hij heeft gezegd dat je naar hem toe kunt gaan. Je kent de weg.'

Na deze woorden slofte het kromgebogen vrouwtje een kamer binnen. Emera ging de gang door die leidde naar de keuken. Daar zag ze Tanneke Zeghers voor het fornuis staan, de kokkin van mijnheer Van Haezendonck, een mollige, goedlachse vrouw. Ze wist dat ook Janette hier in dienst was, ook al was ze nu nergens te bekennen. Janette was net als zij achttien, met vlasblond haar en enkele sproeten in haar mooie gezicht. En ook Frans Verdonck, die de tuin bijhield en mijnheer hielp in de serre. Emera kende haast iedereen in het dorp en iedereen kende Emera met haar gitzwarte haar en haar opvallend blauwe ogen.

'Dag, Tanneke. Louisa heeft me gezegd dat ik gewoon door mocht lopen omdat mijnheer in de serre bezig is.'

'Ach, kind, dat moet je mij niet zeggen. Mijnheer zit altijd in de serre! Maar vertel me eerst eens even hoe het met je moeder gaat. Het is al een tijd geleden dat ik met haar gesproken heb. Toen ik zoveel last had van mijn darmen. Maar nu ben ik zo gezond als een vis in het water. Beter nog: als een spartelende vis in het water.' Ze schaterde het uit om haar eigen – in haar ogen – geestige uitdrukking. Emera profiteerde van deze korte onderbreking en liep verder de keuken door. 'Zij maakt het heel goed, Tanneke, en ik moest je de groeten doen.' Ze glipte de buitendeur door, net op het moment dat Tanneke haar mond weer opende. Er was geen speld tussen te krijgen als die eenmaal haar zegje kon doen. De tuin van Van Haezendonck lag er onberispelijk bij. Een border voorjaarsbloemen zorgde voor een kleurrijke noot. Het paadje liep verder tussen keurig gesnoeide buxushagen tot bij een groentetuin waar Frans de grond aan het omspitten was. Hij stak zijn hand op in een groet, toen hij Emera over het pad zag gaan. Emera groette hem terug en ging verder tot ze de grote glazen constructie voor zich zag. Zodra ze de glazen deur opende, werd ze ondergedompeld in een vochtige warme lucht met een humusachtige geur. Overal om haar heen zag ze planten en bloemen. Hoge, lage, afhangende, brede, vreemde en alledaagse planten. Emera was hier al zo dikwijls geweest en toch vulde deze plaats haar altijd weer met ontzag. Terwijl ze het smalle, vochtige, met mos bedekte paadje tussen de planten doorliep, somde ze in gedachten de namen van de planten op die ze zag: Artimisia Absinthium, Inula Helenium, Delphinium Consolida, Musa Sapientium, tot ze de oude man tussen de bladeren van een exotische kaneelboom zag staan. Hij verdiepte zich in een van de blaadjes. Emera bleef op een afstand staan om hem niet uit zijn concentratie te halen. Pas toen ze hoorde dat hij diep zuchtte en dat hij zijn hoofd weer oprichtte, ging ze naar hem toe.

'Ah, lieve kind. Ben je er al?'

Emera keek met een bezorgde frons naar de kaneelboom.

'Is er iets aan de hand met de Cinnamomum Zeylanicum Nees?'

De oude man keek haar met genoegdoening aan. 'Ik verbaas me altijd om je opmerkelijke geheugen. Maar dat bewijst dat ik er goed aan gedaan heb om je deze kennis mee te geven. Alleen iemand die met hart en ziel van planten houdt, kan het opbrengen om zoveel Latijnse namen te onthouden. En ja, ik maak me zorgen om deze boom. Het blad wordt bruin en valt af. Ik dacht eerst aan een parasiet, maak ik kan niets vinden wat daarop wijst.' De oude man begon een heel uitgebreid en analytisch verslag te geven over de exotische plant, maar Emera's gedachten dwaalden ditmaal al vlug weg. Voortdurend dacht ze aan Kasimir. Ze voelde zich vreemd licht en gelukkig en ze hoopte vurig dat ze hem inderdaad terug zou zien. Het was alsof de dag niet meer stuk kon, alsof het geluk haar toelachte. Als de vader even voornaam en knap was als zijn zoon, dan zou de samenwerking tussen haar moeder en de nieuwe dokter erg leuk kunnen worden.

HOOFDSTUK 3

Viktor Wouters zette zich neer in de zware armstoel achter zijn bureau en keek keurend de kamer rond. Zijn blik dwaalde naar rechts, naar de kast met de medische boeken. Daarna naar links waar een grote prent tegen de muur hing, waarop de spieren en de botten van het menselijke lichaam getekend waren. Daaronder stond een laag tafeltje waarop verschillende onderzoeksinstrumenten en wat verzorgingsmateriaal lagen. Hij keek nu voor zich uit. Net naast de deur stond een smalle hoge medicijnkast met glazen raampjes waarachter verschillende bruine flessen, een vijzel en een aantal witte porseleinen potjes stonden.

Zijn ogen gingen terug naar het midden van het vertrek en bleven rusten op een houten brits op hoge poten. Daarop lag een smetteloos witte doek uitgespreid. Hij vroeg zich af of hij deze onderzoekstafel in dit boerengat wel nodig had. De meeste mensen waren hier zo arm als kerkratten. Aan de verhalen te horen consulteerden het overgrote deel van hen pas een dokter als ze zo ziek waren dat ze niet meer naar hem konden komen! Dat betekende dat hij voornamelijk naar hen toe zou moeten gaan en dat hij de mensen moest onderzoeken in hun vuile bedden en tussen hun besmeurde kinderen. En dan moest hij nog afwachten of ze hem wel konden betalen! Hij huiverde even bij die gedachte en keek nu op zijn bureaublad waarop een stapeltje papieren en een pen met inktpot stonden. Hij zuchtte diep en verwenste het feit dat hij hier in dit dorp terechtgekomen was. Zodra hij afgestudeerd was, was hij als chirurg aan de slag gegaan in het Stuyvenbergziekenhuis in Antwerpen. Daar schepte hij genoegen in zijn werk en dat was tenminste een stad naar zijn hart. De mensen die er woonden en waarmee hij contact had, waren beschaafd en hadden allen dienstmeiden in huis zodat hun huizen er netjes en voornaam bij lagen.

Hij perste zijn lippen grimmig op elkaar. Maar dat was nu voorbij! Ze hadden hem verstoten als een verschopte hond! Ze hadden hem uitgespuwd als was hij een bedorven stuk vlees!

Dat was moeilijk om te slikken. Maar gelukkig had hij hen niet het genoegen gegeven om hun plannen tot uitvoer te brengen en hij had wijselijk Henri's raad opgevolgd voordat het te laat was. Het was ook Henri geweest die hem had aangeraden om een tijd als dorpsdokter aan de slag te gaan. Op die manier kon hij toch nog kleine operaties uitvoeren en zijn vak als arts voortzetten, zonder dat iemand hem op zijn handen keek. Daarom was hij naar de Kempen getrokken, naar een dorp dat Westerlo genoemd werd, een achtergebleven, armetierige streek waar niets te beleven viel. Maar hier zou hij tenminste met respect behandeld worden. Hier waren ze blij om een dokter in hun dorp te hebben en, wat nog belangrijker was, hier wist niemand van zijn blaam in de kliniek. Hij zou zich een jaar gedeisd houden. Mensen vergaten immers snel. Daarna kon hij weer aan het werk in de chirurgie, daar was hij van overtuigd. Misschien niet meer in hetzelfde ziekenhuis, maar dan toch zeker in zijn geliefde stad. Maar ondertussen zat hij wel hier in dit boerengat.

Zijn vrouw Hélèna wist niet beter dan dat hij deze keuze uit filantropisch oogpunt gemaakt had. Hij had haar gezegd dat hij zijn kennis beter op deze arme drommels kon toepassen en dat deze omschakeling hem goed zou doen na al die jaren van dagen- en soms zelfs nachtenlang opereren. Hij was niet bang dat ze de ware toedracht te weten zou komen. Dit was een mannenzaak en daar werden vrouwen niet van op de hoogte gebracht. Ze zouden er trouwens niets van begrijpen.

Natuurlijk ging dat niet zonder strubbelingen. Hélèna was er niet blij mee. Nu moest ze haar wekelijkse bezoekjes aan haar vooraanstaande vriendinnen opgeven. En ook Kasimir, zijn oudste zoon, had hem driftig tegengesproken en gezegd dat hij niet meeging naar dat boerengat waar niets te beleven viel. Viktor maakte zich daar geen zorgen over. Zijn zonen en zijn vrouw waren immers volledig van hem afhankelijk. Dat maakte dat ze, ondanks hun tegenwerpingen, toch met hem waren meegekomen. Alleen Benjamin, zijn jongste, was met geen enkel argument te overtuigen. Hij studeerde aan de universiteit in Antwerpen en had, net naast de faculteit, een kamer bij een vooraanstaande familie. Hij was praktisch nooit thuis, dus kon het hem waarschijnlijk niet veel schelen waar ze woonden.

Viktor trommelde nu met zijn vingertoppen op zijn bureaublad. Als hij hier nu toch een aantal maanden moest blijven, dan kon hij het best zo snel mogelijk vriendschap sluiten met de gegoede bourgeoisie. Hij had al kennisgemaakt met graaf Hendrik van Merode, de burgemeester van het dorp, met zijn imposante kasteel. Het was altijd goed om de aristocratie als vriend te hebben, maar de gegoede burgers waren ook niet te onderschatten. Daar moest hij eerst en vooral maar eens werk van maken. Het zou zijn vrouw ook goeddoen om vriendinnen te maken zodat ze zich wat meer in haar schik voelde.

Op dat ogenblik werden zijn gedachten onderbroken door de binnenkomst van zijn vrouw Hélèna van Dormael. Ze had haar blonde haren opgestoken, zodat haar fijn gezicht nog smaller leek. Ze was klein en slank. Ze droeg een grijze rok en een smetteloos witte bloes die zedig was dichtgeknoopt tot aan haar hals.

Viktor stond op, ging achter zijn bureau vandaan en nam een kleine, koude hand van zijn vrouw vast. 'Ik dacht net aan jou, lieve,' zei hij beminnelijk. 'Zou het niet gepast zijn als we ons bij de vooraanstaande families in dit dorp gingen voorstellen? Ze kunnen maar beter zo vlug mogelijk weten wie hun nieuwe dokter is en dat ze te allen tijde op me kunnen rekenen.'

Hélèna keek even naar hem op. 'Zijn hier dan vooraanstaande families?' stak ze.

Viktor deed alsof hij haar bitsige toon niet hoorde. 'Natuurlijk, lieve, maar de belangrijkste is zonder twijfel graaf Hendrik van Merode, de burgemeester. Ik heb gehoord dat zijn vrouw, prinses Henriëtte de Croy, zich hier nogal eenzaam voelt. Ondanks haar drie kinderen, de inwonende moeder weduwe prinses van Arenberg en gravin Jeanne, de zus van de graaf, snakt ze toch naar wat vriendschap en ontspanning. Ze heeft me gevraagd of je haar met een bezoek wilt vereren. Ik ben ervan overtuigd dat ze aan jou een goede vriendin zal hebben en dat de andere vrouwen jouw komst net zo goed zullen waarderen.'

Hélèna keek even voor zich uit. Ze had al wel wat losgekregen van haar dienstmeisje over de mensen die de statige, imposante burgerwoningen bewoonden, maar dat ze geïnviteerd werd door een prinses had ze niet kunnen vermoeden. Het feit dat ze hier dan toch niet moest wegkwijnen tussen ongeletterde proleten, maakte dat ze zich al wat beter voelde. Nu kon ze haar vriendinnen in Antwerpen brieven sturen waarin ze hen kon vertellen dat ze regelmatig op bezoek ging bij de aristocratie.

'Ik zal mijn dienstmeid een briefje laten afgeven op het kasteel met het verzoek wanneer ze ons kunnen ontvangen,' zei ze ten slotte.

Viktor glimlachte goedkeurend. 'Dank je, Hélèna.'

Hélèna maakte aanstalten om zich om te draaien, maar bedacht zich. Ze keek haar man aan en zei: 'Rozalie, de kokkin die ik heb aangenomen, heeft vroeger bij de vorige dokter gediend. Zij vertelde me net dat de oude man samenwerkte met een jongere vrouw, een weduwe met drie dochters.'

'Zo! Wat deed deze vrouw dan? Hield ze de tas van de dokter vast of troostte ze de zieken terwijl de dokter hen onderzocht?'

'Zij is de vroedvrouw van het dorp. Volgens Rozalie is ze ook heel kundig op gebied van geneeskrachtige kruiden en planten. De vorige dokter geloofde in haar kennis en als het druk was liet hij veel zaken aan haar over.'

Viktor keek haar ongelovig aan. 'Hij liet haar alleen haar gang gaan? Een ongeletterde vrouw die niet eens weet hoe de menselijke anatomie in elkaar zit?'

'Nou, zo onwetend zal ze wel niet zijn als ze al veel kinderen op de wereld hielp zetten. Naar het schijnt werkt ze samen met haar jongste dochter.'

'Nu nog mooier!' Viktor perste zijn lippen samen en zei verbolgen: 'Een ongeletterde vrouw en een kind! Lager kan de maatschappij niet vallen! Dit noem ik nu echt van de zotten! Die oude dokter moet beslist seniel geworden zijn!'

Hélèna keek haar man een ogenblik aan. 'Je zult toch met haar moeten samenwerken, Viktor. Zij is tenslotte de vroedvrouw.'

'Dat valt nog te bezien! Ik vertik het om samen te werken met een bedriegster, een kruidenmengster, een heks die de mensen een rad voor ogen draait en met hokuspokus genezen verklaart. Zij heeft geen enkele kennis van zaken! Nu, de mensen hier zullen maar al te blij zijn dat ik er ben. Nu kunnen ze eindelijk naar waarde behandeld en geholpen worden.'

'Ik hoop het voor jou, maar ik vrees dat de mensen hier tamelijk volhardend zijn wat betreft hun gewoontes.'

'Nu, ja, de mensen hadden ook geen andere keus, Hélèna. Meer dan een halfjaar was zij de enige waarop ze konden rekenen. Maar daar zal nu wel vlug verandering in komen.'

Hélèna hield wijselijk haar mond. Het had immers geen zin om haar man tegen te spreken, maar ze dacht er anders over.

Ze draaide zich om en verliet de kamer. Bij de deur herinnerde ze zich echter waarom ze haar man had bezocht. Ze keek over haar schouder en zei: 'Benjamin heeft me een brief geschreven. Hij zegt dat hij aan het einde van de week naar huis komt.'

Viktor kreunde. 'Ik had liever gehad dat hij nog een aantal maanden in Antwerpen zou blijven tot de mensen hier mijn aanwezigheid een beetje gewoon waren. Wat zullen ze denken als ze hem zien?' Ik weet niet hoe erg het op dit ogenblik met zijn huidaandoening gesteld is, maar als ze beseffen dat ik als dokter zelfs mijn eigen kind niet kan helpen, dan zullen ze zeker geen vertrouwen in mij krijgen.'

Hélèna keek haar man even hooghartig aan. Ze hield zielsveel van haar jongste zoon en kon het niet hebben dat Viktor hem als een zonderling, of erger nog, als een gebrekkige idioot behandelde. Het was al erg genoeg dat Benjamin met deze huidziekte moest leren leven!

'Hij schrijft dat hij er op dit ogenblik bijna geen last meer van heeft, dus je hoeft niet bang te zijn om je reputatie te verliezen.' Na deze woorden verdween ze.

Viktor bleef even naar de deur staren en dacht aan Benjamin, zijn jongste zoon. Zolang hij zich herinnerde had Benjamin al last van die afschuwelijke huidziekte waardoor delen van zijn lichaam regelmatig overdekt waren met dieprode of witachtige schilferige plekken. Soms konden deze plekken verstopt worden, maar een gezicht was niet af te dekken met kleding. De schurft was soms zo erg dat zijn zoon door veel mensen geschuwd werd.

Hij had alles geprobeerd om hem te helpen. Hij had ontdekt dat deze vorm van schurft anders was dan waaraan de meeste mensen leden. Bij Benjamin waren er geen mijten te vinden, geen kleine spinachtige insecten die onder de huid friemelden. Het was niets anders dan een vieze schilferige verdikking waartegen niets te beginnen viel. Hij had zijn zoon zo veel mogelijk binnen gehouden, zogezegd om hem te behoeden voor de kwetsende blikken van zijn omgeving, maar in werkelijkheid om zijn eigen gezicht niet te verliezen. Hij hoopte dat het zou overgaan, dat zijn zoon er overheen zou groeien, maar met het ouder worden was zijn huiduitslag nog erger geworden.

Met Kasimir kon hij tenminste voor de dag komen. Hij was uitgegroeid tot een galante, pientere kerel waar hij als vader terecht trots op kon zijn. Hij had zijn studie voor ingenieur afgerond en zou volgend jaar beginnen in de staalfabriek van Monard, een vriend des huizes die ervoor zou zorgen dat zijn oudste zoon een zeer respectabele functie kon bekleden. Bovendien had diens enige dochter een oogje op Kasimir en dit kon in de toekomst weleens op een zeer veelbelovende bruiloft uitdraaien.

Dit jaar had Kasimir echter vrij genomen om zich in alle rust voor te bereiden op de toekomst. Hij was twee maanden naar Oostende geweest waar hij bij een zus van Hélèna logeerde en een maand naar Italië om het land en vooral Rome te bezichtigen. Ja, Kasimir was een zoon naar zijn hart. Benjamin was heel anders. Hij was stil en hield zich meestal afzijdig. En dan die afschuwelijke schurftplekken die haast een gedrocht van hem maakten! Gelukkig was er verstandelijk niets mis met hem. Hij studeerde nu voor dokter en hij hoopte op die manier iets te kunnen vinden waardoor hij zijn huidaandoening kon genezen. Viktor schudde machteloos het hoofd. Al die jaren had hij niets gevonden, waarom zou zijn jongste zoon dat dan wel doen? Hij was ervan overtuigd dat Benjamin voor de rest van zijn leven met dat mismaakte gezicht zou blijven rondlopen. Hij huiverde bij die gedachte. Hij was blij dat Benjamin de laatste jaren niet veel thuis was, zodat hij niet telkens geconfronteerd werd met zijn uiterlijk.

Hij schudde de gedachte aan zijn zoon van zich af en besloot om even naar de pastoor te gaan. Hij had de eerwaarde heer Jean Baptist Adriaans al een paar keer ontmoet en de strenge, godsdienstige aanpak van de jonge pastoor beviel hem wel. Hij had ook dezelfde politieke strekking en zijn idealen lagen in een evenwijdige richting. Dat was een man naar zijn hart. Misschien kon hij ook weleens vragen wat mijnheer pastoor wist over die vrouw die dacht dat ze de taak van een dokter kon overnemen.

'Mimi?' Het altijd blozende gezicht van de pastoor bleef op Viktor rusten. 'Natuurlijk ken ik haar. Haar doopnaam is Maria Loockx. Ze was getrouwd met Jan Stevens, maar ze is al jong weduwe geworden. Ze hadden samen drie dochters. Twee van hen zijn al getrouwd. De derde heeft ze nog onder haar vleugels.'
De pastoor nipte van zijn cognac. Hij was een man die graag van een Bourgondische levensstijl genoot en dat was goed te merken aan zijn naar corpulentie neigende lichaamsbouw.
Viktor liet de goudkleurige drank even in zijn glas ronddraaien. 'Ik heb horen zeggen dat ze met dokter Goossens samenwerkte?' vroeg hij.
'Natuurlijk. Ze is tenslotte de baker. Een goede of slechte afloop is altijd in Gods handen, maar soms kan de hulp van een dokter ook weleens helpen, nietwaar?'
'Niet alleen als baker, mijnheer pastoor. Naar het schijnt strooit

ze nogal kwistig in het rond met allerhande plantenaftreksels en die oude dokter Goossens liet haar gewoon haar gang gaan.'

'Dat kan ik niet met zekerheid zeggen, mijn waarde dokter. Ik kom van Elsum, waar ik jarenlang onderpastoor geweest ben. Ik ben een dik jaar geleden hierheen gekomen, toen pastoor Gerards ziek werd en ik zijn taak moest overnemen. Hij heeft zes maanden in bed gelegen, voordat hij stierf. In al die tijd is dokter Goossens hier elke week geweest om de oude pastoor te onderzoeken en om medicijnen voor te schrijven. Ik denk dat ik Mimi eenmaal bij hem gezien heb, in het begin van zijn ziekte. Ik weet nog dat ze met de dokter meegekomen was om de oude man te verzorgen. Nadien was zuster Veronika van het Sint-Vincentius klooster altijd bij hem en zij nam de taak van verzorging op zich. Pastoor Gerards is zes maanden nadien gestorven en zeven maanden later hebben ze dokter Goossens dood in zijn bed aangetroffen. Eigenlijk kun je stellen dat ik nog niet lang genoeg in dit dorp was om vast te stellen dat ze veel samenwerkten.'

Hij keek even op tot hij Viktors blik ontmoette. 'Is deze vraag van groot belang voor je? Ik kan het aan mijn meid vragen. Tilly werkte al meer dan tien jaar voor de oude pastoor, voordat ik hier aankwam en zal daarover beslist meer kunnen vertellen.'

Viktor wimpelde zijn voorstel echter af. 'Nee, dat is niet nodig, mijnheer pastoor.'

De pastoor richtte zijn blik weer op zijn glas en dacht een ogenblik na. 'Ik hoor de mensen natuurlijk wel over Mimi praten en over het algemeen zijn het alleen maar goede dingen. Zij troost en zij helpt en als ik mijn parochianen moet geloven dan kan zij inderdaad mensen genezen.'

Viktor snoof verontwaardigd. 'Kwakzalverij! Hoe kan die vrouw nu een diagnose stellen? Heeft zij ooit al een mens vanbinnen gezien? Weet zij waar alle ingewanden zich bevinden, waar de aders, de spieren en de pezen zitten? Die vrouw gokt er gewoon op los, mijnheer pastoor, en het ergste is dat de mensen haar geloven! Natuurlijk zal zij mensen met een verkoudheid kunnen genezen. In de meeste gevallen gaat dat zo ook wel over! En natuurlijk kan zij stramme spieren wegmasseren! Maar dat heeft niets met geneeskunde te maken. Wat zal zij doen als iemand lijdt aan een acute appendixontsteking? Gaat zij daar een kruidje op leggen en wachten tot die persoon sterft?'

De pastoor luisterde verwonderd naar deze toch wel hevige uitlating. 'Nou, ik kan je niet méér zeggen dan dat de meeste dorpelingen tevreden over haar zijn,' trachtte hij te weerleggen. 'Sinds dokter Goossens overleden is, was zij de enige waar de mensen op terug konden vallen. Ik heb nog geen ziekte onder de leden gehad sinds ik hier woon, Godzijdank, maar in geval van nood is men dankbaar voor elke hulp die men kan krijgen.'

'Nu, dan ben ik blij dat ik deze vrouw een halt kan toeroepen. Zij is ongeschikt om een ambt als dokter uit te voeren. Wie weet hoeveel doden ze al op haar geweten heeft?'

'Tja, beste man, de Heer geeft en de Heer neemt. Ook onder jouw handen zullen al weleens mensen gestorven zijn, nietwaar? Sommigen zieken zijn nu eenmaal niet te redden en dan moeten we dankbaar zijn dat God hen uit hun lijden verlost.'

De pastoor had zijn vinger op een gevoelige wonde gelegd. Viktor liep lichtjes rood aan. 'Ik ben ervan overtuigd dat de meeste onder hen gestorven zijn door een onoordeelkundige diagnose van die vrouw, mijnheer pastoor! Trouwens: waarom moeten er nog dokters zijn als de vroedvrouwen onze taak overnemen?'

'Misschien heb je wel gelijk, beste man. Nu we een echte dokter in het dorp hebben, kan Mimi zich beter beperken tot de kraamvrouwen en het verzorgen van wondjes.'

'Dat laatste is evenmin haar taak!' ging Viktor verbeten verder. 'De kruiden en zalfjes die ze gebruikt kunnen zelfs heel schadelijk zijn en een wond doen ontsteken.'

'Ze is nochtans heel goed in die dingen, dokter Wouters. De mensen komen van heinde en verre naar haar toe om haar zalfjes en kruiden. Zij is bovendien een uitstekende baker. Natuurlijk heeft zij niet alles in de hand. Een vloed kan niemand stoppen en een stuitligging kan soms dodelijk zijn voor moeder en kind, maar in tegenstelling tot andere dorpen sterven hier opmerkelijk minder moeders na een kraambed, dat moet ik haar nageven.'

'En waar heeft zij deze kennis opgedaan?'

'Van haar moeder. Het is nooit anders geweest. Het gaat gewoon over van moeders op dochters, zoals overal. Emera, Mimi's jongste, is al aardig op weg om haar moeder te evenaren.'

Viktor stond met een ruk op en ijsbeerde voor de gemakkelijke leunstoel waarin de pastoor hem had laten zitten. 'Dat zij vrouwen helpt bij de bevalling, dat neem ik nog aan, al kan het net zo goed door ons dokters gedaan worden. Maar het feit dat zij gedroogde padden en spinnen in het rond strooit is godlasterlijk, mijnheer pastoor. Jij en ik weten maar al te goed dat zware studies noodzakelijk zijn om een goed beleid of onderzoek te kunnen voeren. De wetenschap van vandaag is al veel verder dan kruidenmengsels en bijgeloof.'

'Bijgeloof?' De pastoor keek hem verwonderd aan. 'Wat heeft haar kennis met bijgeloof te maken?'

'Ik heb mijn oor ook even te luisteren gelegd, mijnheer pastoor, en wat ik zoal vernomen heb is zelfs meer dan bijgeloof! Een paar dagen geleden werd ik bij een van die kleine arbeidershuisjes in De Zoerledreef geroepen en toen ik daar aankwam hing er een bosje kruiden aan de deur. Ik vroeg deze mensen wat die kruiden te betekenen hadden en zij vertelden mij dat het belezingskruiden waren om boze demonen te verjagen, zodat hun kind zou genezen. Maar het had hen niet geholpen. Hun kind werd alleen maar zieker, zodat ze ten slotte verplicht waren om mij te laten roepen. Te laat, natuurlijk! Die jongen is nu niet meer te helpen. Zijn longen zijn te erg aangetast.'

De pastoor dronk een slok uit zijn glas. 'Heeft Mimi hen dat aangeraden?'

'Wat?'

'Dat van die kruiden aan de deur.'

'Wie anders? Haar kruidenkennis is niet alleen bedoeld om mensen te genezen, maar ook om te zondigen tegenover de katholieke kerk.'

Viktor ging weer zitten en keek pastoor Adriaans doordringend aan. 'We moeten haar een halt toeroepen voordat het te laat is en ze de mensen aanzet tot ketterij. De mensen moeten weten dat ze meer op mij kunnen vertrouwen, op een man die gestudeerd heeft en weet waarover hij praat. Hun kans op genezing zal bij mij veel groter zijn.'

Mijnheer pastoor keek even aarzelend naar zijn glas. 'Mijn parochianen hebben een groot vertrouwen in haar, dokter Wouters. Ik zie niet in waarom ik hen dat zou moeten ontnemen. Maar als het inderdaad waar is dat zij mensen aanzet tot bijgeloof, dan moet ik natuurlijk ingrijpen.' Hij richtte zijn blik weer op tot hij Viktors ogen ontmoette. 'Je kunt ervan overtuigd zijn dat ik het volgende zondag tijdens de preek over dat bijgeloof zal hebben. Bovendien zou ik me voor de rest niet te veel zorgen maken, beste man. Ik ben er zeker van dat je hier je handen méér dan vol zult hebben.'

Viktor Wouters zweeg. Maar hij was niet van plan om het hierbij te laten. Een van hen was hier teveel en hij was vastbesloten dat het Mimi zou zijn!

HOOFDSTUK 4

Een paar weken later verliet Emera, samen met haar moeder, het armetierige huisje van Sofie Boogaart, een jonge vrouw die een dag daarvoor bevallen was van een zoon. Mimi had, samen met Emera, de bevalling gedaan. Alles was vrij vlot verlopen, zodat ze de hulp van dokter Wouters niet hoefden in te roepen en nu waren ze teruggegaan om Sofie te verzorgen en om haar bij te staan in de verzorging van haar eerste kindje. Mimi hamerde steeds op een goede hygiëne en legde alle moeders uit hoe ze het best hun zuigelingen en zichzelf konden verzorgen, zodat de kans op een infectie zo klein mogelijk werd. Soms werd haar raad goed opgevolgd, zoals nu met Sofie. Ondanks haar armoede was het huisje kraakhelder. De jonge moeder verzorgde zich goed en koesterde haar pasgeboren zoontje. Maar dat was niet altijd zo.

Mimi of Emera volgde elke pasbevallen moeder en kind een paar maanden, gaf goede raad en hielp waar dat nodig was. Vandaag had Mimi een brood voor het jonge gezin meegebracht en een zalfje om de tere huid van de zuigeling in te smeren. Ze wist dat ze van deze mensen geen enkele vergoeding zou ontvangen. Ze hadden het zo al moeilijk genoeg om het hoofd boven water te houden en Mimi was al blij dat de moedermelk goed op gang kwam, zodat de zuigeling geen honger hoefde te lijden. Ze vroeg zich alleen bezorgd af hoe lang dat zou duren.

Na deze taak was Mimi naar Het Goorken gegaan om de bedlegerige Fientje Willems te bezoeken. Ze profiteerde van deze gelegenheid om ook even bij haar zus Magda binnen te wippen die in hetzelfde gehucht woonde. Ze realiseerde zich maar al te goed dat ze haar zussen, haar broer en zwagers veel te weinig zag, maar als ze de kans kreeg, dan wipte ze weleens bij hen binnen.

Emera was echter naar huis gegaan, waar ze een rieten mand had genomen en ging op zoek naar bepaalde kruiden en planten. Elk seizoen bracht immers zijn eigen planten voort. Voortdurend moest er geoogst en gedroogd worden om de voorraden weer aan te vullen. Emera hield ervan om in alle rust en eenzaamheid op zoek te gaan naar deze planten. Na al die jaren wist ze op welke plaatsen ze naar welke planten moest zoeken. Soms was dat dicht bij huis, maar soms ook ver weg op moerasachtige plaatsen of uitgestrekte heidegebieden. Elke plant had zijn eigen biotoop en Emera wist als geen ander waar een bepaalde plant thuishoorde.

Mimi was ervan overtuigd dat haar jongste dochter daar veel beter van op de hoogte was dan zij, zodat Emera de oogst voor haar rekening kreeg. Emera vond dat prima. Ze hield van de natuur, van de schoonheid van het landschap, van de flora en de fauna. Ze voelde zich thuis in de uitgestrektheid van bossen, rivieren, weiden, akkers, zandvlakten en heidelandschappen. Ze kon intens genieten van de kleuren, van de warmte van het zonlicht, van de glinstering van regendruppels, van de rijp, de sneeuw; alles kon haar bekoren. Maar nu de zon scheen, leek alles nog veel mooier. De heerlijke warmte doordrong haar kleding, de geur van omgeploegde aarde drong haar neus binnen en een grote lijster zong zijn helder lied.

Emera wandelde genietend over het karspoor langs de weilanden en akkers toen ze haar naam hoorde roepen. Ze draaide verbaasd haar hoofd in de richting van het geluid en zag tot haar verwondering dat Kasimir haar richting uit kwam lopen. Na de eerste ontmoeting aan het huis van mijnheer Van Haezendonck had ze hem alleen een aantal keren gezien in de kerk. Hij had telkens naar haar geglimlacht als ze stiekem naar hem keek. Dan had ze haar ogen neergeslagen en ze had een blos op haar wangen gevoeld. Ze was verbaasd, maar ook verheugd, om hem hier te zien. Hij hijgde een beetje toen hij voor haar bleef staan.

'Ik was ginds in dat dennenbos aan het wandelen toen ik je zag. Vind je het erg dat ik een eindje met je meewandel?'

Emera voelde weer een blos op haar wangen komen. Haar hart klopte in haar keel toen ze naar zijn knappe gezicht keek. 'Nee, natuurlijk niet,' mompelde ze verward, terwijl ze haar gezicht wegdraaide en verderging. Hij ging naast haar voort met zijn handen op zijn rug. Hij keek haar vanuit zijn ooghoeken aan. Emera had haar haren in een dikke vlecht op haar rug. Enkele losgekomen krulletjes sierden haar wangen en voorhoofd. Hij glimlachte van voldoening toen hij de rode blos op haar wangen zag. Het feit dat hij haar niet onberoerd liet, werkte alleen maar in zijn voordeel.

'Ga je ergens naartoe, Emera?' vroeg hij om de stilte te doorbreken. 'Of ben je gewoon aan het wandelen, zoals ik?'

'Ik ben op zoek naar witte klaverzuring.'

'Witte klaverzuring? Dat is toch een plant, niet?'

Emera knikte.

'En wat heeft een mooi meisje zoals jij te maken met witte klaverzuring?' Kasimir keek haar nu oprecht verbaasd aan.

'Ik ben planten aan het verzamelen om ze te laten drogen of om er een tinctuur of zalfje van te maken.'

Kasimir hield even zijn adem in, maar nu glimlachte hij.

'Nou, dat zal papa wel interessant vinden. Hij is dokter en alles wat met geneeskunde te maken heeft, trekt zijn aandacht.'

'Ja, ik weet dat hij dokter is. Iedereen in het dorp is blij dat dokter Wouters hier is komen wonen. Vooral mijn moeder. Zij heeft het nu eindelijk een beetje rustiger. Sinds de oude dokter Goossens gestorven is, stond zij helemaal alleen voor de verzorging en de behandeling van de zieken.'

Kasimir fronste zijn wenkbrauwen. 'Is zij dan ook dokter?'

'O nee! Zij is de baker van het dorp.'

'Maar jij zegt dat ze ook de zieken behandelde?'

Emera aarzelde even. Hoe moest ze haar moeders functie omschrijven? Zij was zeker zo goed als elke dokter, alleen had zij nooit gestudeerd en kon zij geen operaties uitvoeren.

'Ze heeft nooit geneeskunde gestudeerd, jongeheer Wouters,' zei ze ten slotte. 'Maar haar ervaring en haar uitgesproken kennis van de geneeskrachtige werking van planten maakt dat ze veel mensen kan helpen bij het genezen van bepaalde ziekten en bij het verzorgen van wonden.'

'Jouw moeder is een getalenteerde vrouw, Emera,' complimenteerde hij.

Maar zijn gedachten gingen naar zijn vader. Hij wist zeker dat deze niet blij zou zijn als hij dit verhaal te horen kreeg. Kasimir sprak deze gedachte echter niet uit. In plaats daarvan zei hij: 'Waarom spreek je me nog altijd aan met jongeheer Wouters, Emera? Ik heb je toch al gezegd dat ik voor jou gewoon Kasimir ben.'

Emera keek hem even vertwijfeld aan. 'Maar jij bent niet... gewoon. Jij bent de zoon van een dokter, van een geleerde man.'

Hij nam haar hand en stopte, zodat zij ook verplicht was om te blijven staan. Hij wachtte even tot ze naar hem opkeek. 'Door jou voel ik me nog minder dan een luis, Emera. Jij bent zo mooi... zo lief. Als er iemand bijzonder is, dan ben jij het wel. En toch noem ik je gewoon Emera, terwijl het eigenlijk 'lieftallige nimf' moet zijn, of 'koningin van de schoonheid'.'

Emera sloeg glimlachend haar ogen neer en trok zachtjes haar hand weg. De emoties die op dit ogenblik door haar heen gingen verwarden haar, zodat ze niet wist hoe ze moest reageren.

'Ik moet nu gaan, Kasimir. De planten moeten nog gedroogd zijn voordat de dag om is.'

Hij keek haar goedkeurend aan omdat ze hem eindelijk Kasimir noemde en knikte. 'Ik laat je gaan, Emera. Op één voorwaarde: dat ik je morgen terug kan zien.'

Emera schudde het hoofd. 'Ik moet morgen met moeder mee om een aantal mensen te verzorgen.'

'Kan er dan echt geen uurtje af? Alsjeblieft, Emera, ik zou je zo graag terugzien.'

Zijn smekende blik trof Emera. Ze begreep niet wat deze knappe man in haar zag, maar het raakte haar. Het raakte haar tot in het diepst van haar hart. Nu ze zijn smekende, vragende blik op haar gericht voelde, kon ze niet anders dan zwichten.

'Ik ga zondagavond meestal even wandelen. Als je wilt, kun je me vergezellen. Ik zal op het pad met de lariksen op je wachten.'

Kasimir glimlachte breed. 'Je maakt me zo gelukkig, Emera.' Hij nam haar hand en drukte er heel subtiel een kus op. 'Tot morgen, schoonheid.'

Na deze woorden draaide hij zich om en hij ging terug langs de weg die hij was gekomen.

Emera keek hem na. Ze kon niet onder woorden brengen wat ze op dit ogenblik door haar heen voelde gaan. Haar hand, waar hij een kus op had gedrukt, voelde warm en tintelend aan. Haar hart bonsde en ze voelde zich vreemd licht, alsof ze kon gaan zweven. En toch probeerde haar verstand haar wijs te maken hoe belachelijk dat allemaal wel was. Wat voor zin had het om verliefd te worden op een man die nooit van haar zou kunnen worden? Hij was te hoog gegrepen! Zij moest de realiteit onder ogen zien!

Maar had hij niet zelf gevraagd om haar terug te kunnen zien? Had zij niet dezelfde gevoelens in zijn ogen gezien als die in haar woedden?

Ze liet haar hart winnen en draaide zich ten slotte genietend om toen hij in de verte in het bos verdwenen was. Ze kon haast niet wachten tot morgen!

De volgende dag, na de hoogmis, waren alle kinderen nog eens samengekomen bij Mimi thuis. Het was een heerlijke, warme dag. De buitendeur stond wagenwijd open, zodat Lode in en uit kon lopen en een gezellig gelach en gepraat werd in flarden door de lucht meegedragen.

Emera genoot van zulke zondagen. Ze voelde zich al gelukkig bij de gedachte dat ze Kasimir deze avond weer zou zien, maar het bijeenkomen van de familie vervolmaakte dit gevoel. Ze wist dat haar moeder al net zo erg genoot van deze dag als zijzelf. Ze hield ervan om al haar kinderen om zich heen te hebben.

'Het schijnt dat die nieuwe dokter erg goed is,' hoorde ze Lisa op een bepaald moment zeggen. 'Hij doet wel wat uit de hoogte en is niet erg spraakzaam, maar hij weet wat hij doet en zijn medicijnen werken.'

Trude knikte en keek haar moeder even aan. 'Hij is ook bij Theo's moeder geweest. Hij heeft haar onderzocht en haar een drankje gegeven waarvan ze driemaal per dag een soeplepel moest innemen. Volgens haar eigen woorden voelt ze zich al een stuk beter.'

Theo, die de woorden van zijn vrouw had gehoord, voegde er nog aan toe: 'Ik heb haar gisteren zelfs horen zingen terwijl ze het wasgoed buiten hing. Dat heb ik haar niet meer horen doen sinds mijn kinderjaren.'

Mimi glimlachte opgelucht. 'Ik ben blij voor haar en natuurlijk ook voor jullie. Dan moet deze dokter echt wel heel goed zijn, want ik heb nooit geweten wat je moeder onder de leden had. Wat voor drankje heeft hij voorgeschreven?'

Theo haalde zijn schouders op. 'Dat weten we niet. Het is een bruine fles, maar er staat niets op. Hij heeft mijn moeder alleen maar gezegd dat ze zich weldra beter zou voelen en hij heeft nog gelijk ook.'

'Ja,' ging Trude hier verder op in, 'en dus hoeven er volgens mijn schoonmoeder ook geen vragen meer gesteld te worden.'

'Nou, dat is toch het voornaamste, niet?' zei Mimi. 'Bovendien heb ik ook al veel over dokter Wouters gehoord en hij is zeker niet te beroerd om de ergste gevallen verder te helpen of zelfs te opereren indien nodig.'

'Ja, dat wel!' Trude rilde demonstratief. 'Bij hem thuis. Omdat ze te ziek waren om naar een hospitaal vervoerd te worden. Maar dat kind van Dorus en Mil Verbrakens oude grootmoeder zijn allebei gestorven.'

'Een operatie is een laatste redmiddel, Trude. Hij heeft het tenminste geprobeerd! Voor de rest was hun leven in Gods handen. Ik ben toch blij dat we op hem kunnen rekenen.'

'Heb je al met hem gesproken, moeder?' Ditmaal was het Lisa die haar vragend aankeek.

Mimi schudde het hoofd. 'Nee. Ik heb tot nu toe nog geen reden gehad om hem op te zoeken.'

'Waarom zou je niet naar hem toe gaan? Misschien weet hij niet eens dat je met dokter Goossens samenwerkte en is hij blij als je voorstelt om dat ook met hem te doen.'

'Ik weet het niet, Lisa. Ik ben bang dat hij op dat punt anders is dan dokter Goossens.'

'Nou, dat zul je pas te weten komen wanneer je met hem praat!'

'Ach, je hebt gelijk, kind. Ik zal toch een keer naar hem toe moeten. Ik ben nu eenmaal de baker.'

Mimi zag er echter tegenop. Ze had al uit verschillende bronnen gehoord dat de nieuwe dokter heel anders was dan de vorige en intuïtief voelde ze aan dat hij haar niet erg mocht. Maar ze had haar verplichtingen. Een zware of moeilijke bevalling vereiste immers dikwijls de hulp van de dokter. Ze moest dus op hem kunnen rekenen. Het was echter niet alleen de nieuwe dokter die haar zorgen baarde. Ze zat ook vreselijk in haar maag met de donderpreek van de pastoor. Het was al een paar weken geleden, maar toch kreeg ze zijn harde woorden over satanskruiden en ketters die Gods woede konden vrezen, niet uit haar hoofd. Ze was ervan overtuigd dat de pastoor naar haar had gekeken toen hij van de preekstoel op de kerkgangers neerkeek. Maar hij had er haar nadien niet over aangesproken zodat ze zich dan toch vergist moest hebben. Bovendien bleken de dorpelingen niets gemerkt te hebben. Zo leek het in ieder geval. Maar ze bleef zich onrustig voelen.

Na het eten liet Emera de rest van de familie achter om haar afspraak met mijnheer Van Haezendonck na te komen. Ze wandelde genietend langs de velden en weiden, met haar gedachten bij Kasimir die ze deze avond zou ontmoeten. Toen ze de kasseiweg bereikte zag ze in de verte Maaike haar richting uit komen. Het meisje had haar herkend en zwaaide.

'Emera!' riep ze van ver. Het duurde niet lang voordat ze bij elkaar kwamen.

'Hé, wat ben ik blij je te zien, meid! Ik was net op weg naar jullie in de hoop je daar te treffen.'

'Nou, dan bof je maar dat je me hier tegenkomt. Ik ging net naar mijnheer Van Haezendonck.'

Maaike grinnikte. 'Jij liever dan ik. Mij zie je niet naar die oude knar toe gaan, hoor. Ik weet wel wat beters te doen met mijn schaarse vrije tijd. Daarover wilde ik het trouwens met je hebben. Ik wilde je vragen of je volgende zondag met me meegaat naar de kermis. Seppe heeft zijn schuur ter beschikking gesteld zodat we er kunnen dansen. Roosje, Emma, Kobe en Louis gaan ervoor zorgen dat alles aan de kant wordt gezet, zodat er een grote dansvloer vrijgemaakt kan worden. Naar het schijnt komt Petrus met zijn viool en Gille met zijn accordeon. O, het zal er heerlijk worden! We zullen ons beslist niet vervelen, wees daar maar zeker van! En weet je wat?' Hier stopte ze even met haar relaas en ze wachtte tot ze zag dat Emera haar verwachtingsvol aankeek. 'Jan heeft me gevraagd om met hem mee te gaan!' Maaike glunderde. 'O, ik smelt als ik aan hem denk! Hij brengt ook een stel van zijn vrienden mee. Maar ik mag van mijn moeder niet als enige meisje met hen meegaan. Stel je voor! We zijn al in het jaar 1904 en we worden nog altijd behandeld alsof we niet in staat zijn om voor onszelf uit te maken wat zondig is en wat niet. Alsjeblieft, Emera, zeg dat je met me meegaat.'

'Natuurlijk ga ik met je mee,' zei Emera dadelijk. 'Jij bent toch mijn beste vriendin. Ik zou bovendien gek zijn als ik de kermis aan mijn neus voorbij zou laten gaan.'

Maaike gaf Emera een klinkende zoen op haar wang. 'Bedankt, Emera. Dan hebben we nog eens wat tijd om bij te praten. Het lijkt al een eeuwigheid geleden dat we dat konden doen.'

Emera had veel zin om Maaike te vertellen over de man die ze deze avond zou ontmoeten. Maar bij nader inzien was het nog te vroeg. Misschien groeide er alleen maar een vriendschap tussen hen. Misschien zelfs dat nog niet. Ze kon beter wachten tot op de kermis. Daar had ze tijd en gelegenheid genoeg om haar vriendin alles haarfijn te vertellen.

'Nu moet ik verder, Maaike. Mijnheer Van Haezendonck wacht niet graag.'

Maaike knikte. 'Tot volgende week! Jan en ik komen je wel afhalen, zodat je niet alleen hoeft te gaan.'

Na deze woorden gingen ze elk hun eigen weg. Emera hoorde Maaike een liedje neuriën terwijl ze verderging. De vrolijkheid van haar vriendin was aanstekelijk en ook Emera voelde de drang om een lied te zingen. Ze begreep perfect hoe Maaike zich voelde. Met een glimlach om haar lippen sloeg ze de kasseiweg in en al vlug was ze bij het imposante huis van mijnheer Van Haezendonck.

Toen ze voor de deur van het renaissancegebouw stond, keek ze stiekem naar het huis van de buren in de hoop dat Kasimir naar buiten zou komen. Maar de deur bleef gesloten en het stenen gebouw stond te zinderen in de middagzon. Ten slotte liet ze de bel galmen.

Zoals altijd was het Louisa die de deur opende, maar ditmaal liet ze het meisje in de gang wachten. 'Wacht hier even, Emera. Ik zal even kijken of mijnheer je kan ontvangen.'

Ze slofte weg en kwam even later terug.

'Kom maar met me mee.' Ze bracht Emera naar een rijk gemeubileerde kamer waar dikke, zachte tapijten op de vloer lagen en enkele grote schilderijen de wanden sierden. In één van de met bloemmotieven gestoffeerde sofa's zat de oude man. Zodra hij Louisa met Emera zag binnenkomen, stond hij op.

'Daar ben je dan, Emeranthia!' Hij noemde haar altijd bij haar volle naam. 'Kom, ga hier maar even zitten.' Daarna keek hij naar zijn huishoudster. 'Kun jij voor wat thee en koekjes zorgen, Louisa?'

Het oude vrouwtje knikte en verliet de kamer, de deur achter zich sluitend.

Toen Van Haezendonck merkte dat Emera nog steeds stond, wees hij naar de sofa achter haar. 'Ga toch zitten, lieve kind.' Zelf ging hij in de sofa tegenover haar zitten.

Emera voelde zich onzeker. Dit was de eerste maal dat ze in het huis zelf uitgenodigd werd en ze had het stille vermoeden dat dit weleens niet zo leuk kon zijn.

Van Haezendonck kuchte even. 'Ik heb je hierheen laten komen omdat ik even met je wil praten.' Hij aarzelde even, maar keek haar ten slotte recht in de ogen. 'Aan alles komt een eind, Emeranthia, ook aan onze lessen.'

Emera staarde hem beduusd aan. Ze begreep ergens wel dat haar lessen ooit moesten stoppen, maar ze had er helemaal niet bij stilgestaan dat het ging gebeuren.

'Begrijp me niet verkeerd, lieve kind,' ging de oude man verder. 'Ik heb erg genoten van je aanwezigheid. Je hoofd was als een spons die al mijn kennis opzoog en het was een waar genoegen om op je vele spitsvondige vragen te kunnen antwoorden. Ik denk echter dat ik je alles heb bijgebracht wat ik weet. Bovendien ga ik voor een zestal maanden op reis. Frans zal gedurende mijn afwezigheid voor de serre zorgen, maak je daar dus maar geen zorgen over.'

Hij zweeg even toen Louisa met de thee en koekjes binnenkwam.

Nadat de thee was ingeschonken en Louisa weer was verdwenen, glimlachte hij gemoedelijk. 'Ik zal je bezoeken missen, Emeranthia, maar zoals ik al zei: aan alles komt een eind, en ik denk dat vandaag een geschikte dag is om afscheid te nemen.'

Emera slikte. 'Ik heb het altijd een plezier gevonden om hier naartoe te komen, mijnheer Van Haezendonck. Alles wat u me verteld en geleerd hebt, heb ik in mijn geheugen geprent en opgeschreven en zal ik nooit vergeten. Ik ben dankbaar voor al die jaren dat ik hier mocht komen. Ik vrees dat ik deze ontmoetingen zal missen, maar ik begrijp dat dit niet eeuwig kan blijven duren.'

De oude man knikte en nam haar kleine, slanke hand vast. 'Het ga je goed, Emeranthia. Draag je kennis met waardigheid en laat je door niemand ontmoedigen.'

In een impuls drukte Emera een kus op zijn gerimpelde wang en zei zacht: 'Bedankt voor alles, mijnheer Van Haezendonck. Ik zal het nooit vergeten.' Na deze woorden trok ze voorzichtig haar hand los, stond op en ging de kamer uit. Even later verliet ze voor de laatste maal de plaats die haar zo dierbaar was geworden.

De oude man keek in gedachten naar het haast onaangeroerde kopje.

Hij zuchtte diep en dacht aan zijn ontmoeting met dokter Wouters. Zijn hardnekkige hoest had hem uiteindelijk naar zijn buurman gevoerd. Het verdict was duidelijk: een chronische ontsteking van de luchtwegen. Viktor had hem een fles laudanum meegegeven en hem aangeraden om de frisse zeelucht op te zoeken en om te rusten. Voor de fles had Van Haezendonck bedankt. Hij wist maar al te goed dat het goedje een opiumpreparaat bevatte en dat het hem op korte termijn verslaafd zou maken. Zolang het niet echt nodig was, wilde hij het niet gebruiken. Maar de zeekuur zag hij wel zitten. Zijn jongste zuster woonde in Knokke, vlak bij de zee en ze had hem al zo dikwijls gevraagd om een tijd bij haar te komen logeren. Nu zou hij haar aanbod aannemen. Misschien kwam hij wel nooit terug. De toekomst lag immers in Gods handen.

Hij dacht weer aan Emeranthia. Het was dokter Wouters ter ore gekomen dat hij dat meisje onderrichtte. De dokter had hem heel duidelijk laten voelen dat hij dat méér dan ongepast vond. Van Haezendonck had geprobeerd het hem uit te leggen. Hij had geprobeerd hem te vertellen over Emera's hartstocht, maar hij kon deze man niet overtuigen. Hij beschuldigde Van Haezendonck van medeplichtigheid aan ketterij en hij was van plan om de pastoor op de hoogte te brengen van zijn dubieuze praktijken.

De oude man zuchtte nog eens. Als hij jonger was geweest én gezond dan zou hij de strijd aangegaan zijn. Maar nu was hij moe en uitgestreden. Zijn lichaam verlangde naar rust en een onbezorgde geest. Ja, hij had er goed aan gedaan om een einde te maken aan zijn lessen. Hij zou haar missen, dat stond buiten kijf, maar zijn verblijf bij zijn zuster zou veel goedmaken.

Emera ging in gedachten verzonken terug naar huis. Haar zussen en hun echtgenoten waren al vertrokken, zodat ze haar moeder alleen op de bank voor het huis aantrof. Ze zat in de late zon met een handwerkje en genoot van de afzwakkende warmte. Emera ging naast haar zitten en bracht haar met een paar woorden op de hoogte.

Mimi knikte en legde meevoelend haar hand op Emera's been. 'Aan zowat alles komt een eind, liefje, hoe graag we ook willen dat iets blijft zoals het is. En dat is maar goed ook. Stel je voor dat er in je leven niets veranderde, dan zouden de jaren vreselijk saai worden, vind je niet?'

'Toch zijn er veel dingen die ik nooit zou willen veranderen, moeder.'

'Er zijn ook dingen die nooit veranderen. Je kunt immers alle bloemen plukken, maar dat zal de lente niet doen weggaan.'

Emera dacht even na over deze woorden en knikte ten slotte. Haar moeder had gelijk. Ze moest dankbaar zijn voor datgene wat haar voor altijd zou bijblijven. Bovendien waren haar gedachten aan de ontmoeting met Kasimir sterker dan de ontgoocheling die ze te verwerken had, zodat ze de teleurstelling al vlug van zich afzette.

Ze haalde berustend haar schouders op. 'Ik heb tenminste mijn zondagavondwandeling nog en met dit mooie weer ga ik er dubbel van genieten.' Ze stond op om de daad bij het woord te voegen.

Mimi keek naar de stand van de zon. Het was nog vroeg op de avond, maar ze begreep dat haar dochter nu behoefte had om even alleen te zijn. Ze had er geen enkel vermoeden van dat Emera de man van haar dromen ging ontmoeten.

'Je hebt gelijk, kind. Het is nu nog zalig warm. Ik denk dat ik ook maar eens een wandeling naar het dorp ga maken. Het wordt tijd dat ik kennismaak met de nieuwe dokter.'

Emera knikte enkel, haar gedachten al bij Kasimir. Het duurde dan ook niet lang voordat ze elk hun eigen weg gingen.

50

Kasimir stond haar al op te wachten aan het pad met de lariksen. Hij had toch niets anders te doen en was maar wat vroeger vertrokken. Emera's hart klopte sneller zodra ze hem zag.
'Ik had niet verwacht dat je zou komen,' bekende ze eerlijk.
'Waarom niet? Ik heb je gisteren gesmeekt om je weer te kunnen zien. Waarom zou ik dan deze kans aan mij voorbij laten gaan? Ik heb trouwens meer reden om ongerust te zijn. Een knappe meid laat geen enkele jonge man onberoerd. Ik ben ervan overtuigd dat je meer dan genoeg aanbidders hebt.'
Emera bloosde en boog haar hoofd. Ze was inderdaad al verschillende keren het hof gemaakt, maar geen enkele man had haar zo kunnen bekoren als Kasimir.
Ze besloot niet op dat onderwerp in te gaan. 'Ik was bang dat je niet zou komen omdat het tot je doorgedrongen was dat de zoon van een dokter wel wat beters kon krijgen dan de dochter van de baker,' probeerde ze haar eerste zin te verduidelijken.
'Alsjeblieft zeg! Wat heeft afkomst nu met gevoelens te maken? Ik wist, vanaf het eerste moment dat ik je zag, dat jij voor mij gemaakt was. O Emera, als je eens wist wat voor een knappe, lieve meid je wel niet bent...' Hij keek haar met een smachtende blik aan, nam haar hand vast en trok haar zachtjes naar zich toe.
Emera voelde haar hart een paar slagen overslaan. Ze haalde diep adem en verbrak de betovering door te zeggen: 'Laten we een eindje gaan wandelen, Kasimir. De avond is zo heerlijk.'
Kasimir verbeet zijn teleurstelling, maar liet het niet merken.
Na een paar minuten verbrak Emera de stilte. 'Volgende week is het de feestdag van de heilige Lambertus. Dan is het kermis in het dorp. Maaike, mijn vriendin, heeft gevraagd of ik met haar meega. Zij gaat samen met Jan en een paar van zijn vrienden. Misschien... misschien kan jij ook komen?'
Kasimir haalde zijn schouders op. 'Ik houd eigenlijk helemaal niet van kermissen. Ik wil alleen bij jou zijn, zoals nu. Dan kan ik tenminste ongestoord met je praten en van je aanwezigheid genieten.' Hij stopte, nam haar beide handen vast en keek haar indringend aan. 'Jij bent de vrouw op wie ik al jaren wacht, Emera.'
Emera wilde haar handen voorzichtig lostrekken, maar hij liet het ditmaal niet toe. Hij trok haar tegen zich aan en kuste haar innig en warm. Toen hij zijn lippen op haar mond drukte, kon ze niet meer aan haar hartstocht ontsnappen en ze kuste hem vol overgave terug.

Zodra Kasimir voelde dat ze geen weerstand meer bood, gleden zijn handen strelend naar haar rug en verder naar beneden. Emera schrok toen hij haar achterste begon te kneden en zijn onderlichaam hard tegen haar aandrukte. Ze rukte zich verward los en keek hem even geschrokken aan.

'Verder dan een kus wil ik niet gaan, Kasimir. Je weet dat het zondig is.'

'Liefde is helemaal niet zondig, Emera. God heeft zelf gezorgd dat een mens kan liefhebben.'

'Ik... het is nog te vroeg om...' verder kwam Emera niet uit haar woorden.

Verdomd, weer een preutse boerentrien, ging het door zijn hoofd. Als ze niet zo verleidelijk was, zou hij zich deze moeite besparen. Hij streelde met een paar vingers langs haar wang. 'Jij bent ook zo mooi, Emera. Jij hebt me betoverd, jij hebt mijn hart op hol gebracht en me van mijn zinnen beroofd. Het spijt me dat ik je van streek heb gemaakt. Vergeef me alsjeblieft?' Hij nam haar hand en bedolf de rug ervan met honderden kussen.

Emera kon niet anders dan het hem vergeven. Ze lachte en trok hem plagend mee verder het pad op. 'Kun je volgende zondag echt niet naar de kermis komen? We zouden samen kunnen dansen, de hele avond lang. Ik weet zeker dat Maaike en Jan dat helemaal niet erg zullen vinden.' Ze grinnikte. 'Ik denk dat ze wel wat anders te doen hebben dan ons in de gaten te houden.'

Kasimir schudde zijn hoofd. 'Al die drukte is niets voor mij, Emera. Bovendien is onze liefde nog te pril om ze al openbaar te maken, vind je ook niet? We moeten een beetje meer zekerheid hebben, elkaar wat beter leren kennen voor we de wereld verkondigen dat we van elkaar houden. Maar dat wil niet zeggen dat ik je zondag niet wil zien! We kunnen toch afspreken op een rustige plaats? En zoals je al zei zullen je vriendin en haar vriend geen tijd hebben om je in de gaten te houden, dus je kunt er gemakkelijk even tussenuit zonder dat het opvalt. Ik zal op je wachten aan de dreef van het kasteel.'

Emera aarzelde. Het was veel plezieriger geweest als ze met Kasimir kon dansen en van de kermis kon genieten. Bovendien kende ze hem nog niet goed genoeg om alleen in het donker bij hem te zijn.

Kasimir zag haar twijfel. Hij stopte zodat zij na een paar passen ook stopte en hem vragend aankeek. Hij keek haar met een schuldige blik aan en boog na enkele seconden het hoofd terwijl hij diep zuchtte. 'Ik ben niet helemaal eerlijk tegen je,' zei hij zacht. 'Het is maar dat ik... ik wil je niet graag delen, Emera. Ik kan het niet verdragen dat andere jongens naar je lonken en avances maken. En ik weet zeker dat dat op de kermis zal gebeuren, zeker wanneer het bier rijkelijk vloeit. Ik zie je zo graag, liefje. Mijn verlangen naar jou is te groot voor woorden.' Dat had hij niet gelogen. Hij verlangde ontzettend naar haar lichaam en het genot ervan. 'Ik wil bij je zijn, je zien en je horen, de zachte streling van je hand voelen. O Emera, ik wilde dat ik altijd bij jou kon blijven. Alsjeblieft, als je ook maar een beetje van me houdt, kom dan naar de kasteeldreef zodat onze liefde kan groeien.'

Emera smolt. Wat kon hij dat toch mooi zeggen. Het flatteerde hem. Hij was zo anders dan de boerenjongens in het dorp met hun grove taal en onhandige liefdesbetuigingen.

'Ik kan je niets beloven, Kasimir, maar ik zal mijn best doen.'

Hij kuste haar heel zacht op haar voorhoofd. 'Dat is voldoende, liefje. Ik weet dat je zult komen en ik zal op je wachten, al is het de hele nacht.'

Op datzelfde moment stond Mimi aarzelend voor de deur van het huis van dokter Wouters. Ze had veel zin om rechtsomkeert te maken, maar ze besloot het nare voorgevoel te onderdrukken en trok zachtjes aan het bellenkoord.

Het was de vrouw des huizes die de deur opende. Hélèna keek de onverwachte bezoekster vragend aan. De rustdag werd door de meeste zieken gerespecteerd. Alleen in heel erge gevallen werd de dokter erbij geroepen, anders kon het wachten tot de volgende dag. Ze verwachtte dan ook de vraag of de dokter zodadelijk mee kon komen.

'Zou ik... zou ik dokter Wouters even kunnen spreken?' begon Mimi toen het plots tot haar doordrong dat ze zich nog niet had voorgesteld. 'Ik ben Mimi Loockx, weduwe Stevens, de baker van het dorp. Ik zou graag even met dokter Wouters praten.'

Hélèna keek de vrouw nu met verbazing aan. Ze had niet verwacht dat de rivale van haar echtgenoot een tamelijk jonge, knappe en goed verzorgde vrouw zou zijn.

'Kom binnen,' zei ze kort. 'Ik zal even kijken of mijn echtgenoot u kan ontvangen.'

Ze leidde Mimi naar een kleine zitkamer en deed de deur achter zich dicht toen ze weer verdween. Mimi voelde zich met de minuut zenuwachtiger worden. Ze keek met een verstikkend gevoel de kamer rond. Ze zag de gestoffeerde sofa in het midden van het vertrek. Aan haar rechterkant een raam met hagelwitte vitrage. Voor haar bevond zich de open haard met de schoorsteenmantel waarop twee kandelaars en een kruisbeeld stonden. Ze keek naar links waar een pendule in een hoek stond en een donker gebeitste kast iets verder tegen de muur. Ze wachtte gespannen terwijl ze om zich heen keek, maar haar zenuwen werden nog meer dan tien minuten op de proef gesteld voordat het getik van de staande klok werd onderbroken. Ze schrok op toen de deur werd geopend en dokter Wouters de kamer binnenkwam. Mimi stond kaarsrecht voor de open haard en keek de dokter strak aan. Niets verraadde hoe gespannen ze zich voelde. Viktor had min of meer verwacht wat hij zou aantreffen en hij moest toegeven dat zijn vrouw zeker niet overdreven had. Als hij niet wist dat deze vrouw een gifmengster en een bedriegster was, dan zou hij haar zeker elegant en knap gevonden hebben. Hij verwonderde zich hierover, maar liet zich niet van de wijs brengen.

'Gaat u zitten,' zei hij kort terwijl hij naar de sofa wees.

Mimi voldeed aan zijn verzoek. Nu was het zijn beurt om voor de open haard plaats te nemen. Hij legde zijn handen op zijn rug en keek haar met een misprijzende blik aan.

'Ik wil u eerst en vooral zeggen,' viel hij met de deur in huis, 'dat ik helemaal niet geloof in uw kruidenbrouwsels en dat ik de wijze waarop u met zieken en gewonden omgaat, helemaal niet goedkeur.'

Mimi had haar blik niet van hem afgewend. Het duurde enkele ogenblikken voordat ze zijn rechtstreekse aanval had verwerkt. 'Dat hoeft ook niet,' antwoordde ze ten slotte gedecideerd. 'Mijn bezoek betreft alleen uw hulp bij moeilijke bevallingen. Ik moet weten of ik op u kan rekenen.'

'Heb jij daar dan geen zalfje voor?' stelde hij ironisch.

Mimi liet zich echter niet van de wijs brengen, ook al leek haar keel dichtgeschroefd. 'U weet net zo goed als ik, mijnheer Wouters, dat kruiden en zalven alleen de bevallingspijnen wat kunnen verlichten. Mag ik u erop wijzen dat een bevalling geen ziekte is die verholpen moet worden, het is een natuurlijk verschijnsel dat na een bevruchting tot stand komt. In normale gevallen is uw hulp daarbij niet eens vereist, maar soms gaat het niet

zoals het moet. Dat proces heeft niets te maken met mijn kruidenbrouwsels, zoals u dat noemt.'

Viktor keek haar met bliksemende ogen aan. Hij hield niet van
vrouwen die beleerd overkwamen en zeker niet als ze dat recht
niet hadden. Maar hij wist zijn woede te onderdrukken.

'Eens zal er een tijd komen dat bakers overbodig worden en dat
wij, dokters, die taak volledig zullen overnemen,' zei hij zacht,
maar spinnijdig. 'Bedriegsters zoals jij houden de vrouwen dom
zodat ze dat nu nog niet begrijpen! Maar eens zullen hun ogen
opengaan, wees daar maar zeker van. De onkunde van de bakers
zelf zal hen naar de verdoemenis helpen.'

Mimi stond op. Haar benen trilden. Deels van woede en deels van
ontreddering. Gelukkig was dit niet te zien onder haar lange rok.
Ze rechtte haar rug en keek de man voor haar strak aan.

'Het spijt me te horen dat u zo op ons neerkijkt, dokter Wouters.
Het baren van kinderen en het helpen daarbij is nochtans al vanaf
het begin van de schepping een vrouwenzaak geweest. Het is goed
dat er mensen zijn zoals u die gestudeerd hebben en die er nu voor
kunnen zorgen dat er minder moeders en kinderen in het kraambed sterven. Het was echter nog beter geweest indien wij baker-
vrouwen een kans kregen om te studeren. Spijtig genoeg is dat nu
eenmaal niet zo en moeten we een beroep doen op een geleerde
man indien we een risicobevalling tot een goed einde willen brengen. Maar u hebt nog niet op mijn vraag geantwoord. Kan ik op u
rekenen of moet ik beroep doen op een dokter uit de omliggende
parochies?'

Deze vraag stak. Viktor beet op zijn onderlip. Hoe durfde deze
vrouw hem te kleineren door te veronderstellen dat vrouwen even
verstandig waren als mannen en door bovendien te opperen een
andere dokter te roepen?

'Mijn eed als dokter verplicht me om je bij te staan, maar het is
niet van harte! Mij wind je niet om je vinger zoals je dat bij die
oude dokter Goossens hebt gedaan, als je dat maar weet!'

Mimi knikte. Ze wist genoeg. Hun verstandhouding was miniem,
maar ze kon op hem rekenen in geval van nood en dat was het
voornaamste. Zonder nog een woord te zeggen draaide ze zich om
en liet zichzelf uit.

Zodra ze de kerk voorbij was en ze zeker wist dat ze vanuit het
raam niet meer te zien was, liet ze haar schouders zakken. Ze had
een vermoeden gehad van zijn afkeer voor haar, maar dat het zo

diep zat, had ze nooit kunnen denken. Dit was een ommekeer, dat voelde ze. Haar leven zou vanaf nu een drastische wending nemen.

Het dorp gonsde van bedrijvigheid en vrolijkheid. Sint-Lambertus, de parochieheilige, werd met respect en uitbundigheid gevierd op deze kermisdag. Dicht bij het monument en de lindeboom, waaraan het kapelletje van de moeder Gods hing, stond een paardenmolen. De houten paarden gingen op en neer op de tonen van een orgel. Even verderop stonden een ballenkraam, een snoep- en pannenkoekenkraam en een podium met worstelaars die de kijklustige omstanders uitdaagden om een robbertje te vechten. Daar recht tegenover stonden een bootschommel waarin twee mensen konden plaatsnemen en het tentje van Madame Blanche, de waarzegster met haar glazen bol. Natuurlijk ontbraken ook de volksspelen niet. Er was een eierkoers, een zakloopkoers en een ringsteekspel. De dorpsfanfare Hoop en Vlijt liet zich niet ongemoeid en speelde de pannen van het dak. De muziek vulde het dorpsplein en maakte de mensen uitgelaten en blij. Kinderen renden uitgelaten van de ene plaats naar de andere. Na de hoogmis paradeerden mensen in hun zondagse kledij langs de kraampjes en genoten van de drukte op deze zonnige namiddag, blij om het vertier en de ontspanning.

Tegen de avond begonnen de jonge mensen zich klaar te maken om te gaan dansen in de schuur van Seppe Claes. De schuur stond dicht bij het dorpsplein zodat iedereen, zelfs diegenen die uit een omliggend dorp kwamen, deze gemakkelijk kon vinden.

Maaike en Jan hadden Emera opgehaald. Ze troffen Karel en Michiel – Jans vrienden – op de kermis en ook Janette sloot zich bij hen aan. Janette werkte nog altijd in het huis van mijnheer Van Haezendonck, ook al was hij er niet meer aanwezig. Het huis moest tenslotte toch netjes gehouden worden wanneer hij zou terugkeren. Ze had een oogje op Michiel en omdat ze Emera en Maaike goed kende, werd de groep er alleen maar vrolijker van.

Ze hadden meegedaan met het ringsteken en elkaar aangemoedigd tot hun kelen schor waren. Jan had gewonnen en zorgde er zo voor dat Maaike enorm trots op hem was. Emera wachtte op een gelegenheid om haar vriendin op de hoogte te brengen van haar gevoelens voor Kasimir, maar Maaike was niet van Jans zijde weg te slaan en bovendien nam Janette haar aandacht in beslag, zodat de avond vorderde zonder dat Emera ook maar iets van haar gevoelens had kunnen prijsgeven.

De schuur was prachtig! Ze hadden er echt veel werk van gemaakt. Er was een grote ruimte vrijgemaakt als dansvloer. Enkele houten banken stonden aan de zijkant voor diegenen die te moe waren om te blijven staan. De twee dochters van Trinette van Gansen zorgden voor de dorstige mensen en er was zelfs een kleine verhoging gemaakt voor de muzikanten. Overal hingen stallampen, zodat de ruimte in een diffuus licht was ondergedompeld. Ook buiten de schuur was de avond verlicht met tal van olielantaarns die de jongeren de weg wezen naar het dansgebeuren. Aan alles was gedacht, zelfs aan brood en haring om de nachtelijke hongerige magen te kunnen vullen.

Toen Petrus zijn viool nam en even later ook Gille zijn accordeon bespeelde, stond de dansvloer al vlug vol. Jan en Maaike lieten geen enkele dans voorbijgaan. Michiel had ondertussen doorgekregen dat Janette de hele avond naar hem zat te lonken en begon met haar te praten. Karel voelde zich enigszins verplicht om Emera te vragen. Het duurde even voordat hij het durfde, omdat hij bang was voor een weigering. Emera was de mooiste meid van het dorp en hij wist dat er al verschillende mannen een blauwtje hadden gelopen. Hij was niet uit op haar liefde, hij hield trouwens niet van haar, maar een danspartijtje kon hem altijd bekoren. Hij zuchtte opgelucht toen ze toestemde en het duurde dan ook niet lang voordat ze wegzweefden op de tonen van de muziek. Emera was blij toen hij haar vroeg. Ze danste nu eenmaal graag en ze vond het verschrikkelijk spijtig dat ze nu niet met Kasimir kon dansen. O, wat zou ze dat heerlijk gevonden hebben. Ze zou de hele nacht met hem hebben gedanst, dicht tegen elkaar aan, terwijl ze hem in zijn ogen kon kijken. Ze kreunde lichtjes bij die gedachte. Karel dacht dat hij haar te strak vasthield en maakte zijn greep iets losser.

Emera begreep niet waarom Kasimir niet van kermissen hield. Dit waren de enige momenten dat jonge mensen zich eens lekker konden uitleven! Maar Kasimir kwam van de stad. Misschien was het daar niet gebruikelijk?

De gedachte dat ze hem straks zou zien, monterde haar weer op. Ze zou het hem eens vragen. Ze wist nog zo weinig over hem. Maar eerst zou ze dansen!

Na een uurtje bedankte ze Karel en ze zonderde zich af tot achter de jongelui die naar het dansen stonden te kijken. Ze zag dat Karel al vlug een ander meisje had gevonden waarmee hij over de dansvloer gleed. Michiel en Janette leken elkaar ook gevonden te hebben. Jan en Maaike waren nergens te zien. Emera vermoedde dat ze zich in alle stilte hadden afgezonderd. Dit was de gelegenheid om ook even te verdwijnen. Ze zou terug zijn voordat iemand wist dat ze was weggeweest.

Langzaam schoof ze naar de grote openstaande schuurdeur toe, af en toe een hoofdknik of een kort gesprek voerend met jonge mensen uit het dorp. Toen ze ten slotte in de nachtlucht stond, keek ze even om zich heen. Er stonden verschillende groepjes buiten, zelfs enkelen die aan het dansen waren. Het was dan ook een aangenaam warme nacht en de olielantaarns die de omgeving verlichtten, maakten de sfeer gezellig. Zodra Emera verderging, werd het donkerder. Hier was niemand te zien, tenminste toch niet iemand die gezien wilde worden. Ze was al vlug op het dorpsplein en toen ze uiteindelijk de kasteeldreef bereikte was de stilte intens voelbaar. Hier hoorde ze zelfs de muziek niet meer. Ondanks haar vooruitzicht om Kasimir te ontmoeten, werd ze onrustig. Ze was het niet gewoon om 's nachts alleen rond te dwalen. 'Kasimir!' Voorzichtig riep ze zijn naam. De kruinen van de bomen hielden het maanlicht tegen en ze zag geen hand voor ogen. 'Kasimir!' Emera draaide zich weer om. De stilte kwam haar bedreigend voor en ze maakte net aanstalten om terug te keren toen ze een hand op haar schouder voelde. Ze schrok hevig, maar voordat ze kon gillen van angst, stelde een stem haar gerust. 'Ik heb lang op je moeten wachten, liefje.'

Emera viel hem opgelucht in zijn armen. 'O Kasimir, wat ben ik blij dat je er bent. Het is afschuwelijk, zo alleen in het donker.'

'Rustig maar, meisje.' Hij profiteerde van haar paniek door haar rug te strelen en haar warme huid door haar lichte zomerjurk heen te voelen. 'Ik heb je toch gezegd dat ik op je zou wachten. Wees maar niet bang. Ik ben nu bij je.' Hij kuste vluchtig haar voorhoofd. Emera voelde de spanning van zich afglijden, maar toen een sterke bierlucht haar neus binnendrong, duwde ze hem van zich af, wat haar enige moeite kostte. 'Blijkbaar houd je toch meer van een kermis dan dat je me hebt verteld?' vroeg ze hem licht gepikeerd bij de gedachte aan al die dansen met hem die ze had moeten missen. 'Je kunt het niet ontkennen, Kasimir. De bierlucht om je heen zegt me genoeg.'

Kasimir lachte schaapachtig. 'Nu ja, als je het café een kermis kunt noemen. Ik houd wel van een glas af en toe, maar de rest van de kermis kan me echt gestolen worden, dat heb ik niet gelogen.'

Hij had haar gedurende het gesprek niet losgelaten en trok haar nu dichter tegen zich aan. 'Ik was bang dat je niet ging komen, Emera. Daarom heb ik me wat moed ingedronken.'

Emera voelde haar weerstand minderen.

'O Kasimir, je weet toch wat ik voor je voel? Ik kon niet anders dan hier naartoe komen.'

'Emera, liefje, jij weet niet half wat jij met me doet.' Hij drukte haar vast tegen zich aan en begon haar hartstochtelijk te kussen. Het feit dat hij zo erg naar haar verlangde verwarmde Emera's hart en ze liet zich even meevoeren. Maar toen hij zijn handen op haar billen drukte en ze een vreemde hardheid tegen haar buik voelde, werd ze zich bewust van haar onschuld en naïviteit. Ze wilde zich losmaken uit zijn omarming, maar hij hield haar strak tegen zich aangedrukt.

'Laat me los, Kasimir!

'Waarom, liefje? Ik weet dat je door wilt gaan, net als ik, anders was je hier niet naartoe gekomen.' Zijn stem klonk schor.

Emera stond een ogenblik perplex. 'Ik ben hierheen gekomen om met je te kunnen praten, Kasimir. Om je te leren kennen. Ik weet nog niets van jou en jij nog niets van mij. Het is nog te vroeg om verder te gaan dan een kus.'

'Ik weet genoeg van je, liefje. Je lichaam is warm en zacht en perfect om genomen te worden.' Hij bedolf haar gezicht weer onder zijn kussen terwijl zijn sterke armen haar stevig tegen zich aandrukten. Emera probeerde wanhopig om hem van zich af te duwen.

'Laat me los, Kasimir! Laat me los voordat ik ga gillen!'

Kasimir leek haar niet te horen. Emera duwde uit volle macht tegen zijn borst en schopte met haar voeten in een poging om zijn benen te raken. Pas toen ze met haar vlakke hand in zijn gezicht sloeg, verslapte hij zijn greep een beetje. Het was te donker om zijn blik te zien, anders had ze geweten dat ze zich op dat ogenblik had moeten losrukken en wegvluchten.

'Kasimir, alsjeblieft,' probeerde ze de situatie te redden. 'Het bier brengt je hoofd op hol. We hadden er beter aan gedaan om elkaar hier niet te ontmoeten.'

Maar hij was niet meer voor rede vatbaar. Geheel onverwachts duwde hij haar van zich af zodat ze in het gras tussen de bomen viel. Ogenblikkelijk lag hij boven op haar. Hij klemde haar beide polsen met één hand vast en probeerde met de andere haar jurk omhoog te trekken.

Emera was een ogenblik perplex geweest, maar nu gilde ze het uit. Ze schopte met haar benen, kronkelde met haar lichaam en deed al het mogelijke om onder hem vandaan te komen. Maar hij was sterk en zwaar. Ze hoorde stof scheuren, voelde zijn vingers knedend om een borst. Zijn knie wrikte pijnlijk haar benen open. Emera was de wanhoop nabij. Ze slaagde erin om haar tanden in zijn arm te zetten die haar polsen vasthield. Ze beet tot ze bloed proefde en hij haar met een schreeuw moest loslaten. Ogenblikkelijk was Emera onder hem uit en ze holde met ware doodsverachting in de richting van het dorpsplein. Pas toen ze zwak muziek hoorde, rende ze niet meer zo hard. Het licht van de maan was hier sterk genoeg om de omgeving een beetje te verlichten. Ze keek over haar schouder, maar de angst dat hij haar achterna zou komen bleek ongegrond. Ten slotte stond ze hijgend stil terwijl ze naar de lichtjes in de verte staarde. Ze besefte dat ze niet terug kon gaan. Haar jurk was gescheurd, bovendien was ze totaal ontredderd. Ze huiverde en begon plots te huilen. Het leek wel alsof al haar doorstane angst pas nu een uitweg vond. Het duurde even voordat ze zich hersteld had, maar toen ze eenmaal in staat was om verder te gaan, sloeg ze de tegenovergestelde richting in. Ze zou wel een antwoord verzinnen als Maaike haar morgen vroeg waarom ze al weg was voordat ze haar naar huis konden brengen. Ze was ook opgelucht omdat ze wist dat haar moeder zou slapen als ze thuiskwam. Ze had nu geen behoefte aan iemand, zelfs niet aan haar beste vriendin of haar moeder. Ze wilde niemand zien. Ze wilde dat de wereld ophield met bestaan.

HOOFDSTUK 5

Emera was op zoek naar hertsklaver, ook koninginnekruid genoemd. Haar moeder had de bladeren van deze plant nodig om een wond te verzorgen die Egied, een boerenknecht, had opgelopen bij het oogsten. Emera wist dat deze plant vooral op ondergelopen terreinen en beekoevers te vinden was en dus was ze nu op weg naar de Grote Nete. Ze volgde het karspoor dat door het aanhoudend mooie weer in een mulle zandweg was veranderd. Op de Kaaibeekbrug bleef ze even in gedachten naar het kabbelende water staren. In de verte zag ze een kleine, platte boot die het ijzererts wegvoerde. Een aantal zwaluwen scheerde kwetterend over het water en een kleurige libel zette zich naast haar hand op de houten balustrade neer. Maar de schoonheid van de natuur kon haar ditmaal niet boeien. Het voorval op kermisavond bleef als een gezwel in haar hoofd zitten, ook al was het nu al meer dan drie weken geleden. Voortdurend dacht ze daaraan en voelde ze de pijn in haar binnenste knagen. Ze had Kasimir sindsdien niet meer gezien. In de kerk natuurlijk wel, elke zondag in de hoogmis, en als ze vanuit haar ooghoeken naar hem keek, dan zag ze dat hij de hele tijd naar haar zat te staren. Voor de rest ontweek ze hem zo veel mogelijk. Haar gevoelens voor hem waren veranderd in een pijnlijke verwarring, een tegenstrijdigheid van impulsen die haar innerlijk verscheurden. Hij had haar vertrouwen geschonden en haar als de eerste de beste vulgaire meid behandeld. Dat kon ze hem niet vergeven. Ze wilde dat ze er met iemand over kon praten, maar ze kon haar moeder niet opzadelen met deze problemen. Ze vond het trouwens te beschamend om het wie dan ook te vertellen.

Ze zuchtte diep en draaide zich om om verder te gaan, toen ze plots bleef staan. Kasimir stond een paar meter van haar tegen de andere leuning van de brug geleund en staarde haar aan. Pas toen hij zag dat ze haastig de andere kant opging, maakte hij zich los. 'Wacht, Emera!' Hij ging haar achterna en greep haar arm zodat ze zou stoppen. Maar Emera gilde en ze rukte zich woest los. Kasimir hield zijn handen afwerend voor zich. Hij begreep maar al te goed dat haar gegil tot op de Kaaibeekhoeve te horen was en bovendien werd dit pad door veel mensen gebruikt. Hij kon maar beter voorzichtig zijn. 'Wees niet bang, Emera. Ik doe je heus niets. Ik wil alleen even met je praten.'

'Ik heb je niets meer te zeggen, Kasimir.'

Maar Kasimir gaf zich niet zo vlug gewonnen. Hij ging naast haar lopen en keek haar aan.

'Ik wil je zeggen dat het me spijt, Emera. Alsjeblieft, luister naar me. Ik… ik was dronken. Ik had mezelf niet meer in de hand.'

Emera bleef staan en keek naar zijn smekende blik. Ze aarzelde, maar schudde ten slotte haar hoofd. 'Er is een gezegde dat zegt dat een dronken man zijn karakter niet kan loochenen. Ik wil niet leven met iemand die geen respect voor me heeft, Kasimir.'

'Ik heb een fout gemaakt, Emera, en dat besef ik maar al te goed. Maar heb ik dan geen recht op een tweede kans zodat ik je kan bewijzen dat ik het echt goed met je meen?' Hij waagde het om een van haar handen vast te nemen. 'O Emera, als je eens wist hoe ellendig ik me voel.'

Emera trok langzaam haar hand los. Ze kon niet ontkennen dat zijn smekende en verontschuldigende woorden haar raakten. Ze besefte dat ze – ondanks alles – toch nog bepaalde gevoelens voor hem koesterde. Maar haar angst voor hem bleef aanwezig.

'Ik weet niet of ik je nog kan vertrouwen, Kasimir.'

'Geef me dan een kans om dat te bewijzen, Emera. Toe?'

Emera schudde in onmacht het hoofd. 'Ik… ik heb tijd nodig om alles te laten bezinken.'

'Wil dat zeggen dat je me nog een kans wil geven?'

'Ik weet het niet… Ik moet erover nadenken.'

Kasimir zuchtte opgelucht. 'Dat is al meer dan ik durfde te hopen, Emera. Kan ik je zondagavond zien tijdens je avondwandeling? Misschien heb je dan je antwoord klaar.'

Emera wilde hem zeggen dat ze al weken niet was gaan wandelen uit angst om hem tegen te komen, maar ze zweeg en keek hem bedachtzaam aan. 'Ik ontmoet je liever op een plaats waar ik me veilig voel,' zei ze ten slotte.

Hij boog teleurgesteld zijn hoofd. 'Oei, dat is raak! Maar ik begrijp je wel. Zullen we elkaar dan ontmoeten aan het ouderlingenge-sticht in de Verlorenkost? Daar staat een bank voor het Lievevrouwenbeeld.'

Emera aarzelde nog altijd. 'Goed dan,' zei ze ten slotte. 'Maar ik weet niet zeker of ik je dan een antwoord zal kunnen geven.'

Hij glimlachte even en drukte subtiel een kus in de palm van haar hand. 'Het feit dat ik je dan kan zien is voor mij al voldoende, lief-je.' Na deze woorden ging hij voldaan terug in de richting van het dorp. Hij was er zeker van dat alles weer goed ging komen. O, hij kende de vrouwen immers. Hij wist dat hij ze om zijn vinger kon winden met zijn knappe uiterlijk, zijn mooie praatjes en zijn welgestelde positie. Het was inderdaad zo dat hij dronken was die avond. Dat kon hij niet ontkennen. Het was niet zijn gewoonte om iemand te verkrachten. Hij drong aan, dat wel en hij had niet zoveel geduld, maar hij had te veel eer om iemand tegen haar wil te dwingen en daar had hij oprecht spijt van.

Het was echter diezelfde eer die ervoor zorgde dat hij Emera weer wilde zien. Hij was er trots op dat hij de kunst bezat om mooie vrouwen te bespelen tot ze hem gegeven hadden wat hij wilde. Vooral meisjes van eenvoudige afkomst, die maar al te gewillig aan zijn eisen voldeden. Als hij hen eenmaal had genomen, was zijn interesse voor hen weg. Hij was niet bang dat iemand zou protesteren of dat iemand hem met een bastaard zou opzadelen. Het was zijn woord tegenover dat van hen en dat won hij gegarandeerd. Bovendien zorgde hij er wel voor dat hun ontmoetingen zo discreet mogelijk verliepen. De bank voor het ouderlingengesticht was natuurlijk niet erg ideaal op dat punt en hij had het ook liever anders gezien, maar hij kon ervoor zorgen dat het was alsof ze gewoon een praatje met elkaar zouden maken. Daar was niets mis mee. Hij was er immers van overtuigd dat hun volgende afspraak in meer verlaten oorden zou doorgaan…

Emera bleef met verwarde gevoelens achter. Nu ze hem gezien en gehoord had, wist ze niet meer wat ze moest denken. Ze ging in het gras aan de oever van de rivie zitten, trok haar knieën op en legde haar kin erop. Ze hield nog van Kasimir, dat dacht ze tenminste, maar haar gevoelens voor hem werden overschaduwd door wantrouwen en zelfs door een zweem van angst. Aan de ene kant wilde ze haar hart volgen en hem inderdaad nog een kans geven, maar aan de andere kant was ze bang om weer teleurgesteld te worden. Ze voelde een traan over haar wang lopen en veegde die met een geïrriteerd gebaar weg.

De zachte druk van een hand op haar schouder deed haar verschrikt opkijken. Ze staarde in een onbekend gezicht van een jonge man die haar vragend en vriendelijk aankeek. 'Kan ik je helpen?'

'Nee, dank je,' wuifde ze zijn hulp weg. Ze had nu geen behoefte aan pottenkijkers. Maar de jongeman liet zich niet zomaar wegsturen. Hij had gezien dat ze huilde. Hij ging op zijn hurken naast haar zitten en keek haar bezorgd aan. 'Heb jij je pijn gedaan?' Emera schudde het hoofd. Ze wilde hem zeggen dat hij haar met rust moest laten en dat ze best wel voor zichzelf kon zorgen, maar toen ze hem aankeek en zijn zachte bruine ogen verontrust naar haar zagen kijken, kon ze het niet opbrengen om hem dit antwoord toe te snauwen. Ze boog haar hoofd. 'Deze pijn is niet te verhelpen,' zei ze zacht.

Het duurde even voordat hij begreep wat ze bedoelde. 'Liefdesverdriet? O, het spijt me voor jou. Dat is inderdaad pijnlijk. Nou, dan laat ik je maar.' De jonge man stond weer op en ging verder de oever op.

Emera keek naar hem op en realiseerde zich plots dat ze hem niet kende. 'Wie ben je?' vroeg ze. 'Ik weet zeker dat ik je nog nooit gezien heb.'

Ze keek de man, die in profiel naar haar keek, onderzoekend aan, in de hoop dat ze hem misschien in een naburig dorp had gezien. Hij was blond met golvend haar dat achterover gekamd was, zijn ogen waren bruin en zijn mond vol en vriendelijk. Hij zag er knap uit met een gebruinde huid en gladgeschoren wangen. Zijn kleding was van goede snit en kwaliteit. Nee, ze kende hem beslist niet, anders had ze hem ongetwijfeld herkend.

'Mijn naam is Benjamin… van Dormael,' liet hij er aarzelend op volgen. Hij kon zijn vaders naam maar beter verzwijgen. Hij wist hoezeer zijn vader hem verwenste voor het feit dat hij zijn zoon was. Hij wende bij die gedachte zijn gezicht een beetje meer van haar weg zodat zij de schilferende huid aan de rechterkant van zijn voorhoofd niet zou zien. Gelukkig had hij deze dagen maar weinig last van zijn huidaandoening, anders had hij dit meisje niet eens durven aanspreken. 'Ik logeer bij een tante van me, hier in het dorp.' Hij logeerde inderdaad maar voor een paar maanden in zijn ouderlijk huis. Daarna zou hij weer naar de universiteit vertrekken. Dat deel had hij dus niet gelogen.

Hij knikte nog even ter begroeting en ging vlug verder voor ze nog meer vragen kon stellen. Emera keek hem even beduusd na, maar ze stond er niet lang bij stil. Ze had nu wel andere dingen aan haar hoofd. Wonderwel had het korte gesprek met deze vreemdeling haar goedgedaan.

Ze stond op en sloeg het gras van haar rok af. Ze kon nu maar beter op zoek gaan naar hertsklaver. Ze had al lang genoeg getreuzeld.

HOOFDSTUK 6

'Is je iets opgevallen aan moeder?' Lisa keek haar jongste zus vragend aan. Ze had gewacht om haar deze vraag te stellen tot Mimi naar buiten was om water uit de put te halen.

'Nee, hoezo?' Voor Emera kwam deze vraag uit de lucht vallen. 'Is er dan iets mis met haar?'

Lisa schudde het hoofd. Ze nam Seppe uit de geïmproviseerde kinderwagen en legde hem op een zachte doek op de tafel zodat ze hem kon verschonen. 'Ik weet het niet. Ze is de laatste weken zo stil. Het lijkt net alsof ze met iets zit. Ik dacht dat jij het wel zou weten.'

Emera dacht even na. Ze had echt niets gemerkt. Haar eigen problemen hadden die van anderen weggedrukt. 'Waarom vraag je het haar dan niet, Lisa? Misschien maak jij je zorgen om niets?'

'Ik heb het haar al gevraagd, een paar weken geleden. Maar ze wuift mijn bezorgdheid weg.'

'Nou, dan zal er wel niets aan de hand zijn.'

'Toch zit haar iets dwars, Emera. Ik ken moeder goed genoeg om te weten dat ze met iets zit. Heeft het soms met jou te maken?' Ze keek even met een afkeurende blik naar haar jongste zus. 'Heb je iets gedaan waardoor ze van streek is geraakt?'

'Moeder zou de laatste zijn die ik van streek wil maken, dat weet je best.'

Lisa glimlachte, nam de ondertussen verschoonde baby op en legde hem in Emera's armen. 'Je hebt gelijk, zusje. Geen van ons drieën zou in staat zijn om moeder te kwetsen. Maar ik wil je toch vragen om een oogje in het zeil te houden. Ze is te vaak met haar gedachten ergens anders, alsof ze over iets tobt of zo. Misschien kom jij er wel achter.' Ze had ondertussen de boel wat opgeruimd en haar handen gewassen. Daarna nam ze de baby over om hem de borst te geven.

Op dat ogenblik kwam Mimi binnen. Ze zette de putemmer in de gootsteen en staarde even in gedachten door het kleine raam naar buiten. De lucht was zwaarbewolkt en het regende. Gelukkig was het zomer en zou de zon weer vlug doorbreken. Ze had inderdaad zorgen, ook al wist ze niet dat haar kinderen hiervan op de hoogte waren. De twee naderende bevallingen maakten haar bang. Vooral Ella, die een van deze dagen van haar derde kind moest bevallen, maakte haar bezorgd. Haar twee vorige bevallingen waren moeizaam verlopen en telkens had ze dokter Goossens erbij moeten roepen. Hij had haar vier jaar geleden aangeraden om het bij twee kinderen te laten, maar nu was Ella toch weer zwanger geraakt. Mimi was bang dat haar derde kind opnieuw voor problemen zou zorgen. Het zou de eerste maal zijn dat ze de hulp van dokter Wouters moest inroepen en ze wist niet wat haar te wachten stond. Ook bij Leentje, een tengere, jonge vrouw, ver- wachtte ze problemen. Zij had nog een maand te gaan. Mimi had vastgesteld dat de baby in stuitligging lag en ze hoopte vurig dat het nog zou keren voordat de bevalling zich inzette.

Ze zuchtte even diep en haalde haar schouders op. Nou ja, niets aan te doen! Ze zou met deze dokter verder moeten en ze hoopte dat alles goed zou komen.

Emera zag haar moeder staren en dacht aan Lisa's bezorgde woor- den. Waarom had ze niet eerder gezien dat haar moeder zorgen had? Maar ze wist het antwoord al voordat ze zichzelf deze vraag stelde en ze voelde zich vreselijk schuldig.

Ze wende haar ogen van haar moeder af en keek naar Lisa, die in de leunstoel zat. Ze praatte zachtjes met de baby. Af en toe was er een zuigend geluidje hoorbaar. Lode was er ditmaal niet bij. Hij was bij zijn vader gebleven om hem te helpen in de stal. Hij vond het heerlijk om zijn vader te helpen, ook al waren zijn armpjes nog te kort om de riek vast te houden of de mestkar naar buiten te rij- den. Lisa had het lachend gezegd met de vermelding dat zijn werk- lust wel vlug zou veranderen als hij eenmaal moést helpen. Ook Trude was er deze zondag niet. Zij en Theo waren direct na de hoogmis naar huis gegaan. Ze hadden nog zo veel te doen en mor- gen was het al weer een werkdag. Maar Emera was blij dat Lisa en haar jongste zoontje er waren.

Ze ging naar de bijkeuken en tilde de putemmer op. 'Ga jij maar bij Lisa zitten, moeder, dan kunnen jullie even bijkletsen. Ik zal de vaat wel doen.' Om haar woorden kracht bij te zetten, goot ze een deel van het water in de gootsteen.

Haar moeder glimlachte. 'Dank je, Emera. Dat is lief van je.'

Al vlug hoorde Emera hun over en weer gaande woorden, maar haar gedachten gleden weg zodat ze niet langer hoorde waarover ze het hadden. Deze avond zou ze Kasimir zien bij het ouderlin- gengesticht. Ze was niet bang om hem daar te ontmoeten, maar ze wist nog altijd niet wat ze hem moest zeggen. Hij verwachtte een antwoord van haar, een tweede kans. Wie was zij om hem deze

tweede kans te ontzeggen? Moest zij niet blij zijn dat hij haar verkoos? Dat hij smeekte om haar lief te mogen hebben? Hij was
knap, verstandig en welgesteld en hij verkoos haar, een eenvoudige, haast ongeletterde boerenmeid! Ze zou hem dankbaar moeten
zijn, ze zou moeten zingen van vreugde en toch was er iets dat
haar tegenhield om gelukkig te zijn. Was het intuïtie? Was het een
voorgevoel? Was het de angst voor een herhaling van wat was
voorgevallen? Emera wist het niet, maar het maakte haar antwoord er niet gemakkelijker op.

Lisa was tussen twee buien door vertrokken. Ze had een zeiltje
boven de kinderwagen gehangen om de regen tegen te houden en
hoopte droog thuis te komen. Tegen de avond kwam zelfs de zon
door de wolken priemen. Ze stond al laag en kleurde de horizon
rood en oker toen Emera haar moeder alleen liet om haar avondwandeling te maken. Voordat ze wegging, had ze heel even geaar-
zeld om haar moeder te vertellen wat haar dwarszat. Maar de
gedachte aan Lisa's gesprek weerhield haar hiervan. Haar moeder
had zo al zorgen genoeg!
Het gras en de bomen hingen nog vol regendruppels, maar de
vogels zongen hun avondlied en het rook heerlijk fris en zuiver,
alsof de regen al het vuil en stof had weggewassen. Emera zette er
flink de pas in. De weg naar het dorp was een stuk langer dan haar
normale wandeling langs de lariksdreef. Dat betekende echter dat
ze nog even tijd had om na te denken voordat ze Kasimir zou ontmoeten. Ze dacht voortdurend aan zijn lieve, zachte woorden. Ze
zag zijn smekende blik, zijn spijt, zijn tederheid. Maar de angst die
ze gevoeld had op kermisavond overheerste. Ze vroeg zich af wat
er gebeurd zou zijn indien ze niet had kunnen ontsnappen. Ze rilde
en wilde daar niet aan denken.
Ze was vlugger in het dorp dan ze verwachtte. Toen ze het
Verlorenkoststraatje insloeg, zag ze hem van ver al zitten. Hij
stond pas op toen ze vlakbij was en lachte opgelucht.
'Emera, liefje, ik was zo bang dat je niet zou komen. Kom, laten we
een eindje gaan wandelen. Ik heb hier de indruk dat al die ouder-
lingen naar ons zitten te staren.'
'Ik blijf liever hier, Kasimir.' Emera was niet van plan om hem ditmaal zijn zin te geven. Ze zette zich neer op de bank en wachtte tot
hij naast haar ging zitten.
Kasimir vloekte inwendig en zag zijn kans op een kus aan zijn neus

voorbijgaan. Hier kon hij niet eens haar hand vasthouden zonder dat het gezien zou worden!

Met tegenzin ging hij weer zitten, zijn ergernis met moeite onderdrukkend. 'Het lijkt wel alsof je bang voor me bent,' zei hij geïrriteerd. 'Ik heb je toch gezegd dat het me vreselijk veel spijt?'

Emera wendde haar hoofd een beetje van hem af. Ze wilde zich niet laten beïnvloeden door zijn mooie gezicht en zijn smekende blik. 'Ik ben hierheen gekomen om je een antwoord te geven op je vraag, Kasimir. Ik...' Ze keek hem aan. 'Ik weet niet of ik je wel een tweede kans wil geven. Ik kan dat voorval op de kermis niet uit mijn hoofd zetten. Het heeft geen zin om verder te gaan.'

Kasimir greep nu toch haar hand vast. 'Dat meen je niet, Emera. Alsjeblieft, doe me dat niet aan.'

Ze trok haar hand voorzichtig los. 'Het spijt me, Kasimir.'

'Heb je nog meer tijd nodig? Hoe lang dan? Een dag? Een week? Een maand? Ik zou je alle tijd willen geven, als ik maar wist dat ik je niet hoefde te verliezen.'

Emera stond op en keek hem bedroefd aan. 'Zelfs zonder dat voorval zou onze liefde zwaar op de proef gesteld worden, Kasimir. Ik ben bang dat ik je ouders' goedkeuring niet zou wegdragen.'

'Mijn ouders kunnen me gestolen worden. Ik doe mijn eigen zin!'

'Ook mijn moeder zou eronder gebukt gaan. En... en ik. Ik wil niemand ongelukkig maken, Kasimir. Het is beter om er nu een eind aan te maken.'

Na deze woorden stond ze op en ze liet hem alleen achter. Kasimir keek haar met een ijskoude blik na. Hoe durfde ze hem zomaar af te wimpelen alsof hij de eerste de beste ordinaire boerenzoon was! Hij had veel zin om haar achterna te gaan en te nemen wat hem rechtmatig toekwam. Het was al flink aan het duisteren en op weg naar huis waren veel verlaten plaatsen zodat het hem niet veel moeite zou kosten om haar te dwingen. Maar zijn eer was groter dan zijn woede. Hij klemde zijn lippen op elkaar. Hij gaf het niet op! O nee, daar kon ze zeker van zijn! Hij had een reputatie hoog te houden en hij zou haar niet met rust laten voor hij zijn zin gekregen had. Hij zou wel een manier verzinnen om haar zover te krijgen!

Kasimir liet er geen gras over groeien en besloot twee dagen later om met zijn vader over zijn problemen te praten. In zijn eigen voordeel natuurlijk.

'Weet jij dat er ergens in een gehucht van dit dorp een vrouw woont die mensen geneest met extracten en zalfjes, papa?'

Kasimir keek vragend naar zijn vader die voorovergebogen aan zijn bureau zat en enkele aantekeningen maakte op een papier. 'Ja, daar ben ik van op de hoogte,' zei hij zonder op te kijken. Hij maakte de aantekening af, drukte er een vloeiblad op en legde zijn pen neer. Nu pas keek hij zijn zoon aan. Kasimir had er een gewoonte van gemaakt om elke avond bij zijn vader langs te gaan in zijn consultatiekamer. Daar waren ze 's avonds alleen en daar konden ze als mannen onder elkaar converseren.

'Waarom vraag je dat? Heb je iets over haar gehoord?'

'Ik heb haar jongste dochter al een paar keer ontmoet. Een knap meisje. Ik lieg niet als ik je zeg dat er geen mooiere meid in dit dorp rondloopt.'

'Zo! Dan hoop ik maar dat het bij deze ontmoetingen blijft! Ze is al net zo verdorven als haar moeder!'

Kasimir grinnikte. 'Ik weet maar al te goed dat zij je goedkeuring niet wegdraagt, papa. Maak je geen zorgen. Ik vind haar een mooie meid, maar ver beneden mijn stand. Ik zal je niet in diskrediet brengen, dat weet je toch? Ik vroeg me alleen maar af wat voor een vrouw die Mimi is die denkt dat ze met enkele planten mensen kan genezen?'

'Zij is een bedriegster, Kasimir.'

'Ik geloof je, papa. Maar je kunt niet ontkennen dat de mensen van heinde en verre komen om haar zalfjes en drankjes.'

'Veel mensen doen een beroep op haar omdat ze geloven in haar bedrog, omdat ze dénken dat ze daardoor beter worden! Vroeger zouden ze deze vrouw op de brandstapel gezet hebben als de eerste de beste heks!'

'Kan jij dan niets doen om haar te stoppen met haar bedrieglijke praktijk?'

'Denk je dat ze stopt met haar kruidenbrouwsels als ik het haar vraag? Ik heb haar al meer dan eens laten voelen dat ik haar valse geneeskunst verwerp. Ze weet dat ik alles in het werk zal stellen om haar te stoppen, maar ze doet alsof mijn woorden lucht voor haar zijn. Bovendien kost het tijd om deze achterlijke boeren aan hun verstand te brengen dat ze beter een beroep kunnen doen op een geleerde man zoals ik. Ze kijken me alleen maar schaapachtig aan en knikken als ik het hun vertel, maar achter mijn rug grijpen ze weer naar haar brouwsels. Pas als haar bedrog niets helpt ko-

men ze bij mij aankloppen. Ik heb zelfs de pastoor een paar maal over haar aangesproken. Maar zolang ze niets godslasterlijks doet, wil hij haar niet op het matje te roepen.'
'Kun je er dan niet voor zorgen dat ze Gods boosheid over zich heen krijgt? Het is soms niet slecht om het lot een beetje naar je hand te zetten.'
Viktor keek zijn zoon bedenkelijk aan. 'Daar heb ik ook al aan gedacht, jongen. Maar zoals ik al zei: het kost tijd. Ik ben er echter van overtuigd dat ik haar op een dag zal kunnen beschuldigen van bedrog, ziekmakerij en zelfs levensbedreigende handelingen. En dan zal ze met hangende pootjes hier weg moeten gaan, omdat niemand haar hulp nog wil hebben.'
'Misschien is het dan wel een goed idee dat ik haar dochter blijf ontmoeten. Zo te horen is het nogal een flirterig type dat van de ene boerenzoon naar de andere fladdert. Het zal me dus geen moeite kosten om haar een beetje het hof te maken, zodat ik erachter kan komen wat haar moeder doet, wie ze verzorgt en hoe ze deze mensen behandelt. Het zou je kunnen helpen om een einde te maken aan haar hekserij.'
Viktor had zijn mond al geopend om zijn zoon tegen te spreken, maar het bleef stil. Hij zag in dat het misschien wel van belang kon zijn om zo veel mogelijk over Mimi te weten te komen. Het kon geen kwaad om haar doen en laten na te gaan. Het zou zijn beschuldigingen alleen maar harder maken. Bovendien was hij blij en trots dat zijn zoon dezelfde mening was toegedaan. Na een ogenblik van stilte keek hij Kasimir aan.
'Daar zit wat in, jongen. Maar zorg dat het niet escaleert! Probeer gewoon haar vriendschap voor je te winnen en hoor haar een beetje uit.'
'Goed, papa.' Kasimir glimlachte. Hij had zijn doel bereikt en voelde zich in zijn nopjes. Hij zou al het mogelijke doen om zijn vader te helpen, zodat hij Mimi het mes op de keel kon zetten. Tegenover Emera zou hij het dan laten lijken alsof hij juist het tegenovergestelde deed om haar en haar moeder te helpen. Hij zou ervoor zorgen dat ze haar lichaam aanbood in ruil voor zijn diensten!
'Waar is Benjamin?' hoorde hij zijn vader deze gedachte onderbreken. 'Ik heb hem vandaag niet gezien. Gelukkig is zijn huidaandoening niet zo ernstig zodat hij ons niet in verlegenheid kan brengen, maar ik heb toch liever dat hij zoveel mogelijk in huis blijft tot de vakantie erop zit.'

Kasimir haalde zijn schouders op. Net als zijn vader had hij een afkeer van zijn broers vieze, schilferende huid en hij wilde liever niet samen met hem gezien worden. Hij haatte imperfectie. Hij was bovendien bang dat het besmettelijk was en de gedachte dat hij als een monster door het leven moest gaan was voor hem ondraaglijk. Daardoor ontweek hij zijn broer zo veel mogelijk en leefden ze meer naast elkaar dan met elkaar. 'Ik zou het niet weten, papa. Maar ik zal het mama even vragen. Heb je graag dat ik hem naar je toestuur?'

'Nee, laat maar. Maar als jij je broer ziet, zeg hem dan dat hij binnen moet blijven. Ik heb liever niet dat de mensen nu al geconfronteerd worden met zijn uiterlijk. Ik heb al zorgen genoeg met die heks en haar kroost zonder dat mijn jongste zoon me ook nog voor de voeten loopt. Ga nu maar. Ik heb nog werk te doen.'

Kasimir knikte en verliet het vertrek. Voordat hij naar de zitkamer kon gaan, waar zijn moeder zich bevond, hoorde hij de bel. Het was al laat en hij wist dat de bedienden al naar huis waren, dus opende hij zelf de deur. Tot zijn verbazing zag hij Emera staan. Ze had een schouderdoek om tegen de avondkou en hijgde van het harde lopen. Heel even dacht hij dat ze voor hem was gekomen om het weer goed te maken, maar haar woorden verdreven deze gedachte meteen.

'De dokter…' hijgde ze. 'Ella… ze… het kind kan niet komen. Mijn moeder vraagt… of de dokter zo vlug mogelijk kan meekomen.'

Kasimir trok haar naar binnen en deed geveinsd alsof hij helemaal was aangedaan. 'Och, die arme vrouw. Je deed er goed aan om hierheen te komen, Emera. Wacht hier even. Ik zal papa gaan halen.'

Gelukkig liet dokter Wouters niet lang op zich wachten. Het was met tegenzin dat hij Mimi moest helpen, maar hij had nu eenmaal een eed gezworen om alle hulpbehoevenden te helpen.

In stug stilzwijgen volgde hij Emera naar het gehucht Het Goorken, waar Ella, haar man en hun twee kinderen woonden.

Zodra ze het armzalige huisje binnengingen, hoorden ze een luid gekerm. In het schamele woonkamertje zagen ze Ella's man Hannes en haar twee kleine kinderen. Hannes keek de dokter angstig aan toen hij binnenkwam. Hij plukte zenuwachtig aan de pet die hij tussen zijn handen klemde. De kinderen bekeken alles met grote ogen. Ze begrepen niet goed wat er aan de hand was, maar hun vaders onrust en het gegil en gekerm van hun moeder maakte dat ze angstig en stil het gebeuren volgden. Hannes bracht hen tot aan het kelderkamertje, opende de deur om hen binnen te laten en ging terug naar zijn kinderen, waar hij gespannen hoopte op een goede afloop.

Mimi bette Ella's voorhoofd met een vochtige doek en haalde opgelucht adem zodra ze dokter Wouters zag binnenkomen. Ella lag op een groezelig bed, haar knieën opgetrokken en met haren nat van het zweet. Ella was nooit een erg nette vrouw geweest en dat was aan het huisje te zien. Ondanks het feit dat Mimi en Emera haar hadden gewezen op het belang van een goede hygiëne, had deze vrouw daar geen oren naar. Viktor haalde dan ook zijn neus op toen hij het vieze beddengoed zag.

'Godzijdank dat je vlug kon komen, dokter Wouters,' zei Mimi. 'Ondanks een volledige ontsluiting kan het kind niet komen. Ik vrees dat de moederkoek in de weg zit en een operatie noodzakelijk is. Maar ik denk wel dat er nog voldoende tijd is om Ella naar je huis te brengen.' Ze blikte even naar het vuile beddengoed om hem kenbaar te maken dat het hier niet de ideale omgeving was om een operatie uit te voeren

Viktor keek Mimi met een vernietigende blik aan. 'Ik zal zelf mijn diagnose wel stellen!' reageerde hij kort. Hij opende zijn tas en onderzocht de barende vrouw.

'Zo te voelen ligt het kind goed. Laat haar nog maar wat afzien. Vrouwen zijn gemaakt om te baren, zo erg kan het niet zijn.'

Mimi keek hem onthutst aan. Ze voelde een sterke behoefte opkomen om deze woorden al net zo hard te weerleggen. 'Ella is doodop, dokter Wouters. We mogen haar niet onnodig laten afzien, dat is onmenselijk!'

Zijn ogen schoten vuur. 'Jij hebt mijn hulp ingeroepen en ik ben dadelijk met je dochter meegekomen, dus je hebt mij niets te verwijten! Op dit ogenblik bepaal ik wat er gedaan moet worden en ik kan je missen als kiespijn. Ga haar man maar even troosten, zodat je onder mijn ogen uit bent.'

Mimi stond een ogenblik perplex. Maar nu richtte ze haar hoofd op en ze keek Viktor strak aan. 'Ella is ook mijn patiënte, dokter Wouters. Zij rekent op me. Ik laat haar niet in de steek!'

'Goed! Dan red je het zelf maar.' Om zijn woorden kracht bij te zetten, begon hij zijn dokterstas weer in te laden.

Mimi liet haar hoofd zakken. Hij moest haar helpen. Dokter

Wouters was de enige man in de wijde omtrek die operaties kon uitvoeren en haar ervaring en intuïtie vertelden haar dat Ella en haar kind het anders niet zouden overleven. Ze zette haar eigen trots en woede opzij en slikte. 'Goed, ik zal gaan. Maar help haar alsjeblieft, dokter. Ze kan het heus niet langer aan.'

Ze keek nog even naar de licht kermende vrouw in het bed. Ella had haar ogen gesloten. Ze was volledig uitgeput, niet eens meer in staat om het uit te gillen. Toen keek ze naar haar dochter, die helemaal ontdaan naar de woordenwisseling had geluisterd. 'Kom, Emera, we laten de dokter alleen.'

'Zij moet hier blijven om me te helpen,' zei hij kort zonder hen aan te kijken. Hij wist maar al te goed dat iedereen schande over hem zou spreken als hij alleen bij deze vrouw bleef. Bovendien had hij hulp nodig, daar kon hij niet onderuit.

Mimi keek haar dochter met een blik van verstandhouding aan en verliet de kamer zonder een woord te zeggen.

Dokter Wouters liet Ella nog meer dan drie uur zwoegen. Pas toen ze in een bewusteloosheid begon weg te zakken, besefte hij dat Mimi gelijk had en dat een operatie de enige manier was om het leven van deze vrouw te redden. Maar hij wilde haar deze genoegdoening niet geven door dat toe te geven. Hij beval Emera om een paar ketels water aan de kook te brengen en besloot om Ella hier te opereren. Het moest vlug gebeuren, want haar leven hing inmiddels aan een zijden draadje en tijd om haar naar zijn huis te brengen had hij niet meer. Bovendien was dit een unieke kans. Het zou handig zijn indien hij deze operaties thuis in hun eigen bed kon uitvoeren. Hij was er trots op dat hij een van de weinige chirurgen was die zo'n soort operatie al verschillende malen gedaan had. Sommige vrouwen dankten daaraan hun leven, andere lieten er het leven bij. Dat was natuurlijk een gok. Nu ja, als hij niets deed, zou deze vrouw sowieso sterven en het was trouwens maar een simpele ziel. Veel zou de mensheid er niet aan missen.

Toen Emera met het kokende water binnenkwam stuurde hij haar terug om het properste laken te zoeken dat hier in dit huis aanwezig was. Daarna legde hij zijn instrumenten klaar zodat hij aan de keizersnede kon beginnen…

Twee uur later zaten Mimi en Emera thuis bij de kachel waarop een ketel met water stond te pruttelen. Emera maakte een mengeling van verschillende planten en kruiden om een rustgevende en smaakvolle thee te kunnen trekken. Het was hun gewoonte om na elke bevalling thuis een beetje na te praten over het gebeuren en de manier waarop ze de vervolgbezoeken zouden regelen. Maar deze bevalling bracht heel wat spanningen met zich mee. Zodra Emera de theekopjes had gevuld, ging ze zitten en ze keek haar moeder bezorgd aan.

'Ik heb de indruk dat jij al langer wist dat dokter Wouters niet erg blij met ons is, moeder.'

Mimi bleef even naar haar thee staren voordat ze opkeek en een antwoord gaf. 'Ach kindje, wat voor zin heeft het dat jij en je zussen je zorgen maken? Waarschijnlijk lost het probleem zich vanzelf wel op als hij ondervindt dat we heus wel goed zijn in ons vak.'

'Gedeelde zorgen maken het half zo erg!' zei Emera op een wijze toon. 'Bovendien heeft hij geen enkele reden om ons te misprijzen. Het enige wat we doen is hem helpen.'

'Hij gelooft niet in de geneeskracht die wij toepassen, Emera. Dat heeft hij me duidelijk laten weten. Nou ja, het is zijn recht om het niet te geloven. Ik ben al blij dat hij me beloofd heeft om me bij te staan in geval van nood. Op dit ogenblik is dat voor mij voldoende. En hij heeft zijn woord gehouden, niet? En hoe! Er zijn maar weinig dokters die zo'n operatie durven uitvoeren, Emera. We moeten dankbaar zijn dat we zo iemand in ons dorp hebben.'

'Ik vind hem arrogant, moeder! Hij kijkt op ons neer alsof we niets zijn.'

'In zijn ogen zijn we ook niets, Emera. Wij hebben niet de kennis opgedaan die hij heeft. Hij weet hoe een mens er vanbinnen uitziet. In Ella's geval heeft hij gelijk wanneer hij zegt dat hij beter is dan wij... Wij hadden Ella niet kunnen helpen...'

'Natuurlijk weten en kunnen wij niet alles, moeder. Maar op onze manier helpen wij de mensen zoveel we kunnen en dat is toch ook heel wat? Bovendien krijgen wij niet eens de kans om dezelfde kennis op te doen. Het feit dat we vrouwen zijn is al voldoende om ons dom te houden.'

Mimi zuchtte diep. 'Nou ja, we zullen ons een beetje moeten aanpassen. Dokter Wouters is nu eenmaal dokter Goossens niet.' Ze zei het zo luchtig mogelijk, maar ze wist met stellige zekerheid dat het niet bij deze vernedering zou blijven. Zij had het sterke gevoel dat haar nog ergere klappen te wachten stonden.

'Ik ben in ieder geval blij dat Ella het, gezien de omstandigheden, goed maakt, ook al haalde de baby het niet. Hannes heeft er veel verdriet van. Hij had zo graag een zoon gehad. Na de twee meisjes hoopte hij echt op een jongen. Maar Gods wegen zijn nu eenmaal ondoorgrondelijk.'

'Misschien had de baby nog geleefd als dokter Wouters haar wat vlugger geholpen had,' zei Emera somber.

'Dat mag je niet zeggen, kind. Met 'misschien' komen we geen stap verder.' Ze zuchtte diep. 'Maar ik leef zo mee met Ella. Ik hoop maar dat ze het te boven komt. Ze zal al haar krachten nodig hebben om weer te herstellen en dan het verdriet om haar zoontje... De arme ziel. Dokter Wouters komt de eerste dagen zelf haar buikwond verzorgen, wat nog maar eens weergeeft hoe begaan hij is met zijn patiënten. Nee, we mogen echt niet klagen. Maar het is onze taak om Ella en haar huishouden te bezoeken tot zij geheel hersteld is. Misschien kun jij morgen naar haar toegaan terwijl ik Lievinus' koe verzorg. Hij woont niet ver van Ella en Hannes, zodat we samen kunnen gaan.'

Emera knikte. 'Ik ben toch blij dat de meeste mensen in het dorp in ons geloven, moeder.'

Mimi glimlachte. 'Zeker, liefje, we moeten God dankbaar zijn dat Hij ons deze gave heeft gegeven en dat we daardoor in staat zijn om mensen te helpen.' Ze stond op en rekte zich uit. 'Ik denk dat ik het bed maar eens opzoek. Het moet al haast na middernacht zijn.' Ze drukte een kus op Emera's voorhoofd. 'Pieker maar niet te veel over dokter Wouters, Emera, en maak vooral je zussen niet ongerust. We moeten ons nu eenmaal aanpassen aan dingen die we niet kunnen veranderen.' Na deze woorden verliet ze de kamer.

Maar Emera kon niet anders dan piekeren. Voortdurend zag ze Viktors vaardige handen, die met vlugge, handige halen zijn vlijmscherpe mes door Ella's huid haalden. Hij had haar gezegd wat ze moest doen en dat ze vooral niet misselijk mocht worden. Maar ze had geen tijd en geen reden om misselijk te worden. Het leek wel alsof haar handen automatisch deden wat ze behoorden te doen. Ze depte het bloed weg met de doeken die zij en haar moeder vooraf al hadden afgekookt en dompelde regelmatig een instrument in het kokende water om het steriel te maken, zodat het klaarlag als dokter Wouters het weer nodig had. Zij had gezien hoe hij het kind uit de buikholte trok en daarna de huid weer dichtnaaide. Ze had nog nooit zoiets gezien en ze vond het fascinerend, boeiend en uitermate interessant. Ze kon niet anders dan hem daarom bewonderen. Het moest fantastisch zijn als je op deze manier mensen kon helpen. Op dat ogenblik had ze gewenst dat ze een jongen was, zodat ze ook voor dokter kon studeren en met dezelfde vaardige handen mensenlevens kon redden.

Ze had ook moeten zorgen dat Ella af en toe een paar druppels chloroform kreeg toegediend, zodat ze gedurende de operatie bleef slapen. Ook dat was iets wat haar intrigeerde. Ella had er helemaal niets van gevoeld, behalve natuurlijk toen de verdoving was uitgewerkt en de pijn van de incisie en het verlies van haar zoontje tot hoor doordrong.

Nu ze rustig over dat alles kon nadenken, moest ze toegeven dat haar moeder gelijk had. Zonder dokter Wouters' hulp zou Ella gestorven zijn. Eigenlijk had hij gelijk door te zeggen dat hij de mensen beter kon helpen dan zij. Maar hun werk was ook niet onbelangrijk. Hun kruiden en planten hielpen! Natuurlijk niet altijd. Dat was onmogelijk. Ze vroeg zich in stilte af of dokter Wouters zulke mensen dan wél had kunnen helpen?

Ze schudde het hoofd om al deze gedachten te verjagen. Ze kon beter haar moeders voorbeeld volgen en naar bed gaan. Ze nam de twee kopjes en zette ze in de gootsteen van de bijkeuken voordat ze de trap opging naar de zolderkamer. Terwijl ze zich uitkleedde dacht ze opgelucht dat ze er goed aan had gedaan om een eind te maken aan Kasimirs hofmakerij. Ze vroeg zich vertwijfeld af of hij op de hoogte was van de vete tussen haar moeder en zijn vader. Ze dacht van niet. Dan had hij er beslist iets over gezegd. Ze kreeg nog altijd een nijpend gevoel in haar hartstreek wanneer ze aan hem dacht. Maar het had geen zin om hier nog langer over te piekeren. Ze had er een punt achter gezet en gedane zaken nemen nu eenmaal geen keer...

HOOFDSTUK 7

Drie dagen later verliet Emera het huisje van Ella en Hannes. Ze maakte zich zorgen. Niet om de andere kinderen. En ook niet om het huishouden. Dat werd beredderd door Ella's jongere zuster, die haar kwam helpen zolang ze het bed moest houden. Emera had het jonge meisje geleerd hoe ze het huisje netjes moest houden en versterkend eten kon maken voor Ella. Het kind deed haar best. Dat viel dus allemaal best mee. Maar het was Ella's toestand die haar zorgen baarde. Ze was nog altijd behoorlijk ziek en sinds vandaag was er ook koorts komen opzetten. De dichtgenaaide buikwond zag er rood en gezwollen uit en voelde warm aan. Emera drukte Ella op het hart om dokter Wouters daarop attent te maken. Ze moest toegeven dat hij de naverzorging nauwgezet opvolgde. Meestal kwam hij zelf, vergezeld door zuster Anna van het Sint-Vincentiusklooster, die meekwam om Ella te verzorgen. En als hij niet kon, dan stuurde hij zuster Anna alleen. Misschien was ze wel wat voorbarig om zich zorgen te maken. Bij zo'n ingrijpende operatie was het risico op ontsteking natuurlijk groter. Misschien was het zelfs wel normaal. Ze hoopte in ieder geval dat hij iets kon doen om haar te helpen. En hopelijk met iets anders dan met Laudanum! Ella nam te pas en te onpas een slok uit de bruine fles die dokter Wouters haar had gegeven. De jonge moeder prees hem om het probate middel dat haar pijn sterk deed afzwakken. Het hielp haar echt! Maar Emera wist wel beter. Natuurlijk hielp het haar! Het verdoofde inderdaad de pijngevoelens zowel in haar hoofd als in haar buik, maar het nam de oorzaak van de pijn niet weg!

Emera probeerde de onrust uit haar hoofd te bannen. Ze zou er straks met haar moeder eens over praten. Ze sloeg een karspoor in dat haar naar het gehucht de Zandberg bracht. Daar woonde Leentje die naar het einde van haar zwangerschap liep. Leentje was nog maar amper zeventien. Zij was zwanger van Staf, een boerenknecht die zijn vaderschap erkende en gedwee met haar getrouwd was zodra hij vernomen had dat ze een kind van hem verwachtte. Het paar woonde bij haar ouders in, in een klein lemen huis met een schuurtje en een stalling voor hun kudde schapen. Het gebouw stond aan de rand van een heidelandschap. Groepjes berken en opgeschoten struikgewas rezen hier en daar als eilandjes uit een paarsroze vlakte op. Het karspoor leidde recht naar het lemen huisje. Emera zag haar al van ver. Leentjes bolle buik was zelfs van deze afstand goed zichtbaar. Maar de jonge vrouw leek er geen hinder van te ondervinden. Ze raapte de aardappelen op alsof niets haar in de weg zat en tilde met gemak de zware, tot de rand toe gevulde rieten mand op de handkar.

'Nou, Leentje, zo te zien heb jij nog niet veel last van je zware buik,' riep Emera haar vrolijk toe toen ze dicht genoeg genaderd was.

Leentje lachte schalks. 'Dat denk je maar, Emera. Het lijkt wel alsof ik een ton weeg!' Ze rechtte haar rug en wiste het zweet van haar voorhoofd. 'Maar het werk moet nu eenmaal gedaan worden. Ik hoop toch dat het nu niet meer zo lang zal duren. Als ik nog wat dikker wordt, denk ik dat ik ontplof.'

Emera grinnikte. Zij bewonderde Leentje enorm om haar levensvreugde. Ondanks haar jonge leeftijd, haar zwangerschap en haar zware leven was ze altijd vrolijk en ze nam alles in het leven als vanzelfsprekend aan.

'Ik kom eens kijken hoe het met je gaat, maar zo te zien hoef ik me nog geen zorgen te maken.'

'O, ik maak het best, Emera. Als die zure oprispingen zouden verdwijnen, dan voelde ik me opperbest.'

'Ik zal het tegen moeder zeggen, dan kan ze iets voor je meebrengen. Zij komt aan het eind van de week naar je toe om te zien hoe je toestand is.'

Emera wist zelf ook wel hoe ze een vrouw moest onderzoeken. De ervaring en haar moeders lessen hadden haar genoeg bijgebracht om dat te weten. Maar iedereen vertrouwde toch meer op haar moeder die de wijze leeftijd mee had en al had laten zien wat ze waard was. Emera begreep de mensen wel. Haar tijd zou nog komen.

'Als je met me meegaat, dan kan ik je binnen een kopje thee aanbieden. Moeder zal blij zijn om je te zien.'

Emera wees haar aanbod echter af. 'Een andere keer graag, Leentje. Nu moet ik echt verder. Moeder heeft me gevraagd om hier uit te kijken naar wilgenroosjes en omdat het al bijna avond is, moet ik voortmaken.'

Leentje knikte begrijpend. 'Ginds bij dat berkenbosje staan er een heleboel. Ik heb ze gisteren nog gezien.'

'Bedankt, Leentje.' Na deze woorden stak ze haar hand op als groet en vervolgde haar weg. Emera had een mandje meegenomen om de planten in te verzamelen. Terwijl ze naar het berkenbos toeging, keek ze ook uit naar de zeldzamere wolfsklauw die – net zoals het wilgenroosje – vooral op zanderige heidegrond groeide. Emera genoot van het landschap. De paarsrode schakering van de bloemen was prachtig. De lucht gonsde van de bijen, de witgevlekte stammen van de berken en het groen van gras en struik vervolledigde het geheel. De struikheide bevatte ook heel wat geneeskracht, zodat ze een bosje bloeiende takken afbrak om ze vers te kunnen gebruiken. Ze kwam bij een bosje houterige, grillig gevormde hoge struiken en enkele berkenbomen. Het geluid van een leeuwerik deed haar naar boven kijken op zoek naar de tierelierende stip in de blauwe lucht. Zodra ze de vogel ontdekt had, keek ze weer naar beneden en zocht haar blik de omgeving af naar de witte aren van de wolfsklauw.

Even voorbij het kreupelhout, een tiental meter bij haar vandaan, zag ze hem zitten. Hij zat met zijn rug naar haar toe op een omgevallen boomstam, maar ze zag toch dadelijk wie hij was. Het was die vreemdeling. Ze wilde zich omdraaien om ongezien te verdwijnen – ze kende deze man immers amper – maar zijn houding deed haar aarzelen. Het leek wel alsof hij afwezig naar een verre horizon staarde. Zijn ineengezakte, moedeloos afhangende schouders gaven haar de indruk dat hij gebukt ging onder een of ander verdriet. Het zou niet erg netjes van haar zijn om zomaar te verdwijnen. Had hij haar ook niet willen helpen toen hij dacht dat ze in nood verkeerde?

Aarzelend ging ze verder naar hem toe. Hij sprong verschrikt op toen hij haar hoorde aankomen.

'O, het spijt me,' stamelde Emera. 'Ik wilde je niet laten schrikken.' Benjamin wendde zijn hoofd een beetje van haar af in de hoop dat ze zijn gehavende uiterlijk niet zou opmerken. Zijn aandoening was de laatste dagen hevig komen opzetten. Op de universiteit had hij er bijna geen last van en juist hier, waar hij vurig hoopte op een redelijk gave huid, kwam die rotschurft heftig opzetten. Hij was het huis uitgevlucht nadat zijn vader er weer een opmerking over had gemaakt. Hier voelde hij zich veilig met alleen de uitgestrekte heidevlakte. Hier kon hij niemand hinderen. Tenminste, als hij niet had zitten piekeren en daardoor de omgeving vergat! Hij had dit meisje niet eens zien aankomen!

'Het… het geeft niet,' mompelde Benjamin onzeker. Hij ging weer zitten om zich een houding te geven.

'Mag ik even bij je komen zitten?'

Hij aarzelde. 'Dat kan ik je niet verbieden. De heide is net zo veel van jou als van mij,' antwoordde hij ten slotte zonder zijn hoofd naar haar toe te keren.

Emera ging op de boomstam zitten. Ze zat een meter van hem af en keek naar zijn profiel. 'Ik wil je nog bedanken voor de hulp die je me bood, Benjamin van Dormael.'

Hij draaide zijn hoofd een beetje en keek haar verbaasd aan.

'Je weet nog wie ik ben?'

'Natuurlijk weet ik dat nog. Zoveel vreemdelingen kom je in dit dorp niet tegen. Je zei me toen ook dat je bij een tante logeerde. Ik ken hier in het dorp maar een vrouw die Van Dormael heet en dat is de echtgenote van dokter Wouters. Is zij je tante?'

Er ging een lichte schok door Benjamin heen. Hij had deze leugen bedacht omdat hij niet verwachtte dit meisje ooit nog te ontmoeten. Nu ze hem echter met dokter Wouters in verband bracht, was het wenselijk om zijn leugen een beetje meer aan te dikken. Hij hield zich voor dat het een leugen om bestwil was. Een leugen om de reputatie van zijn familie te redden. Het was maar om een paar maanden te overbruggen. Daarna zou hij weer naar Antwerpen vertrekken en zijn vaders en Kasimirs afschuw achter zich laten. Als zijn moeder er niet was, dan zou hij zelfs in de vakantie niet naar huis komen. Hij hoefde niet lang na te denken om een antwoord te geven en schudde ontkennend het hoofd. 'Mijn tante logeert voor een paar maanden in villa Heberlin. Zij is weduwe en kinderloos. Nadat ze een tijdje geleden ernstig ziek is geweest, heeft iemand haar dit hotel aangeraden om wat aan te sterken en te genieten van de rust en de mooie omgeving. Mijn tante heeft me gevraagd om met haar mee te gaan. Ze was bang om zich hier eenzaam te voelen, zie je.' Hij was blij dat hij een paar dagen geleden de geschiedenis van dat nieuwe hotel van de gezusters Heberlin had vernomen. Dat kwam hem nu aardig van pas.

Emera knikte begrijpend. Ze twijfelde geen moment aan de waarheid van zijn verhaal. Waarom zou ze? 'Nou, dan hebben jullie het getroffen. Er is geen mooiere plaats dan Westerlo. Spijtig dat je tante niet met je is meegekomen. Ze zou de schoonheid van dit heidegebied zeker op prijs gesteld hebben.'

Benjamin draaide zijn hoofd nog een beetje verder naar haar toe. Evenals de eerste keer viel Emera's schoonheid hem op. Hij begreep maar al te goed dat ook deze vrouw hem zou minachten als ze eenmaal de vieze schilferige vlekken in zijn gezicht zou opmerken, maar toch kon hij het niet laten om haar naam te vragen.

'Emeranthia Stevens,' zei ze een beetje verlegen. 'Maar iedereen hier noemt me Emera.'

Hij glimlachte, wat zijn gezicht plots veel mooier maakte. 'Emera.' Hij zei het bijna proevend. Toen hij haar blik op zijn gezicht gefixeerd zag, drukte hij snel zijn hand op de gehavende huid en hij klemde verbitterd zijn lippen op elkaar.

'Het spijt me,' mompelde hij tussen zijn tanden. 'Ik weet dat het niet om aan te zien is. Als je bang bent voor besmetting, kun je maar beter weggaan.' Hij kon er het best korte metten mee maken. Het had immers geen zin om alles uit te leggen, dat had hij ondertussen wel geleerd. Hij maakte zich geen illusies. Maar tot zijn verbazing was er geen afschuw op haar gezicht te lezen, eerder belangstelling.

'Mag ik... mag ik even aan je huid voelen?' hoorde hij haar tot zijn verwondering vragen.

Hij slikte. 'Zou je dat wel doen? Volgens de dokters is het een soort schurft. Ik zou niet willen dat jij ook wordt aangetast.'

'Ik denk niet dat het besmettelijk is. Maar ik kan het je pas zeggen wanneer ik eraan gevoeld heb.'

Hij bleef haar even aarzelend aankijken, maar liet ten slotte zijn afschermende hand langzaam naar beneden glijden. Enkele tellen later gleden haar vingertoppen over de geteisterde huid en waren haar ogen vlakbij. 'Het uitzicht doet inderdaad aan schurft denken, maar ik voel geen beestjes onder je huid die deze aandoening veroorzaken. Ik denk dat het een onbesmettelijke huidziekte is, zo eentje waarmee je geboren wordt.'

Hij staarde haar met open mond aan. 'Hoe weet jij dat allemaal?'

Emera lachte aanstekelijk bij het zien van zijn verwonderde gezicht. 'Nou, mijn moeder weet heel wat van planten en hun natuurlijke geneeskracht en dus ook van ziektes en huidaandoeningen. Vroeger hielp ze dokter Goossens haast elke dag zodat ze ook van hem heel wat leerde. Nu leer ik het van mijn moeder. Vandaar.'

'En dokter Wouters? Werken jullie ook met hem samen?' Benjamin was benieuwd naar het antwoord op deze vraag. Hij kende zijn vader immers.

Emera aarzelde even. 'Ik heb een grote bewondering voor hem,' zei ze ten slotte, terwijl ze terugdacht aan de riskante operatie. 'Mijn moeder is de baker van het dorp en ook al gelooft hij niet in haar kennis, toch hielp hij haar laatst nog bij een moeilijke bevalling. Daar moeten we hem toch dankbaar voor zijn, niet?'

Benjamin antwoordde niet. Hij staarde in Emera's mooie blauwe ogen en realiseerde zich dat dit de eerste maal was dat hij met een jonge vrouw sprak die dwars door zijn onvolmaaktheid heen keek. Bovendien was haar uitleg intrigerend. Hij vroeg zich af hoe goed zij op de hoogte was van ziekten en geneeskracht. 'Hoe wist je dat ik met deze – hij wees naar zijn gezicht – uitslag geboren ben?'

'Omdat hier in het dorp een jonge vrouw aan dezelfde huidziekte leed. In het begin dacht moeder dat ze schurft had, maar ze kwam er al vlug achter dat deze ziekte niets met schurft te maken had. Maartje had vlekken op haar armen en benen. Spijtig genoeg is ze een paar jaar geleden aan een zware griep gestorven.'

Benjamin keek haar gespannen aan. 'Ik vind het natuurlijk erg dat ze gestorven is, maar ik vraag me af of je moeder een middeltje had om haar huidziekte te genezen?'

'Nee. Mijn moeder kon haar een kompres geven tegen de jeuk en wat zalf om de schilferende huid wat terug te dringen, maar niets kon haar genezen.'

'Zou je… zou je moeder voor mij ook een kompres kunnen maken?'

'Om het jeuken te verzachten?'

Hij knikte. 'Als dat zou kunnen?'

'Natuurlijk wil ze dat! Heb je graag dat ik het naar villa Heberlin breng?'

Hij schudde vlug zijn hoofd. 'Nee… Ik wil je niet méér werk bezorgen dan nodig. Kan ik het bij je thuis komen afhalen? Maar dan moet je me wel vertellen waar je woont.'

Emera knikte en beschreef hem de weg waarlangs hij hun huis kon vinden. Ze vond het een goed idee dat hij naar hen toekwam. Dan kon haar moeder ook even naar zijn huid kijken. Nadat ze hadden afgesproken dat hij de volgende dag even bij hen langskwam, nam Emera afscheid. Als ze nog wat langer bleef zitten, dan was het donker en dan kon ze de wilgenroosjes wel vergeten. Benjamin keek haar in gedachten verzonken na. Hij voelde zich vreemd… haast gelukkig. Hij glimlachte om dat fijne gevoel. Het was lang geleden dat hij zich zo heerlijk had gevoeld. Maar hij was ook realistisch genoeg om te beseffen dat dit gevoel van heel korte duur kon zijn. In ieder geval had hij nu een reden om haar morgen terug te zien. Hij was benieuwd of het kompres zou helpen tegen de verschrikkelijke jeuk.

Emera had haar moeder in het kort over haar ontmoeting met Benjamin verteld en haar ervan op de hoogte gebracht dat hij de volgende dag even langskwam. Maar nu liep het al tegen de avond van de volgende dag en hij was nog altijd niet geweest. Ze begon te twijfelen aan zijn oprechtheid. Maar toen de duisternis begon te vallen stond hij plots aan hun deur. Emera was achter het huis bezig om de in de zon gedroogde planten bij elkaar te binden. Het was Mimi die de vreemde man in de deuropening opmerkte.
'Kan ik je helpen?' vroeg ze terwijl ze naar hem toe ging.
Benjamin aarzelde. 'Woont Emeranthia Stevens hier?'
Mimi knikte bedenkelijk. 'Ja, Emera is mijn jongste dochter.'
Hij boog even lichtjes het bovenlichaam in een begroeting en stelde zich voor. 'Mijn naam is Benjamin... van Dormael. Uw dochter was zo goed om me over uw kennis in te lichten. Ik kom hierheen om u raad te vragen, indien het u uitkomt tenminste?'
Op dat ogenblik kwam Emera om de hoek van het huis en zag hem staan. Ze had een bosje gedroogde bloemen in haar armen en lachte stralend toen ze Benjamin bij haar moeder zag.
'Hé, je bent dan toch gekomen! Ik had je niet meer verwacht.'
'Het spijt me dat ik zo laat nog kom. Ik was opgehouden en kon niet eerder komen.' Hij wist dat hij niet helemaal eerlijk was, maar deze mensen hoefden niet te weten dat hij vreselijk beschaamd was om zijn uiterlijk, zodat hij liever de duisternis verkoos en haast onbegaanbare paadjes nam om zo weinig mogelijk mensen tegen te komen.
'Het geeft niet, hoor. Ik ben in ieder geval blij dat je er bent.' Hij zag in haar ogen dat ze het meende en moest eerlijk bekennen dat hij al even blij was om haar nog eens te zien. Emera keerde zich nu naar haar moeder. 'Ik denk dat mijnheer Van Dormael dezelfde huidziekte heeft als Maartje Boecks die een paar jaar geleden gestorven is, weet je nog wel? Misschien kan jij ook eens even naar zijn huid kijken zodat ik er zeker van ben dat ik de juiste diagnose heb gesteld.'
Mimi knikte en wees naar de houten bank die tegen de gevel van het huis stond.
'Als je even wilt gaan zitten, mijnheer Van Dormael, dan zal ik naar je huid kijken.'

'Benjamin, alsjeblieft,' prevelde Benjamin terwijl hij ging zitten.

'Goed, dan ben ik Mimi en mijn dochter Emera, maar die ken je natuurlijk al.' Ze blikte even veelbetekenend naar haar dochter en bekeek toen de aangetaste huid van de jonge man. Haar vingertoppen gleden onderzoekend over zijn gezicht. Toen ze Benjamin ten slotte weer aankeek, schudde ze ontmoedigd het hoofd. 'Ik vrees dat Emera gelijk heeft, Benjamin. Het is een huidziekte waar weinig tegen te doen is. We hebben bij Maartje alles geprobeerd wat we konden, maar meer dan het verzachten van klachten heeft het nooit opgebracht.'

'Het zou al veel zijn als die vreselijke jeuk een beetje verholpen kon worden,' zei Benjamin hoopvol.

Mimi knikte. 'Huidproblemen hebben meestal iets te maken met een slechte werking van de lever. Daarvoor zal ik je een mengeling meegeven van gedroogd braamblad, gentiaan, driekleurig viooltje en schietwilg dat je driemaal per dag als thee moet drinken. En verder een afkooksel van stinkende gouwe en zwarte populier om als kompres te gebruiken in geval van erge jeuk en een zalf van goudsbloem om de aangetaste huid mee in te smeren.' Na deze woorden stond ze op en ze verdween in het huis om de nodige medicatie bijeen te zoeken.

Benjamin keek Emera een beetje onbeholpen aan. Hij wist zich geen houding te geven nu hij alleen met haar achterbleef.

Emera ging echter naast hem zitten en zuchtte behaaglijk. 'Wat een heerlijke avond, vind je niet?' De zon kleurde de horizon al rood en legde een gloed om de boomtoppen. In een van de oude acaciabomen zat een lijster te zingen.

Benjamin knikte. 'De avond is de mooiste periode van de dag.'

'Het sluitstuk?'

'Of het begin van een beloftevolle nacht.'

Ze keek hem aan en glimlachte. 'Nou, geef mij dan maar de dag, hoor Benjamin. In de nacht ben ik te moe om er nog iets beloftevols van te maken.'

Hij beet op zijn onderlip en was net van plan om haar te vertellen waarom hij zich in het donkere beter voelde, toen Mimi weer buitenkwam en het gesprek onderbrak.

Ze reikte hem een zakje met gedroogde planten aan, een aarden potje met zalf en een bruine fles met een afkooksel voor de kompressen.

'Misschien helpen deze producten niet dadelijk, Benjamin, maar ik

raad je aan om ze te blijven gebruiken. Soms heeft de geneeskracht van planten tijd nodig. Ik hoop dat ze ook bij jou effectief
werken en wat van je klachten kunnen wegnemen. Laat af en toe
maar eens iets van je horen, zodat ik weet hoe het met je gaat. Je
kent nu de weg naar mijn huis.'

Benjamin diepte een geldstuk uit zijn jaszak en reikte het Mimi
aan. Mimi plooide glimlachend zijn vingers om de munt. 'Laat dat
nog maar even zitten tot je weet of mijn medicatie helpt.'

Hij keek Mimi warm aan. 'Bedankt, Mimi.'

Hij wendde zich naar Emera, genoot nog even van haar schoonheid en draaide zich toen om naar het smalle paadje dat hem weer
naar het dorp zou brengen.

Mimi en Emera keken hem nog even na. Emera langer dan Mimi
en dat was deze laatste niet ontgaan.

'Aardige man,' begon ze. 'Spijtig dat hij hier niet in de buurt woont.
Ik denk wel dat hij bij je in de smaak valt.'

Emera draaide zich als door een wesp gestoken om. 'Hé, moeder.
Ik heb hem nog maar eenmaal ontmoet!' Ze telde de eerste maal
niet mee als een ontmoeting. 'Hoe kun je dan zeggen dat ik hem
mag?'

'Nou kindje, ik hoef maar aan je vader te denken om te weten dat
het kan. Je voelt vanaf het eerste ogenblik dat het goed zit. Maar
volgens je eigen woorden is hij hier maar voor een korte tijd, dus
het heeft niet veel zin om hem te leren kennen.'

Na deze woorden ging ze het huis weer in. Ze dacht wel dat haar
dochter verstandig genoeg was om te begrijpen wat ze bedoelde.
Ze had gelijk, dat voelde ze. Die twee konden het goed met elkaar
vinden. Ze wilde haar dochter enkel behoeden voor een teleurstelling.

HOOFDSTUK 8

Ella was doodziek. Hannes was ten einde raad en klampte Mimi wanhopig aan toen ze haar dagelijkse bezoek bracht.

'Kun je dan echt niets voor haar doen, Mimi! Je ziet toch dat mijn vrouw er ellendig aan toe is!'

Mimi staarde naar de rood opgezwollen huid en het etterende pus dat uit de buikholte liep. Ella had hoge koorts en ijlde. De wond zag er afschuwelijk uit. Elke dag had Mimi moeten aanzien hoe deze vrouw zieker werd, zonder dat ze ook maar iets kon doen. Ze wist dat dokter Wouters woedend zou worden als ze iets deed. Hij had haar duidelijk gezegd dat ze haar handen van zijn patiënte moest afhouden. Maar het was niet gemakkelijk om machteloos toe te zien.

'Wat zegt de dokter ervan?' vroeg Mimi bezorgd.

Hannes haalde vertwijfeld zijn schouders op. 'Hij zegt dat we moeten afwachten. Maar Ella wordt alleen maar slechter. Kun jij niets doen om haar te helpen?'

Mimi schudde haar hoofd. 'Ik vrees dat ik je niet kan helpen, Hannes,' zei ze zacht. 'Dit is een operatiewond en daar heb ik geen ervaring mee.'

Hannes liet zijn hoofd zakken. Hij had zijn vrouw elke dag achteruit zien gaan. Haar gekerm, haar lijden, haar angst en vrees maakten hem kapot vanbinnen. Hij kon het niet langer aanzien. Hij richtte al zijn hoop op Mimi.

'Een wond is een wond, Mimi! Ella lijdt helse pijnen. Zelfs het middeltje dat dokter Wouters heeft achtergelaten lijkt nog maar weinig te helpen. Alsjeblieft... Is er dan geen enkel kruid om haar lijden te verzachten?'

Mimi keek vertwijfeld naar de kreunende vrouw in het bed. Het enige wat ze kon doen was de pijn een beetje verlichten, want ze vreesde dat het etterende vergif zijn dodelijke werk al had ingezet. De stank die in de kamer hing vertelde haar genoeg.

Dokter Wouters kon er toch niets op tegen hebben dat ze Ella in dit stadium wat pijnstillende thee zou laten drinken? En dat ze wat gekneusde veldzuring op de buik zou leggen om de ontstoken wond wat af te koelen? Ze moést iets doen. Ze kon deze vrouw niet zo laten lijden!

'Ik zal doen wat ik kan, Hannes. De rest is in Gods handen.'

Hij knikte en nam dankbaar haar beide handen vast. 'Mijn dochters en ik bidden elke dag voor haar, Mimi, maar ik zal nog harder bidden en de pastoor vragen om een mis voor haar op te dragen. Misschien luistert Hij dan naar mijn smeekbede en laat Hij Ella leven.'

Mimi maakte de thee klaar en zorgde dat Ella elk uur een kopje daarvan kreeg. Ze kneusde de veldzuring en legde deze voorzichtig op de gehavende wond. Daarna liet ze dit getroffen gezin alleen en ging met zware gedachten naar huis.

Ze kreeg echter niet lang de tijd om zich zorgen te maken over Ella's toestand, want twee uur later kwam Leentjes echtgenoot haar in paniek ophalen. Zijn vrouw stond op het punt om het kind te baren. Bijna drie weken te vroeg!

Emera en Mimi waren dadelijk met hem meegegaan. Leentje lag in een smetteloos opgemaakt bed, er stond al kokend water klaar en propere lappen om het bloed en vruchtwater op te vangen. Mimi knikte goedkeurend naar Leentjes moeder, voordat ze naar de jonge vrouw toeging en haar onderzocht. Zoals ze verwachtte lag het kind nog steeds in een stuitligging. Ze moest proberen om het te keren voordat de weeën te heftig waren. De herinnering aan een bevalling, nu meer dan twee jaar geleden, wekte haar angst op. Het kind had toen ook in stuitligging gelegen en ondanks haar veelvuldige pogingen had ze het niet kunnen keren. Het werd een zware bevalling en de zuigeling was in haar armen gestorven. De angst om weer met een sterfte geconfronteerd te worden, deed haar besluiten om dokter Wouters te waarschuwen. Hij wist misschien nog een andere manier om vlug in te grijpen of, in laatste instantie, om het kind operatief te halen. Ze verdrong de gedachte aan Ella's lot en ze hoopte vurig dat het hier niet zover hoefde te komen. Ze stuurde Emera naar het dorp om hem te verwittigen. Normaal gezien zou ze Staf of Leentjes moeder naar het dorp sturen, maar gezien de geringe ontsluiting zou het nog een hele poos kunnen duren voordat de eigenlijke bevalling zich inzette. Emera was beter in staat om dokter Wouters in te lichten over Leentjes toestand zodat hij geen tijd hoefde te verliezen als hij hier aankwam. Ondertussen zou zij proberen om het kind te keren.

Hélène van Dormael deed open. Ze bekeek Emera kritisch toen deze haar vertelde waarom ze kwam en zei kortaf: 'De dokter is niet thuis, maar ik zal het hem zeggen zodra hij terugkomt.'

'Blijft hij lang weg? Ik bedoel: kan het lang duren voordat hij kan komen?'

Hélène keek haar even misprijzend aan. 'De dokter heeft nog wel andere zieken te verzorgen, meisje! Zoals ik al zei: ik zal het hem zeggen als hij terug is.'

Na deze woorden werd de deur voor Emera's neus dichtgedaan. Vertwijfeld bleef ze even staan, maar draaide zich ten slotte weer om. Ze kon alleen maar hopen dat hij niet te laat terug zou komen. Emera was nog maar net het dorp uit, toen Kasimir haar inhaalde en naast haar kwam lopen.

'Hé, Emera! Wat leuk dat ik je nog eens zie. Wat brengt je hier plots naartoe? Het lijkt al wel een eeuwigheid geleden dat ik je gezien heb! Behalve in de kerk natuurlijk. Vind je het erg dat ik een eindje met je meega? Ik moet net dezelfde kant op.'

In werkelijkheid moest hij nergens heen. Hij had haar gezien toen ze het dorp doorging.

Emera keek hem even aan terwijl ze verderging. 'Ik was hier om je vader op te halen, Kasimir, voor zijn hulp bij een zware bevalling. Maar je moeder vertelde me dat hij niet thuis was. Ik ben bang dat hij nu misschien te laat gaat komen.'

'O, maar dan is het dringend! Als je wilt dan zal ik hem wel even gaan waarschuwen, zodat hij zo vlug mogelijk naar je moeder toe kan.'

Nu bleef ze staan en ze keek hem aan. 'Zou je dat willen doen, Kasimir?'

'Voor jou wil ik alles doen, Emera. Ik weet dat ik je onrecht heb aangedaan, maar misschien kan ik mijn kansen nog keren. Jij bent de zonnestraal in mijn leven. Deze ontmoeting, hoe kort ook, maakt mijn dag goed. Ik zal jouw aanblik altijd blijven koesteren, ook al besef ik dat jouw gevoelens anders zijn dan die van mij. Maar we kunnen toch vrienden blijven en wie weet... later... misschien meer...'

Ze glimlachte vluchtig. 'Ik weet niet of we daar wel goed aan doen.' Hier aarzelde ze even, maar ze besloot om eerlijk te zijn. 'Mijn moeder en jouw vader kunnen nu niet bepaald goed met elkaar overweg, Kasimir. Ik ben bang dat ik haar vreselijk verdrietig zal maken met onze vriendschap.'

Kasimir zuchtte diep. 'Dat heb ik inderdaad al ondervonden. Ik heb papa al verschillende keren proberen te overtuigen dat jij en je moeder heus wel goede en verstandige dingen doen.'

Emera keek hem nu met open mond aan. 'Heb je dat gedaan?'

'Natuurlijk! Ik houd van papa, Emera, meer dan van wie dan ook, dat wil ik niet ontkennen, maar ik kan het niet hebben dat hij je moeder aanvalt.'

'Dat is lief van je, Kasimir!'

Hij waagde het om haar hand vast te pakken. 'Hun geruzie mag onze vriendschap niet verpesten, Emera. Ik zal alles in het werk stellen om papa tot andere gedachten te brengen en als er iets is of als ik iets hoor dat je moeder aangaat, dan wil ik het je altijd vertellen. Ik zou alles doen om je voor me terug te winnen, dat weet je toch?'

Ze trok haar hand zachtjes weg. 'Ik moet nu gaan, Kasimir. Moeder wacht op me. Ik hoop dat je vader kan komen voordat het te laat is.'

'Ik ga hem dadelijk waarschuwen, Emera. Als het moet kan ik papa wel een beetje naar mijn hand zetten.'

'Moest je niet ergens heen?'

'Dat kan wel even wachten,' loog hij. 'Het feit dat mijn vader op tijd bij jullie is, is op dit ogenblik toch belangrijker?'

Om zijn woorden kracht bij te zetten draaide hij zich weer om en verdween in de richting van het dorp.

Emera keek hem even na en ze kreeg weer dat zalige, warme gevoel vanbinnen. Hoe kwam het toch dat hij haar altijd weer liet twijfelen aan haar gevoelens? Ze zuchtte diep terwijl ze verder ging in de richting van De Zandberg.

Het was Mimi nog altijd niet gelukt om het kind te keren toen Emera terug was. Ook samen slaagden ze er niet in. De weeën kwamen heftiger opzetten en Leentjes vlies brak, zodat ze hun pogingen moesten staken. Het beloofde een loodzware bevalling te worden en Mimi was er niet erg gerust op. Net toen de uitdrijving begon, kwam dokter Wouters het lemen huisje binnen. Mimi legde hem in het kort het probleem uit en zei hem zo kordaat mogelijk dat ze het eerst langs de natuurlijke weg wilde proberen. Ditmaal zou ze zich niet zomaar laten wegsturen!

Dokter Wouters knikte enkel en liet haar begaan. Hij wilde weleens weten hoe deze vrouw zo'n bevalling aanpakte. Van een afstand keek hij toe hoe moeder en dochter de barende vrouw aanmoedigden om te persen, hoe ze haar bolle buik masseerden, hoe hun smalle, ervaren handen naar de ligging van het kind voelden en het zachtjes naar buiten stuurden. Viktor moest tot zijn ongenoegen toegeven dat ze het niet slecht deden. Te zacht, dat wel! Hij zou zijn tijd niet verdoen door de barende vrouw gerust te stellen en haar in de watten te leggen met verfrissende kompressen en aanmoedigende woorden.

Tot Mimi's opluchting ging de bevalling vlotter dan verwacht. Toen de baby ten slotte geboren werd en het krijsend naar lucht hapte, haalde ze opgelucht adem. Ditmaal was het allemaal goed afgelopen, Godzijdank!

Ze keek stralend naar dokter Wouters. 'Bedankt voor uw komst, dokter. Ik had niet verwacht dat een volledige stuitligging zo vlot zou verlopen. Ik denk dat God ons hierboven een handje geholpen heeft, want ik was er helemaal niet gerust op.'

'Nog een reden temeer om aan te nemen dat je niet geschikt bent om dit beroep uit te oefenen,' zei Viktor zacht maar beslist. 'Wat voor zin heeft het werk van een kraamvrouw als ze er altijd een dokter bij moet hebben omdat ze er niet erg gerust op is?'

Mimi's euforie verdween op slag. 'Het is al eeuwenlang zo dat vrouwen elkaar helpen, dokter Wouters. Zij begrijpen elkaar nu eenmaal beter.'

'Nonsens! Dit heeft niets te maken met elkaar begrijpen en dat weet je best! Met gevoelens kun je niemand genezen! Dit heeft te maken met kennis! Ik had dit kind net zo goed op de wereld kunnen zetten. En zonder hulp van iemand anders, omdat ik de kennis bezit om te helpen indien er complicaties optreden. Denk daar maar eens over na voordat je overmoedig wordt!'

Na deze woorden draaide hij zich om en verliet het vertrek.

Emera stond aan het hoofdeinde van het bed waarin Leentje met een gelukzalige blik naar haar pasgeboren dochter keek. Ze had het gesprek tussen haar moeder en dokter Wouters niet kunnen volgen omdat ze beiden bij de deur stonden en ze zacht gepraat hadden, maar ze zag aan haar moeders gezicht dat het gesprek niet van harte was geweest. Ze zuchtte inwendig en wendde bezorgd haar blik weer op de stralende jonge moeder.

Mimi's wankelende geloof in haar kunnen werd een paar dagen later nog meer op de proef gesteld door het bezoek van pastoor Adriaans. Het liep tegen de avond toen zijn corpulente gestalte de deuropening vulde.

'Goed volk!' riep hij de lege huiskamer in. Mimi was in de kleine bijkeuken een zalf aan het maken en keek verrast op bij het horen van zijn zware mannenstem. Ze veegde haar handen af aan haar schort en keek de woonkamer in.

'Zo, mijnheer pastoor! Dat is zeker goed volk! Kom verder en ga zitten!' Ze gebaarde naar de gemakkelijke leunstoelen bij de kachel. 'Ik heb net elixir klaar. We zullen er een glaasje van proeven. Het is goed voor ons hart en bovendien aansterkend.'

Pastoor Adriaans knikte en liet zich zuchtend in een van de armstoelen neerzakken. Het was een heel eind lopen en zijn lichaam was nu niet bepaald getraind om lange afstanden te overbruggen. Hij was dus blij om hier te zijn en ja: hij had wel zin in wat pittigs. Natuurlijk zou iets sterkers hem wel meer deugd hebben gedaan, maar gezien de omstandigheden leek zelfgemaakte elixir hem ook wel goed. Het duurde maar even voordat Mimi weer verscheen met een fles en twee kleine glaasjes. Ze schonk in, reikte de pastoor zijn glaasje aan en zette zich neer in de andere stoel. 'Wat brengt u hierheen, mijnheer pastoor?' vroeg Mimi op de man af. Ze wist goed genoeg dat hij niet zomaar de lange afstand naar haar huis had gemaakt en ze zou zich verwonderd hebben dat hij hier naartoe kwam voor een zalfje of voor goede raad. Dat zou dan de eerste maal zijn.

Pastoor Adriaans nipte van het elixir en smakte. Het was niet slecht. Misschien een beetje te zoet, maar toch sterk genoeg met een zachte, kruidige nasmaak. 'Dit is best lekker, Mimi. En als dat bovendien nog goed is voor mijn gezondheid, dan is dat mooi meegenomen.' Hij schraapte even zijn keel voordat hij verderging. 'Het gaat helemaal niet goed met Ella. Ik heb haar vandaag bediend van de laatste sacramenten.'

Mimi schudde somber haar hoofd. 'Ik vreesde al langer dat het niet meer goed ging komen, mijnheer pastoor. Haar leven is in Gods handen.' Ze wist dat het nu nog slechts een kwestie van dagen, zelfs van uren was. Ze had Ella gisteren nog gezien en ze kon niet anders dan hopen dat God vlug een einde aan haar lijden zou maken.

'Volgens dokter Wouters heb jij haar leven zelf in handen willen nemen?'

Mimi keek hem verwonderd aan. 'Ik?'

Hij knikte. 'Heb jij geen kruiden op haar buik gelegd?'

'Ja, dat heb ik. Maar deze kruiden waren bedoeld om haar leed een beetje te verzachten, niet om te genezen.'

Pastoor Adriaans nipte nog eens van het elixir en tuitte zijn lippen even voordat hij haar weer aankeek. 'Dokter Wouters vertelde me dat deze kruiden de wond nog meer hebben doen ontsteken en dat hij daardoor Ella niet meer kan redden.'

'Wat?' Mimi keek hem als door een wesp gestoken aan. 'De wond was al zwaar ontstoken toen Hannes en Ella me toelieten om ernaar te kijken, mijnheer pastoor! De veldzuring was alleen maar bedoeld om de ontstoken huid wat af te koelen, zodat de pijn wat minderde. Hoe kan hij me in Godsnaam beschuldigen?'

'Hij had je gevraagd om je handen van haar af te houden, Mimi.'

'Dat heb ik ook gedaan, mijnheer pastoor. Ik heb geen ervaring met inwendige wonden.'

'Je hebt net toegegeven dat je haar wel behandeld hebt.'

'Niet om de wond te behandelen, mijnheer pastoor. Het was enkel bedoeld om de pijn te verzachten.'

'Dat zal God wel doen, Mimi. Als Hij nodig vindt dat ze uit haar lijden verlost moet worden, zal Hij daar wel voor zorgen. In ieder geval was dokter Wouters niet te spreken over je daden en hij heeft bij mij zijn beklag gedaan. Ik hoop dat je nu je lesje geleerd hebt en dat jij je niet langer bezighoudt met dingen die je niet begrijpt. Laat de geneeskunst maar over aan hen die daarvoor zijn opgeleid. Jouw taak is het om als baker de vrouwen bij te staan, dat is al meer dan voldoende. Ik weet dat de mensen hier in het dorp je graag mogen en dat ze op je vertrouwen, maar drijf het niet te ver. Niemand kan Gods taak overnemen zonder zijn wraak te ondervinden.'

Na deze woorden dronk hij zijn glaasje leeg en hij hees zich uit de stoel.

'Nu moet ik maar eens terug. Mijn plicht roept. Een goede avond nog, Mimi, en bedankt voor het elixir.' Met deze woorden verdween hij.

Mimi bleef verdwaasd achter. Het was absurd dat dokter Wouters haar beschuldigde van iets wat ze helemaal niet had gedaan. Was het beter geweest om Hannes' smeekbede te negeren? Ze schudde peinzend het hoofd. Nee, ze kon niet anders dan mensen helpen. Dat zat in haar. Daarvoor had God haar geschapen, dat wist ze zeker. Maar blijkbaar had God nu andere plannen met haar, want anders was de pastoor haar beslist niet op de vingers komen tikken.

Ze stond op en zette haar onaangeroerde glas naast het lege op de tafel. Daarna ging ze terug naar de bijkeuken. Haar gedachten zwaar en zorgelijk.

Emera was van dit alles niet op de hoogte. Op het moment dat de pastoor hun huis met een bezoek vereerde, wandelde zij langs de Grote Nete en luisterde naar het geluid van een koekoek in de verte. Ze had haar mandje ditmaal vol met weidekringzwammen en de smakelijke russulapaddestoelen die ze in het loofbos en de weiden gevonden had. Gebakken waren ze heel lekker en gedroogd konden ze als toekruid gebruikt worden in de soep. Nu ze toch in de buurt van de Grote Nete was, wilde ze nog vlug op zoek gaan naar wilde marjolein. Laatst had ze hier een hele plek zien staan, maar de planten stonden toen nog niet in bloei. Ze verwachtte de roze bloemen nu wel en wilde er enkele plukken.

Het was op haar weg naar de plaats waar ze de marjolein gezien had, dat ze hem tegenkwam. Hij wandelde net zoals zij over de dijk van de rivier en kwam haar tegemoet. Benjamin wachtte normaal gezien altijd de duisternis af voordat hij het huis verliet en ging dan naar weinig begaanbare plaatsen, zodat hij haast nooit iemand tegenkwam. Hij wist maar al te goed wat een confrontatie met zijn gehavende uiterlijk bij de meeste mensen teweeg kon brengen. Dus zocht hij de donkerte op en hij schuwde de dorpelingen om zijn ouders niet te compromitteren. Maar vandaag voelde hij zich benauwd op zijn kamer. Hij kreeg het gevoel alsof hij in een gevangenis zat. Als zijn huidaandoening – zoals nu – heel erg was, dan schuwde hij ook de bedienden in het huis en at alleen op zijn kamer. Maar vandaag kon hij niet langer wachten. Hij moest weg voordat hij van ellende tegen de muren opliep. Hij had zijn hoed diep over zijn hoofd getrokken en de kraag van zijn jas opgezet en was zijn kamer uitgevlucht. Hij was een paar dorpelingen tegengekomen die hij gehaast voorbij ging, terwijl hij groetend tegen de rand van zijn hoed tikte. Hij voelde dat ze hem nakeken, maar keek niet om. Zodra hij op het overwoekerde paadje aan de Nete kwam, werd hij rustiger. Hij wist dat hij hier weinig kans maakte om iemand tegen te komen. Het zou nu niet zo lang meer duren voordat het donker begon te worden, zodat hij behoorlijk van wat frisse lucht kon genieten. En net op deze, haast onbegaanbare plaats kwam hij haar tegen. Hij glimlachte en deed ditmaal geen moeite om zijn gezicht te verbergen.

'Dag Emera,' sprak hij als eerste. 'Het lijkt wel alsof wij altijd dezelfde wegen uitkiezen of is het Gods wil dat we elkaar voortdurend tegenkomen?'

Emera lachte. 'God kan het ons niet kwalijk nemen, Benjamin. Hij

had de wereld op deze plaats maar niet zo mooi moeten schapen.'
'Gelijk heb je. Mag ik een eindje met je meelopen? Of heb je liever...' Hier aarzelde hij even voordat hij verderging. 'Nou ja, misschien word je liever niet gezien met iemand met een huidziekte.'
'Gekkerd! Wie is er wel perfect? Iedereen heeft wel iets waarover hij klaagt.'
Behalve jij, wilde hij zeggen, jij bent als een volmaakte parel, maar hij zweeg en zei in plaats daarvan: 'De meeste mensen denken daar toch heel anders over. Ik ben blij dat jij niet zo bent. Maar wat brengt je zo laat op de dag nog hierheen?'
Emera stak haar mandje naar voren zodat hij duidelijk kon zien wat erin zat. 'Paddestoelen.'
'Eetbaar of geneeskrachtig?'
Emera grinnikte. 'Eetbaar. Russulineae Vesca en Marasmius Oreades. Ik maak ze morgen klaar. Als je wilt, mag je gerust eens komen proeven.'
Hij keek verbluft op. Zonder het te beseffen had Emera de Latijnse benamingen gebruikt. Ze had er een gewoonte van gemaakt om alle planten zowel met de Latijnse als met de gewone volksnaam te benoemen, zodat ze de namen niet zou vergeten. 'Ken jij Latijn?' vroeg hij dan ook verwonderd.
Emera schrok even van deze vraag. Ze had er niet eens bij stilgestaan dat ze deze taal had gebruikt. Maar toen ze zijn nieuwsgierige en afwachtende blik ontmoette, glimlachte ze onzeker. 'Mijnheer Van Haezendonck heeft me onderricht,' begon ze zacht. Ze vertelde hem in het kort over haar lessen bij de botanicus en ze besloot: 'Ik heb enkele boeken van hem gekregen en oefen de Latijnse woorden door ze telkens uit te spreken. Ik was me er niet eens van bewust dat ik ze nu ook had gebruikt.'
Ze kwamen bij de Kaaibeekbrug en bleven even staan om over de leuning heen naar het kabbelende water te staren. Zonder hem aan te kijken vroeg Emera: 'Hoe is het met je ziekte? Hebben mijn moeders extracten al een beetje geholpen?'
Hij gleed even met zijn vingertoppen over de schilfers. 'De jeuk is iets minder, al lijkt het wel alsof de aandoening alleen maar erger wordt. Maar volgens je moeder moet ik geduld hebben. Hoe weet je moeder trouwens dat huidproblemen meestal iets te maken hebben met de slechte werking van de lever?' vroeg hij langs zijn neus weg.

Emera keek recht in zijn zachte bruine ogen. 'Nu zeg, jij bent ook nieuwsgierig!'

Hij sloeg zijn blik neer. 'O, het spijt me. Het was heus niet mijn bedoeling om je uit te horen.' Emera glimlachte. 'Ik plaagde je maar een beetje, Benjamin. Het is geen geheim. Mijn moeder kan op een levenslange ervaring bogen en bovendien heeft zij jarenlang met dokter Goossens samengewerkt. Hij heeft ons geleerd hoe een mens er vanbinnen uitziet en hoe veel ziekten in verbinding staan met elkaar. Wij zijn hem er nog elke dag dankbaar voor.'

'Ons? Bedoel je dat jij ook zoveel weet van planten en ziekten, net als je moeder?'

'O nee, zeker niet! Nog lang niet zoveel. Maar ik leer nog elke dag bij en eens zal er een dag komen dat ik haar werk kan overnemen. Spijtig genoeg ben ik maar een vrouw. Als man zou ik voor dokter kunnen studeren en op die manier de mensen nog beter kunnen helpen.'

'Zou je dat willen? Zou je een dokter willen zijn?'

'O ja! Als ik eraan denk wat ik dan allemaal zou kunnen doen...'

Ze keek even mijmerend voor zich uit, maar bedacht dan plots dat ze tegen een vreemde man haar hartenwens uitte. Ze boog beschaamd haar hoofd en zweeg. Ze begreep niet hoe het kwam dat ze zich zo gemakkelijk voelde bij hem, helemaal niet geremd.

Hij keek even naar haar gave huid, naar haar opgestoken haar en de losgekomen krulletjes.

'Ik studeer voor dokter,' zei hij plots.

Haar opvallend blauwe ogen keken hem met een schok aan. 'Heus? Studeer jij echt voor dokter?'

Hij knikte. 'Aan de universiteit van Antwerpen. Ik heb net mijn voorlaatste jaar erop zitten. Als je wilt, kan ik je wel een aantal boeken bezorgen die je wat meer informatie geven over de menselijke anatomie.'

'Zou je... zou je dat voor mij willen doen?' Emera's hart sloeg een tel over. Maar direct daarna realiseerde ze zich dat hij zich door haar moeder had laten behandelen, terwijl hij toch zelf een diagnose kon stellen. Ze keek hem ditmaal wantrouwend aan. 'Waarom ben je dan naar moeder toe gegaan, Benjamin? Waarom heeft niemand op die grote universiteit je geholpen met je huidaandoening?'

Hij schudde ontkennend zijn hoofd. 'Niemand kan me helpen, Emera. Ik heb overal tevergeefs aangeklopt. Waarom zou ik je moeder dan geen kans geven? De geneeskracht van planten hebben door de eeuwen heen hun diensten bewezen. Ik geef toe dat de wetenschap heden ten dage niet stilstaat en dat we – eens – grote doorbraken zullen bereiken, maar dat wil niet zeggen dat we de natuurlijke geneeswijzen volledig moeten negeren. Je zei me net dat jullie vroeger altijd met dokter Goossens hebben samengewerkt. Ik denk dat ik het best met hem had kunnen vinden. Hij voelde blijkbaar perfect aan dat nieuwe en oude methoden goed kunnen samengaan.'

Emera zag dat hij elk woord meende. 'O Benjamin, dat zou heerlijk zijn, maar als de meeste dokters zijn zoals dokter Wouters, dan vrees ik dat ze ons alleen maar zullen minachten.'

Benjamin zuchtte diep. Hij wist maar al te goed hoe zijn vader over dit alles dacht. 'Ik kan je alleen maar zeggen hoe ik erover denk, Emera. Als ik kon, zou ik de toekomst naar mijn hand zetten. Helaas heb ik die macht niet.'

Hij staarde even stilzwijgend in haar grote, blauwe ogen. Het blauw van korenbloemen, dacht hij en zij staarde net zo warm terug in een blik waarin ze zich veilig en geborgen voelde. Maar deze betovering duurde maar enkele seconden. Emera sloeg haar blik weg en keek onwennig naar haar mandje. 'Ik… ik moet naar huis, Benjamin. Het begint al donker te worden.'

Benjamin knikte. 'Ik zal de beloofde boeken wel naar je toe brengen.'

'O ja, graag! Maar nu moet ik echt weg.'

Na deze woorden draaide ze zich om en sloeg de richting in naar huis. Benjamin keek haar nog lang na. Hij voelde zich zo goed in haar nabijheid. Zelfs zo goed dat hij vergat dat hij een huidziekte had. Maar hij moest realistisch blijven. Het had geen zin om zijn gevoelens de vrije loop te laten en nadien weer teleurgesteld te worden.

HOOFDSTUK 9

Lisa had gewacht tot haar moeder en Trude in de bijkeuken verdwenen waren, toen ze Emera zacht aansprak. 'Ben je nu al iets te weten gekomen, Emera? Ik vind dat moeder er de laatste tijd echt niet goed uitziet.'

Emera aarzelde met haar antwoord. Dit was weer eens een zondag waarop ze met zijn allen na de hoogmis bij elkaar gekomen waren om het middagmaal bij Mimi thuis te eten. Ze wilde de gezellige sfeer niet bederven en bovendien had haar moeder gevraagd om haar zussen niet bezorgd te maken. Maar ze kon Lisa en Trude niet langer in het ongewisse laten. Ze wist maar al te goed dat ze zich steeds méér zorgen zouden maken.

'Ik denk dat moeder zich vooral ongerust maakt om dokter Wouters, Lisa,' zei ze ten slotte somber. 'Hij verwerpt onze werkwijze en wil enkel met ons samenwerken wanneer het strikt noodzakelijk is. Zij heeft het daar moeilijk mee, dat kun je wel begrijpen. Ik hoop dat hij bijdraait als hij beseft wat moeder allemaal voor goeds doet.'

'Daar heb ik mijn twijfels over, zus! Moeder heeft gelijk dat ze zich zorgen maakt over hem. Ik heb al horen zeggen dat hij geen gemakkelijke man is en o wee, als je hem tegen de schenen trapt.'

'Maar hij moet toch inzien dat moeder hier in het dorp zo goed als onmisbaar is?'

'Ach Emera, mensen kijken soms niet verder dan hun neus lang is, dat weet je toch? Bovendien ziet hij moeder misschien als concurrentie, als broodroof.'

'Denk je?' Emera keek haar vragend aan. Zo had ze het nog niet bekeken.

De twee vrouwen zwegen toen hun moeder en Trude de kamer weer binnenkwamen met dampende schalen vol met de gebakken paddestoelen die Emera gisteren had geplukt, kruidenpuree en de hardgekookte eieren die Lisa vandaag had meegebracht.

Emera genoot van deze dag, ook al tikte de regen buiten zachtjes tegen het raam. De malse zomerbui maakte de sfeer binnen nog gezelliger, vond ze. Op zonnige dagen gingen de mannen dikwijls buiten zitten en maakten de vrouwen weleens een wandeling. Maar nu zaten ze gezellig keuvelend bij elkaar. Zelfs Seppe leek zich goed te voelen en lag braaf en nieuwsgierig om zich heen te kijken in de geïmproviseerde kinderwagen.

Toen de ergste honger gestild was, begonnen de tongen los te komen. Het grootste nieuws was natuurlijk Ella's dood. Twee dagen geleden had haar uitgeteerde, koortsige lichaam het opgegeven. Het werd door de mensen in het dorp niet echt als een schok ervaren. Ze wisten immers hoe erg ze eraan toe was en dat de dood alleen maar een verlossing kon betekenen. Maar het stemde iedereen droevig. Mimi trok het zich erg aan, ook al liet ze dat niet merken. Ze had het gevoel gefaald te hebben, omdat ze niet alles had gedaan wat ze kon om Ella's toestand te verbeteren. Het voelde alsof ze Ella in de steek had gelaten. Het feit dat dokter Wouters haar handen gebonden had, figuurlijk dan, maakte haar ellendig, opstandig en ziek. Maar het was niet alleen Ella's dood en de dokter die haar zorgen baarden. Ook de woorden die pastoor Adriaans vandaag in de hoogmis had laten galmen, maakten haar bezorgd. 'Er zijn mensen die Gods barmhartigheid in twijfel trekken,' had hij gezegd. 'Mensen die denken dat ze Gods werk kunnen overnemen en daardoor het lijden kunnen verzachten. Maar niemand van ons, gewone stervelingen, is in staat om iemand uit zijn lijden te verlossen zonder een zonde te begaan. Niemand!'

Mimi wist dat de preek voor haar bedoeld was en ze had vanuit haar ooghoeken om zich heen gekeken. Enkelen keken haar richting uit, maar dat kon ook toeval zijn. Ze was er in ieder geval niet gerust op. Ze was zo met haar gedachten bezig, dat ze het gesprek aan de tafel niet volgde.

'Moeder?' Ze keek verrast op en zag dat Trude haar vragend aankeek. 'Je bent met je gedachten ver weg, zou ik zeggen. Heeft het misschien iets met dokter Wouters te maken?'

Mimi blikte even berispend in Emera's richting, maar die was al net zo verrast als Mimi zelf. Ze wist zeker dat Lisa nog niets tegen Trude gezegd kon hebben. 'Waarom zou het iets met de dokter te maken hebben?' vroeg Mimi zacht.

'Nou, na de hoogmis stond Nieke bij Maria van Seppe Claes. Ik hoorde haar zeggen dat dokter Wouters gezegd had dat jij Ella's dood op je geweten hebt. Toen ze zagen dat ik in hun buurt stond zwegen ze abrupt, maar ik had alles duidelijk gehoord en ik heb hen resoluut op hun plaats gezet. Ik kan moeilijk geloven dat dokter Wouters zoiets zou zeggen.'

Na deze tirade keek ze haar moeder afwachtend aan. Mimi boog verslagen het hoofd. Als het al zover ging dat dokter Wouters onwaarheden over haar rondstrooide, dan kon ze haar kinderen niet langer in het ongewisse laten. Ze had ergens nog een beetje hoop gekoesterd dat hun samenwerking wel zou loslopen als ze elkaar eenmaal beter kenden, maar nu moest ze ook dat laatste restje hoop laten varen.

'Ik ben bang dat dokter Wouters me niet graag mag, Trude, en ook de manier waarop ik mensen help niet.'

'Waarom niet?'

Mimi haalde haar schouders op. 'Dat weet God alleen, kindje. Ik heb met hem proberen te praten, maar dat lijkt het alleen maar erger te maken.'

Lisa verschoof driftig haar stoel. 'Volgens mij is hij gewoon jaloers, moeder!'

'Jaloers? Waarop zou hij jaloers moeten zijn?'

'Nou, op alle mensen die van heinde en verre naar je toe komen voor je zalfjes en je geneeskrachtige planten. Mensen die naar jou komen, gaan niet naar hem toe.'

'Dat zou maar al te gek zijn, Lisa. Mijn kennis beperkt zich tot aan de oppervlakte. Als ik vermoed dat de ziekte dieper zit, dan ben ik de eerste om deze mensen naar hem toe te sturen.'

Peet knikte ernstig. 'Als hij alles op eigen houtje moest doen, dan had hij geen minuut rust meer. Hij moet dus dankbaar zijn dat jij hem een deel uit handen neemt.'

Iedereen aan de tafel beaamde dat. 'Bovendien kan hij nooit de taak van baker overnemen, moeder,' zei Trude. 'Dat moet hij toch wel inzien?'

Mimi lachte vluchtig. 'Zelfs het feit dat ik baker ben, keurt hij af.'

Lisa keek haar met grote ogen aan. 'Wat? Hoe kan hij? Jij bent de beste baker in de wijde omtrek.'

'Ergens heeft hij gelijk, Lisa. Ik heb al ontelbare bevallingen gedaan, maar als er problemen zijn en er moet operatief ingegrepen worden, dan sta ik machteloos.'

'Nou, dat zegt nog niets! Ik moet geen man aan mijn lijf, hoor. Wat weet hij nu af van een zwangerschap en een bevalling? Niets toch? Weet hij wat wij moeten doorstaan? Weet hij hoe het voelt om een kind te baren?'

'Wil hij je dan helemaal niet helpen?' kwam Trude ertussen.

'In geval van nood zal hij zijn hulp niet weigeren, Trude, maar hij laat duidelijk merken dat hij mijn werkwijze niet erg waardeert. Ach, misschien maken we ons druk om een bagatel. Het zal uiteindelijk wel niet zo'n vaart lopen.'

'O nee, moeder? En het feit dan dat hij je beschuldigt van Ella's dood?'

Theo steunde zijn vrouw. 'Bovendien zet hij mensen tegen je op, Mimi. Moeder prijst hem de hemel in en zegt dat jij haar al die jaren hebt laten afzien door giftige brouwsels te laten drinken. Dokter Wouters heeft haar gezegd dat die haar zo ziek hebben gemaakt.'

Trude knikte. 'Maar de medicatie die hij haar geeft is alsmaar vlugger op en ze jaagt iedereen op stang wanneer ze een dag zonder is.'

'Nou, als je het mij vraagt, mogen we geen voorbarige conclusies trekken,' probeerde Peet de gemoederen wat tot bedaren te brengen. 'Misschien moet Mimi nog maar eens met hem gaan praten. Het zou me verbazen dat hij haar beschuldigt van Ella's dood. Iedereen in het dorp weet dat Mimi hier onmisbaar is en dat ze alles zou doen om mensen te helpen. Hij is verstandig genoeg om dat in te zien.'

'Kijk, moeke, ik heb alles op!' Lode keek stralend naar zijn moeder, zijn wijsvinger op zijn bord gericht. Lisa ging even liefkozend met haar hand door zijn blonde krullen. 'Jij wordt nog een echte sterke kerel!' zei ze waarderend. De jongen knikte trots en gleed van zijn stoel om verder te spelen met zijn blokken. Lisa was al weer bij het gesprek. 'Peet heeft gelijk, moeder. Jij hebt ons altijd geleerd dat een goed gesprek wonderen kan doen. Ik weet zeker dat hij wel zal bijdraaien als hij je goedbedoelde motieven hoort. In ieder geval staan wij volledig achter je en als iemand het waagt om één kwaad woord over je te zeggen, dan zullen we hem van repliek dienen.'

Mimi wist maar al te goed dat dokter Wouters niet openstond voor een goed gesprek, maar ze was haar kinderen dankbaar voor hun steun, zodat ze zweeg. Maar haar angsten en zorgen verdwenen daar niet door. Het gevoel dat er iets ergs stond te gebeuren werd van dag tot dag sterker. Ze kon er geen vinger op leggen, ze kon het niet uitleggen, maar het was er. Een onmiskenbaar naar voorgevoel.

Toen de twee gezinnen tussen de regenbuien door vertrokken waren, maakten Emera en Mimi zich klaar om de getroffen Hannes en dochtertjes, Roosje met haar doorligwond en Leentjes prille gezin te bezoeken en te behandelen. Mimi stopte net aller-

hande zalfjes en gedroogde kruiden in haar tas, toen de buitendeur openging en Maaike binnenkwam. Ze had een schouderdoek
om haar hoofd geslagen tegen de regen en nam hem nu af om hem
met een demonstratief gebaar uit te schudden. 'Bah, ik had nog zo
gehoopt om droog hier aan te komen.' Ze keek gemaakt boos.
Mimi zag dat het al zo goed als opgehouden was met regenen. De
lucht klaarde op. 'Nou, gelukkig ben je niet van suiker. Anders was
je al gesmolten!' grapte ze.
Maaike schaterde. 'Dat zou ideaal zijn, Mimi. Dan kon ik aan mijn
eigen vingers likken!'
Ze zag dat Mimi haar tas dichtdeed en haar schouderdoek van de
haak nam. 'O, ik kom toch niet ongelegen?'
'Wij moeten nog enkele bezoeken afleggen, Maaike,' antwoordde
Emera in haar moeders plaats. Maar Mimi keek haar dochter glimlachend aan. 'Ik zal het vandaag wel alleen redden, Emera. We
kunnen Maaike toch niet weer door de regen naar huis sturen zonder dat ze eerst bekomen is? Maak jij maar een lekkere kop thee
en geniet ervan.'
Emera keek haar moeder dankbaar aan. Het was ook al zo lang
geleden dat ze met Maaike gepraat had. Maaikes werk, haar hulp
in het huishouden en haar verkering met Jan slorpten al haar tijd
op, zodat Emera haar vriendin nog maar amper zag.
Zodra Mimi verdwenen was, kon Maaike zich niet langer inhouden. 'Ik kom je zeggen dat Jan me ten huwelijk heeft gevraagd!'
flapte ze er stralend uit.
Emera keek haar met grote ogen aan. 'Echt? O, wat heerlijk! Ik
ben zo blij voor je, Maaike. Wanneer is de grote dag?'
Maaike haalde licht haar schouders op. 'Dat weten we nog niet
goed. Ergens in het voorjaar. Maar als het zover is dan zal jij het
als eerste weten!'
Emera glimlachte breed. 'Dat is pas groot nieuws!' Ze stopte een
mengeling van gedroogde bloemen en bladeren in een grote theepot en goot er kokend water over. 'Hoe reageerden ze thuis op dit
heuglijke nieuws?'
Maaike wuifde deze woorden met haar hand weg. 'Moeder weet
het nog niet, dus mondje dicht. Ik weet zo al dat ze het niet erg
prettig zal vinden. Als ik trouw, dan is ze haar meid voor al het
werk kwijt. Ach, ik weet ook wel dat moeder het goed bedoelt,
maar ik begin liever een eigen huishouden. Mijn zus Lora moet
mijn taak maar overnemen. Bovendien zal ze vinden dat ik te over-

haast te werk ga. Jan en ik zijn nog maar amper vier maanden samen en dat zal ze beslist te kort vinden. Maar we kennen elkaar al van toen we nog kleine kinderen waren! O Emera, ik weet zeker dat hij de ware is voor mij, waarom zouden we dan nog veel langer wachten? Ach, ik zal wel zien wanneer ik het haar vertel. Eens moet het toch gebeuren.'

Emera grinnikte. 'Ja, daar kun je niet onderuit, meid. Maar ik denk dat het heus wel mee zal vallen. Je moeder weet ook wel wat het is om verliefd te zijn. Zij heeft je vader toch ook gevonden?'

'Denk je?' antwoordde Maaike sarcastisch. 'Soms denk ik dat er tussen hen nooit liefde aan te pas is gekomen. Ik wil dat het met Jan anders is, Emera. Beter en gelukkiger. Ik wil voelen dat ik leef en bemind word. En ik wil geen bende kinderen die alle krachten uit me wegzuigen en me oud en verschrompeld maken voordat ik het ben.' Ze staakte even haar woordenstroom en keek Emera perplex aan. 'O jeetje! Misschien kan ik maar beter niet trouwen, want Jan wil een heleboel kinderen!'

De twee jonge vrouwen schaterden het uit. Het duurde even voordat ze bekomen waren en Emera de grote koppen vol kon schenken met een sterk geurende thee.

'Nou ja,' hikte Maaike nog na. 'Ik wil het in ieder geval anders!'

'Weet je al waar je gaat wonen?' vroeg Emera terwijl ze een theekop aan Maaike gaf.

'Ja, misschien wel! Jan heeft al een huisje op het oog. Mieke van Jan Verhulst woont er nog, maar ze is al stokoud en hij heeft gehoord dat ze bij een van haar dochters zal intrekken. Het is er wel klein en de buurt is niet zo fraai, maar ik weet zeker dat we er samen iets gezelligs van kunnen maken.'

'Nou, dat geloof ik maar al te graag.' Emera voelde Maaikes geluk van haar afstralen. Ze vond het heerlijk om haar vriendin zo gelukkig te zien.

'En jij?' hoorde ze Maaike vragen. 'Hoe zit het met jouw liefdesleven? Ik heb van Nella Verboven gehoord dat je samen gezien bent met die knappe kerel. Je weet wel, die zoon van dokter Wouters?'

Emera wist dat Nella in het ouderlingengesticht werkte. Waarschijnlijk had het meisje hen daar samen gezien. Ze haalde licht haar schouders op. 'Ik mag hem ergens wel, Maaike, en ik weet ook dat hij mij graag ziet, maar ik houd de boot af.'

'Nu nog mooier! Zo'n goede partij kom je geen tweede maal tegen, hoor! Als ik jou was zou ik geen seconde aarzelen!'

'Waarschijnlijk is er toch iets aan hem dat me niet aanstaat, Maaike.'

'Hij is knap en hij is rijk! Wat wil je nog meer?'

'Liefde! Onvoorwaardelijke liefde! En vertrouwen. Vertrouwen is ook heel belangrijk.'

'Ach, dat komt wel. Je moet elkaar alleen wat beter leren kennen. Zo was het bij Jan en mij ook.'

'Maar het kan ook omgekeerd zijn, Maaike. Soms verdwijnt de liefde als je iemand beter leert kennen.'

Maaike zette grote ogen op. 'Hij is dus niet zo mooi vanbinnen als vanbuiten? Wat heeft hij gedaan, Emera? Vertel op! Ik brand van nieuwsgierigheid!'

'O, hij is heel hoffelijk en charmant en ik had het gevoel dat hij me respecteerde, maar schijn bedriegt. Hij kon zijn handen niet van me afhouden, als je begrijpt wat ik bedoel.'

Maaike had vol spanning het antwoord afgewacht, maar nu haalde ze teleurgesteld haar schouders op. 'Nou, dat is niets nieuws! Ik denk dat geen enkele man dat kan. Daar hoef jij je helemaal geen zorgen om te maken, Emera. Geef ze een kus en ze denken dat ze je hele lichaam kunnen bezitten. Ik heb Jan ook al zo dikwijls op zijn plaats moeten zetten, maar hij moet niet denken dat hij zijn gang mag gaan! O nee! Hij zal geduld moeten hebben tot we getrouwd zijn, want ik zou niet graag een doodzonde op mijn geweten hebben!'

Emera zweeg even. Ze kon het niet over haar lippen krijgen om Maaike te vertellen dat hij haar bijna had verkracht. Bovendien was ze zelf niet helemaal onschuldig. Was ze niet naar hem toegegaan? In het midden van de nacht?

'Ik weet het niet, Maaike,' zei ze ten slotte. 'Waarschijnlijk zijn er nog wel andere dingen aan hem die me niet aanstaan. Misschien ben ik nog niet aan een man toe, zoals jij. Ik wil waarschijnlijk nog even van mijn vrijheid genieten.' Deze woorden deden een beeld in haar opkomen. Ze zag Benjamins gezicht. Heel duidelijk. Zijn ogen, zijn neus en mond, zijn kaaklijn, zijn haar en zelfs de plekken schilferige huid… Ze schudde in gedachten haar hoofd zodat het beeld verdween. Hij was immers onbereikbaar voor haar. Binnen enkele weken zou hij voorgoed uit haar leven verdwenen zijn.

'Nou, als ik je zo zie dromen, heb ik daar mijn twijfels over,' glunderde Maaike.

'Ach,' wimpelde Emera haar plagerij weg. 'Ik zal de ware nog weleens tegen het lijf lopen, zeker weten!'
'O ja? Dan zou ik toch maar eens beginnen met zoeken. Je bent nu
niet bepaald een van de jongsten!'
'Ik ben nog maar net achttien, Maaike!'
'En? De meeste meiden zijn voor hun twintigste getrouwd. Als je
niet voortmaakt dan word je nog een oude vrijster!'
'Alsjeblieft Maaike, nu stel je het toch wel wat te gortig voor. Denk
je nu heus dat ik niemand ga vinden?'
Maaike schaterde het uit. 'Natuurlijk meen ik het niet, Emera. Jij
trekt de mannen aan als een pot stroop de bijen. Bovendien moet
ik je eerlijk zeggen dat ik blij ben om te horen dat het niets ernstig
is tussen jullie…' Ze wachtte even voordat ze verderging en boog
haar hoofd wat dichter naar Emera toe. Ze fluisterde alsof er nog
iemand anders in de kamer was… 'Ik heb horen zeggen dat dokter
Wouters niet erg in z'n nopjes is met je moeder en dan zou het niet
gepast zijn om iets te beginnen met zijn zoon.'
Emera keek haar geschokt aan. 'Wie heeft dat gezegd, Maaike?'
'De huishoudster van de rentmeester. Ik heb het haar zelf tegen de
kokkin horen vertellen. Volgens de dokter zijn er een paar mensen
vreselijk ziek geworden na het drinken van jouw moeders krui-
dendrankjes. Metteke en Dries Noten. Je kent ze wel. Het zijn een
paar onbetrouwbare individuen en nogal gemakkelijk om te praten. Ik geloof er dan ook niets van, maar blijkbaar zijn er mensen
die het prettig vinden om je moeder zwart te maken. Ik wil niet
roddelen, Emera, maar ik vond wel dat je het moest weten.'
Emera slikte en sloeg haar blik ongemakkelijk weg. 'Ik vraag me
af wat moeder die dokter misdaan heeft, Maaike. Ze wil alleen
maar mensen helpen. Waarom strooit hij al die nonsens rond?
Moeder doet geen vlieg kwaad.'
'Ach nee, natuurlijk niet! Iedereen kent je moeder toch? Het zal
heus wel overwaaien, Emera. Als ik geweten had dat het je zo zou
raken, dan had ik het gewoon verzwegen. Volgende week kraait er
geen haan meer naar.' Ze probeerde het gesprek een andere wending te geven. 'Naar het schijnt is ook de andere zoon van dokter
Wouters hier om zijn vakantie door te brengen. Het moet een rare
kerel zijn die zich op zijn kamer opsluit. Fientje werkt daar als
huishulp en zij heeft hem nog niet te zien gekregen. Zou hij ook zo
knap zijn als zijn broer? Of juist lelijk als de nacht en sluit hij zich
daarom op?' Ze grinnikte. 'Nou, voor mijn part mag hij gerust bin-

nenblijven. Ik heb mijn Jan en daar kan niets tegenop.'
Emera hoorde maar half wat Maaike verder nog zei. Ze wilde dat ze kon geloven dat alles gewoon zou overwaaien. Maar dit was geen toeval meer. Daarstraks Trude en nu Maaike. Er werd stevig geroddeld in het dorp en dat voorspelde niet veel goeds.

HOOFDSTUK 10

Het weer was somber voor het begin van de maand augustus. Het regende nu al twee weken achter elkaar en de mensen begonnen te mopperen en te klagen. Kasimir haastte zich met gebogen hoofd naar huis. Het was niet erg koud, maar een fikse regenbui had zijn kleding doorweekt en deed hem toch huiveren. Hij was tot aan het pad met de lariksen gegaan, in de hoop Emera daar te treffen. Het was al zo lang geleden dat hij haar gezien had en hij begon zich wrevelig te voelen. Het vlotte niet zoals hij gehoopt had. Niet met haar tenminste. Voor de rest mocht hij niet klagen.

Sinds hij zijn vader had aangemoedigd om Mimi's werkwijze te bekladden, was hij druk in de weer geweest. Kasimir besefte maar al te goed dat zijn vader niet veel kon beginnen zonder dat de dorpelingen, of toch tenminste een aantal onder hen, dezelfde mening waren toegedaan. Nou, het was niet zo moeilijk om mensen tot andere gedachten te brengen. Een misnoegde moeder die haar kind verloren had, een gebroken arm die onbruikbaar bleef, een vrouw die zich niet goed voelde... Het was zo gemakkelijk om iemand te overtuigen dat dit alles de schuld was van Mimi's verkeerde behandelingen. Bovendien was Kasimir blij dat hij Dries Noten en zijn vrouw om had kunnen praten. Het kostte hem zelfs niet veel moeite om hun zielige brein zo te bewerken dat ze Mimi als een kwade heks beschouwden. De kleine som die hij hen had toegestopt deed de rest.

Een glimlach van genoegdoening speelde om zijn mond. Heel het dorp was nu ongeveer wel op de hoogte van het feit dat Mimi deze twee mensen wilde vergiftigen. Het was goed zo. Als eenmaal de bal aan het rollen was, dan volgde de rest vanzelf. En hij had gelijk! Want was die vrouw niet gestorven? En hadden ze niet het geluk gehad dat Mimi kruiden op haar buik had gelegd en thee te drinken had gegeven? Het was een kleine kunst om haar nu te beschuldigen van de dood van deze vrouw.

Maar hij had gehoopt dat hij Emera net zo goed kon bewerken. Dat hij haar kon laten voelen hoe hij met haar meeleefde en kon veinzen dat hij zijn vader hierom minachtte. Dat hij alles zou doen om haar te helpen. Hij wilde ervoor zorgen dat ze hem nodig had, dat hij haar in zijn macht had en haar kon dwingen om aan zijn eisen te voldoen. Hij vervloekte de regen. Door dat verdomde weer kwam geen kat meer buiten. Hoe kon hij haar naar zijn hand zetten als hij haar niet eens te zien kreeg?

Hij schudde de regen van zich af toen hij de deur opende. Hij ging dadelijk de trap op naar zijn kamer waar hij droge kleren aantrok. De natte spullen liet hij liggen waar ze lagen. Daar hadden ze tenslotte toch een dienstmeid voor! Nadat hij zijn haar had drooggewreven en zijn gestalte goedkeurend had bekeken in de grote spiegel, ging hij naar de zitkamer waar – naar gewoonte – zijn moeder op dit uur van de dag met een handwerkje bezig zou zijn. Zodra hij de deur opende zag hij zijn broer zitten.

Kasimir gromde ergerlijk. Hij verfoeide het om in dezelfde kamer te zitten als zijn broer. Hij moest zich bedwingen om niet rechtsomkeert te maken, maar hij wist dat hij zijn moeder verschrikkelijk zou kwetsen door dat te doen. Zij had hem al zo dikwijls gevraagd om Benjamin niet als een vreemdeling te beschouwen. Maar hoe kon hij dit monster als zijn broer beschouwen? Hoe kon hij leven met de gedachte dat hij net zo zou worden als hij veel met hem omging? Alleen als hij er niet onderuit kon, zoals nu, verplichtte hij zichzelf om een kamer met Benjamin te delen. Maar het liefst van al zou hij willen vergeten dat hij een broer had. Hij was blij dat Benjamin tenminste besefte hoe hij eruitzag. Als hij thuis was sloot hij zich meestal op in zijn kamer, zodat de rest van de familie weinig last had van zijn aanwezigheid. Ook het eten werd door hun moeder naar zijn kamer gebracht. Benjamin wilde niet anders, hoe sterk zijn moeder ook aandrong om gezamenlijk de maaltijden te nuttigen. Kasimir was daar verschrikkelijk blij om. Hij wist zeker dat hij zou kokhalzen als zijn broer met zijn pokdalige gezicht bij hem aan tafel zou zitten. Hij ging de kamer in, kuste zijn moeder vluchtig op een wang en ging zitten in de met bloemmotieven overtrokken leunstoel die het verst van Benjamin af stond.

Hélèna van Dormael keek even afkeurend naar Kasimirs natte haar. 'Ben je met dit weer buiten geweest, Kasimir? Straks heb je kou gevat.'

Kasimir grinnikte. 'Nou, gelukkig is er een dokter in de buurt!'

'Daar valt heus niet mee te spotten! Ik zou het besterven als een van jullie iets moest overkomen, dat weet je best.'

'Natuurlijk weet ik dat, mama. Maar we kunnen ons toch niet blijven opsluiten. Het regent nu al weken aan een stuk.'

Hélèna zuchtte diep. Ze wist immers dat tegenspreken geen zin had. Ze moest toegeven dat hij gelijk had. Het slechte weer bleef maar aanhouden. Ze werd er zelf chagrijnig van.

'Gelukkig komen Elisabeth en haar moeder volgende week logeren. Ik hoop dat je haar een beetje in de watten zult leggen, Kasimir. Je weet dat vrouwen, en vooral jonge vrouwen, nogal gevoelig zijn voor kleine attenties.'

Kasimir lachte uitbundig. 'Ach mama, maak je daar maar geen zorgen over. Ik zal haar extra verwennen.'

Elisabeth was enig kind van Felix Monard, de staalbaron. Hun families waren al geruime tijd bevriend en Kasimir kende het meisje al van toen ze nog jonger waren. Ze was niet veel soeps. Niet eens knap te noemen. Een grijze, mollige muis. Maar ze was rijk! Rijk genoeg om hem een aangenaam, rustig leventje te geven. De gedachte dat de staalfabrieken ooit van hem zouden zijn, maakte dat hij alles in het werk stelde om dat onopvallende en oninteressante wicht het hof te maken. Als hij eenmaal met haar getrouwd was, zou hij toch zijn eigen gang kunnen gaan.

'Houd je van haar?' Het waren de eerste woorden die Benjamin sinds dagen tegen zijn broer zei.

Kasimir blikte even naar zijn moeder. 'Ja, natuurlijk! Waarom zou ik niet van haar houden?'

Hélèna knikte goedkeurend. 'Elisabeth is een lief meisje en de laatste keer dat ik haar moeder sprak, verheugde Elisabeth zich erop om je weer te zien, Kasimir. Dus ik vermoed dat de liefde weleens wederzijds kan zijn.'

'Daar twijfel ik niet aan, mama.'

Maar Benjamin had zijn twijfels. Hij kende zijn broers reputatie immers. Maar hij zweeg verder, om zijn moeder niet te verontrusten.

'En jij, broer?' Kasimir gebruikte het woord broer om zijn moeder een plezier te doen en keek spottend diens richting uit. 'Hoe zit het met jouw liefdesleven?'

'Jij weet net zo goed als ik dat geen enkele vrouw wil leven met mijn uiterlijk. Maar ik weet zeker dat ik het geld nooit boven de liefde zou laten gaan.' Benjamins terugkaatsende blik was veelbetekenend.

Kasimir glimlachte vluchtig. 'Gelijk heb je,' zei hij, maar hij doelde op het eerste punt en niet op het tweede.

Hélèna voelde zich ongemakkelijk nu haar jongste zoon zinspeelde op zijn gebrek en ze besloot van onderwerp te veranderen. 'Ik vind het spijtig dat je volgende week al weer vertrekt,

Benjamin. Kun je echt niet langer blijven?'
Benjamin schudde het hoofd. 'Ik heb nog heel wat te doen voordat de lessen zullen hervatten, mama. Maar ik beloof je dat ik regelmatig langskom.' De werkelijke reden van zijn vervroegd vertrek verzweeg hij. Hij had het al zo moeilijk om voortdurend de dienstmeid en de kokkin te ontlopen, als dan ook nog Elisabeth en haar moeder in dit huis zouden logeren... Bovendien zouden zijn broer en zijn vader hem dankbaar zijn dat hij wegging, dat wist hij zeker. Voor hen was hij alleen maar een obstakel dat liefst ver uit hun buurt moest blijven. Alleen voor zijn moeder vond hij het erg, maar zij zou haar handen meer dan vol hebben aan de twee vrouwen, zodat ze zijn afwezigheid ook niet zou betreuren. Hij stond op. 'Ik ga nog even naar mijn kamer, mama. Wat spullen bij elkaar zoeken die ik wil meenemen.'
'Maar we gaan zo aan tafel, Benjamin. En het is zondagavond.' Benjamin wist dat zijn moeder op deze manier wilde zeggen dat zowel de kokkin als het dienstmeisje bij hun eigen familie waren en dat hij zich dus niet langer op zijn kamer hoefde op te sluiten. Benjamin keek somber naar zijn oudere broer. Als hij dat deed, dan wist hij zeker dat Kasimir niet aan tafel kwam. De afschuw van zijn huidziekte was op zijn gezicht te lezen. 'Nee, dank je, mama. Ik heb geen honger,' zei hij zacht terwijl hij de kamer verliet, zodat zij hem niet tot andere gedachten kon brengen.

Zodra de duisternis viel, en dat was vrij vlug door de zware bewolking, verliet Benjamin het huis via de achterdeur. Wanneer hij de tuin doorwandelde en het poortje nam aan de achterkant, kwam hij via een klein bruggetje over een brede gracht, in een uitgestrekt bebost gebied terecht. Van daaruit bracht een karspoor hem tot aan de Grote Nete, die kronkelend naast het dorp liep. Op deze druilerige avond was er niemand buiten en Benjamin voelde zich daar heerlijk bij. Hij had een paar boeken in wat krantenpapier gewikkeld en het pakje onder zijn regenjas gestoken, de kraag rechtop gezet en een hoed op zijn hoofd. Als er nu een regenbui zou losbarsten, dan was hij ervoor gekleed. Maar op dit ogenblik was het droog.
Hij stapte goed door, een heel stuk langs de kronkelende rivier, enkel vergezeld van het neervallen van druppels wanneer de wind de bomen beroerde en het geluid van vogels die hun avondliederen zongen. Hier kon hij zijn gedachten de vrije loop laten zonder

voortdurend op zijn hoede te zijn. Hij dacht aan zijn broer met zijn gave, knappe gezicht. Hij wilde dat hij er net zo uitzag. Wat zou het leven dan gemakkelijk geweest zijn. Nu had hij al van kindsbeen af met afschuw, vernederingen en verwensingen moeten leven. Hij had geleerd om zich zo goed als onzichtbaar te maken, hij had zijn vaders gramschap en teleurstelling moeten doorstaan en zijn moeders verdrietige blikken. Hij had zich moeten waarmaken, méér nog dan iemand anders. Maar het had hem ook gehard. Hij maakte zich geen illusies. Geen enkele vrouw had interesse in een gedrocht zoals hij. Daar was hij van overtuigd. En Emera dan, ging het door hem heen. Zij zag toch door deze onvolmaaktheid heen? Hij haalde zichtbaar zijn schouders op. Ach, dat was waarschijnlijk alleen maar uit medelijden. Hij kon zich niet voorstellen dat zij verliefd kon worden op een man met zijn uiterlijk. Hij schaterde het plots uit. Zomaar. Ineens. De gedachte dat dat beeldschone meisje verliefd op hem zou kunnen worden, leek hem plots zo absurd, zo onwerkelijk en banaal dat hij niet anders kon dan het weg te lachen. Maar hij hield al net zo abrupt op. Zijn schouders zakten nog dieper. Hij wilde dat hij het anders kon zien.

Bij de Kaaibeekbrug sloeg hij links af en volgde een smal paadje gevuld met plassen en glibberige graspollen. Hij stak de kasseiweg met de dubbele rij eiken over en kwam ten slotte op de zandweg die naar het huis van Emera en haar moeder leidde. Nu ja, zandweg! Op dit ogenblik was het meer een modderpoel.

Het was op dit pad dat hij Emera zag zitten. Zij zat op een houten bank voor een kapelletje aan een lindeboom en leek te bidden. De lichtblauwe mantel van het beeldje van de maagd Maria lichtte fel op in de grauwe lucht.

'Jij bent ook niet bang van de regen?' begroette hij haar.

Emera keek geschrokken om. Ze was zo in gedachten verzonken dat ze hem niet aan had horen komen, maar zodra ze hem herkende ontspande ze zich weer. 'Waarom zou ik bang moeten zijn van de regen?' ging ze op zijn vraag in. 'Het is een zegen voor het land en als het er met bakken uit stroomt, dan ben ik in een wip onderdak. Het is maar even tot aan mijn huis. Maar dat kan niet van jou gezegd worden?'

Hij lachte even. 'Daarin heb je gelijk. Mag ik naast je komen zitten?' Hij wachtte even tot ze knikte en ging naast haar op de bank zitten. 'Maar ik had je nog enkele boeken beloofd en die kwam ik je brengen voordat ik vertrek.'

'Ga je weg? Zit de vakantie er nu al op?' Emera keek hem enigszins teleurgesteld aan. Nu ze hem vol aankeek zag Benjamin dat haar ogen roodomrand waren. Hij fronste zijn voorhoofd. In plaats van op haar vraag te antwoorden, bleef het even stil. 'Je hebt gehuild,' zei hij ten slotte zacht. 'Is het... heeft het weer te maken met...' Hij dacht aan de eerste keer toen hij haar had zien huilen. Emera schudde het hoofd. 'Nee, Benjamin. Deze keer heeft het niets met liefde te maken.' Ze keek hem even aan en voelde de tranen weer in haar ogen branden. Het ging hem eigenlijk allemaal niet aan en bovendien zou hij al vlug uit haar leven verdwenen zijn en toch... toch begon ze te praten alsof ze het heel normaal vond dat ze haar hart bij hem kon uitstorten. Ze vertelde hem over de roddels die het dorp doorgingen en die haar en haar moeder vreselijk over- stuur maakten. Ze vertelde over de beschuldigingen van dokter Wouters en het feit dat haar moeder daardoor ziek van ellende was en ze vertelde over de zachtheid en de zorgzaamheid van haar moeder die alleen maar goed wilde doen, die haar eigen leven zou geven om andere mensen te redden. Toen ze klaar was, liepen de tranen weer over haar wangen. Benjamin had met stijgende ver- bazing geluisterd. Hij had nog geen woord gezegd. Hoe kon hij iets zeggen? Hij wist niet eens dat zijn vader Mimi het vuur aan de schenen had gelegd. Haast automatisch drukte hij troostend haar hoofd tegen zijn schouder en dacht koortsachtig na. Hij moest zijn vader hierover aanspreken voordat hij vertrok. Dit kon hij niet zomaar over zich heen laten gaan.

'Ik kan met dokter Wouters over deze kwestie gaan praten,' stelde hij voor. 'Misschien kan ik hem tot andere gedachten brengen.'
Emera richtte zich weer op en keek hem beduusd aan. 'Denk je dat hij naar jou zal luisteren? Moeder heeft het tot tweemaal toe geprobeerd, maar het is haar niet gelukt.'
'Ik kan het altijd proberen, Emera. Tenslotte studeer ik ook voor dokter. We hebben dus gemeenschappelijke interesses.'
Emera knikte peinzend. Dat was waar. 'Zou je... zou je dat voor me willen doen?'
Hij glimlachte. 'Natuurlijk!' Ik zou alles voor je willen doen, wilde hij nog zeggen, maar hij hield die gedachte voor zichzelf.
'O Benjamin, dat zou heerlijk zijn. Misschien kun jij dokter Wouters laten inzien dat wij hem alleen maar willen helpen.'
Meer konden ze niet meer zeggen, want op dat ogenblik openden de hemelsluizen zich en stortte het regenwater zich als een stort-

vloed over hen uit. Emera gilde, sprong op, trok Benjamin aan zijn arm met zich mee en spurtte naar haar huis toe. Ze waren nagenoeg doorweekt toen ze al lachend de bijkeuken binnenstormden. Mimi keek verwonderd op. Ze zat net rustig kousen te stoppen bij de kachel en werd uit haar gepieker gerukt door Emera's vrolijke lach. 'Kijk eens wie ik buiten in de regen gevonden heb, moeder?' zei ze toen ze verder de kamer binnengingen. Benjamin nam zijn natte hoed af en knikte vriendelijk. 'Dag, Mimi. Ik hoop dat jullie het me niet kwalijk nemen dat ik zo laat op de avond nog even langskom.' Mimi glimlachte, legde haar stopwerk weg en stond op. 'Natuurlijk niet, Benjamin. Kom, doe je jas uit en ga even bij de kachel zitten zodat je wat kunt drogen. En jij, jongedame, jij gaat een droge jurk aantrekken voordat je verkouden wordt! Ondertussen zal ik wat water opwarmen zodat we wat thee kunnen drinken.' Zonder morren klom Emera naar haar kamer, waar ze vlug een droge rok en bloes aantrok. Ze maakte haar haren los en droogde ze met een handdoek. Daarna haalde ze de borstel er doorheen en ze liet haar haren los over haar schouders hangen, zodat ze konden drogen. Toen ze de kamer weer binnenkwam, zaten haar moeder en Benjamin rustig te praten. 'Hoe gaat het nu met je huid?' hoorde ze haar moeder vragen. 'Gezien de omstandigheden vrij goed,' antwoordde hij. 'Normaal gezien heb ik er rond deze tijd van het jaar meer last van. Dus ik mag niet klagen. Bovendien is de jeuk erg verminderd en dat is een grote verademing.' Emera trok een stoel bij zodat ze gezellig met zijn drieën rond de kachel zaten. Zodra Benjamin haar zag plaatsnemen, greep hij het in krantenpapier verpakte pak en nam de twee boeken eruit. 'De boeken. Ik dacht… nou ja, ik wilde ze nog even brengen voordat ik vertrek.' 'O Benjamin, wat heerlijk. Kijk moeder, boeken over het menselijk lichaam. Daar kunnen we heel wat uit leren.' Ze liet de kostbare boeken aan haar moeder zien. Mimi was er al langer van op de hoogte dat Benjamin voor dokter studeerde en ze had duidelijk gemerkt hoe haar jongste opfleurde wanneer ze over deze jongeman vertelde. Ze zag ook dat Benjamin zijn ogen niet van Emera wegsloeg. Ze zuchtte inwendig. Die twee voelden zich erg goed in elkanders gezelschap. Spijtig dat hij hier slechts op vakantie was. Het had misschien wel iets kunnen worden tussen die twee. Benjamin was best een aardige kerel en haar Emera was beslist slim genoeg om met een dokter te trouwen. Ze wuifde deze gedachten vlug weg. Ach, wat zat ze hier toch te dromen?

'Wanneer vertrek je, Benjamin?' vroeg ze dan ook.

Benjamin maakte met moeite zijn blik los van Emera, die uitgelaten in een van de boeken zat te bladeren. 'Donderdag vertrek ik naar Antwerpen.'

Mimi knikte. Dat was maar een korte tijd in een mensenleven en toch kon er in enkele dagen zoveel gebeuren dat het de rest van je leven bepaalde. Ze hoopte dat Emera hem na vandaag niet meer te zien kreeg. Beter de korte pijn, nu er nog niets reëels tussen hen bloeide.

'Dan zal Emera vlug moeten lezen, zodat jij je boeken tijdig terug hebt.'

'O nee, dat is niet nodig, Mimi. Ik heb die boeken niet dadelijk nodig. Ik zal ze weleens komen ophalen als ik hier ben.'

'Is je tante dan van plan om nog eens terug te komen?'

Benjamin was even in de war. Hij was volkomen vergeten dat hij zogezegd bij zijn tante logeerde.

'O! O ja, natuurlijk. Zij vond het hier zo prachtig dat ze zo vlug mogelijk terug wil komen. Ik heb haar al gezegd dat ik haar liefde voor Westerlo deel en dat ik haar altijd wil vergezellen.'

Benjamin voelde een blos van schaamte naarboven kruipen nu hij zijn leugen weer wat had aangedikt. Hij zou zich veel beter voelen als hij hen de waarheid kon zeggen, maar nu Emera hem had verteld over zijn vaders weerzin tegenover Mimi's werkwijze, viel het hem nog moeilijker om hen te vertellen dat hij de zoon was van hun ergste kwelgeest.

Hij voelde zich plots zo ongemakkelijk dat hij opstond.

'Ik moet maar eens gaan. Het lijkt al behoorlijk donker te worden en bovendien is het nu even droog.'

Hij nam zijn jas en zijn hoed, knikte even onwennig naar de twee vrouwen en verdween gehaast.

Emera zuchtte teleurgesteld. 'Spijtig dat hij zo vlug weg moest. Het had best gezellig kunnen zijn, zo met zijn drietjes.'

Mimi keek even naar het dromerige, mooie gezicht van haar dochter.

'Als hij nog wat langer wachtte, dan zag hij geen hand meer voor ogen, meisje. Hij kan hier toch moeilijk blijven overnachten?'

Emera giechelde. 'Dan zouden de mensen pas echt een reden hebben om te roddelen, moeder.'

Deze woorden deden Mimi plots aan iets denken. 'Het is toch wel raar dat we nog niemand over hem hebben horen spreken?' vroeg ze peinzend. 'Iemand met een huidziekte zoals hij moet toch opvallen? Ik kan me niet voorstellen dat de gezusters Heberlin nog niets over hem rondgestrooid hebben? Het feit dat hij een vreemdeling is, zou al voldoende zijn om praatjes over hem rond te strooien.'

Emera haalde haar schouders op. Verstrooid antwoordde zij op de vragen terwijl ze met haar neus in een boek zat. 'Nou, zo erg valt zijn huidziekte niet op, moeder en misschien waren de Heberlinzussen zo ingenomen met zijn knappe uiterlijk en zijn vleierij, dat ze hem voor zichzelf wilden houden.'

Mimi zei niets meer. Ze keek even verbluft naar haar dochter. Als Emera de opvallende verdikking op zijn gezicht haast niet opmerkte, dan voelde ze beslist meer voor die jongeman dan ze eerst vermoedde. Liefde maakt nu eenmaal blind. Niet dat Benjamin geen knappe man was. Integendeel! Maar zijn huidziekte was het eerste wat in het oog sprong. Het verdreef zijn gelijkmatige trekken naar de achtergrond en deed de mensen angstvallig afstand nemen.

Ze schudde in gedachten haar hoofd. Hopelijk had ze het mis, want anders zou haar jongste dochter nog een moeilijke toekomst tegemoet gaan. Maar het had geen zin om zich daarover al zorgen te maken. Benjamin was binnen vier dagen verdwenen.

Ze nam het mandje met de kapotte kousen weer op en draaide de olielamp wat hoger, zodat zowel Emera als zij voldoende licht hadden om te lezen en te stoppen.

Benjamin was er echter van overtuigd dat hij Emera nooit kon vergeten, ook al besefte hij maar al te goed dat deze jonge vrouw niet voor hem was weggelegd. Elke korenbloem die hij tegenkwam zou hem aan haar herinneren, dat wist hij zeker. Dat was de kleur van haar ogen. Haar mooie, grote, zachte ogen. Gitzwart was haar golvend, loshangend haar en zacht als een perzik was haar gezicht. Hij kon niet anders dan aan haar denken. De twee dagen die hem nog restten voordat hij weer voor lange tijd vertrok, deden hem telkens weer verlangen om naar haar toe te gaan. Om haar nog eenmaal te zien, voordat hij zich weer op zijn studie zou storten. Maar hij durfde zijn kamer niet meer uit te komen. Sinds zijn laatste bezoek aan Mimi's huis was zijn aandoening nog erger geworden. Als hij zijn vader niet zou willen spreken, was hij al weg geweest. Opgeslokt in de anonimiteit van de grote stad, waar de mensen elkaar niet zo erg bekritiseerden als hier in deze bekrompenheid van een dorp. Wonder boven wonder bleek zijn uitslag daar altijd een stuk minder te zijn dan hier. Op de universiteit was het zelfs nog maar enkelen opgevallen. Hij vroeg zich af of zijn onrust hier iets mee te maken had. Maar hij moest zijn vader spreken! Hij had het Emera beloofd en bovendien zou hij graag weten wat er aan de hand was tussen hem en Mimi. Zijn vader had hem al twee dagen laten wachten, maar vandaag werd hij verwacht op zijn vaders kabinet. Hij voelde het klamme zweet in zijn handen staan. Waarom voelde hij zich toch altijd zo verschrikkelijk zenuwachtig als hij zelfs maar aan zijn vader dacht? Hield het dan nooit op?

Hij zuchtte diep, wreef zijn handen droog aan zijn broek en stond op. Het was tijd. Halfzeven, had zijn vader gezegd, en het was twee minuten voor. Hij zuchtte nogmaals, opende de deur van zijn kamer en begaf zich naar beneden, waar het kabinet was. Hij hoefde niet bang te zijn om de dienstmeid of de kokkin tegen het lijf te lopen. Hun werk zat er om zes uur op, zodat hij zich vrij door het huis kon bewegen. Ook dat was een punt waar hij van baalde. Hij was blij dat hij weer naar Antwerpen kon, waar hij zich vrij kon voelen, geaccepteerd zonder vooroordelen, waar hij gewoon Benjamin Wouters kon zijn.

Hij klopte en ging binnen zonder te wachten op een antwoord. Hij zag dat zijn vader achter zijn bureau zat, verdiept in een aantal dossiers. Hij ging zitten en wachtte geduldig.

Viktor legde zijn pen neer en keek op. Het eerste wat hij zag was de verschrikkelijke, gele, schilferige laag op Benjamins gezicht. Hij bedwong zich om er geen opmerking over te maken, maar de afschuw was van zijn gezicht te lezen.

'Je wilde me spreken?' vroeg hij terwijl hij zijn blik weer op de papieren voor hem wendde zodat hij de misvorming niet hoefde te zien.

Benjamin deed alsof hij de afschuw niet had opgemerkt en ging wat rechtop zitten. 'Ja, papa. Ik heb gehoord dat er een vete bestaat tussen jou en de baker van het dorp?'

Zijn antwoord en vraag lieten Viktor voelen dat zijn jongste zoon direct kon zijn. Hij keek verrast op. 'Wie zegt dat?'

Benjamin haalde licht zijn schouders op. 'Iedereen en niemand. Er gaan geruchten door het dorp, laat ik het zo zeggen. Er wordt gezegd dat jij Mimi's handelingen niet goedkeurt.'

'Dat is ook de waarheid, Benjamin. Die vrouw is met duistere praktijken bezig. Ze laat mensen kruidenbrouwsels en zalfjes gebruiken waardoor ze slechter in plaats van beter worden. Het is mijn taak om haar een halt toe te roepen voor het welzijn van de bevolking.'

'Het volk vaart er nochtans wel bij, papa. Mensen zoals Mimi bieden, buiten de verzorging, ook troost en raad.'

Viktor keek verbluft. 'En dat zeg jij, een dokter in wording? Jij zou toch beter moeten weten! Wat weet 'Mimi', zoals jij haar noemt' – hij spuwde haar naam er haast uit – 'van de menselijke anatomie? Welke kennis heeft ze van moderne geneesmiddelen? Welke scholing heeft ze gevolgd om een chirurgische ingreep te kunnen doen? Ze is niets, Benjamin! Ze is gewoon een domme vrouw die denkt dat ze mensen kan genezen.'

'Ik ben het niet met je eens, papa. Ik heb Mimi gesproken en ik kan je verzekeren dat ze geen domme vrouw is. Haar kennis van geneeskrachtige planten is veel groter dan je denkt.'

Viktor keek zijn zoon even met open mond aan. 'Jij hebt haar gesproken? Hoe? Waar?' Hij besefte plots dat Benjamin minder op zijn kamer zat dan dat hij had verwacht.

'Ben je naar haar toe geweest?' vroeg hij dan ook.

Benjamin knikte. 'Meer dan eens. Maar wees gerust, papa. Het was telkens avond. De duisternis was mijn vriend en beschermer van jouw imago.' Hij keek even spottend naar zijn vader, zodat deze onwennig zijn blik wegsloeg.

'In vredesnaam, Benjamin: Waarom? Deze vrouw is niet te vertrouwen. Zeker niet als ze weet dat jij mijn zoon bent. Ze zal er alles aan doen om jou naar haar hand te zetten.'

'Mimi weet niet eens dat ik je zoon ben, papa. Niemand in dit dorp trouwens. Het toeval heeft mij naar haar toegebracht. Zij heeft me een tinctuur en een zalf meegegeven voor mijn uitslag.'

Het bleef een ogenblik doodstil. Viktor voelde woede in zich opborrelen. Zijn bloedeigen zoon had zich laten behandelen door die helleveeg. Het voelde alsof zijn eigen zoon hem had verraden. Hij slaagde erin om zijn woede te onderdrukken en lachte honend. 'Nou zie je zelf dat haar brouwsels niet helpen! Je ziet er afschuwelijk uit. Je gezicht heeft er nog nooit zo erg uit gezien!'

'Het feit dat ik er nu afschuwelijk uitzie heeft niets te maken met

Mimi's kruiden, papa. Ze heeft me op voorhand gezegd dat zij deze huidaandoening niet kan genezen. Zij kon alleen maar de jeuk verzachten, maar dat op zich is al een grote verademing.'

Viktor stond met een ruk op en begon achter zijn bureau te ijsberen. 'Ik begrijp niet dat jij me dat kunt aandoen, Benjamin! Jij, een dokter in wording, nota bene!'

'En waarom zou een dokter geen respect mogen opbrengen voor de natuurgeneeskunde? Ik heb gehoord dat Mimi jarenlang met de oude dokter Goossens heeft samengewerkt.' Hij zag dat zijn vader zijn neus ophaalde en sarcastisch 'huh' mompelde, maar hij ging door voordat deze iets kon zeggen. 'En met goede resultaten! Ik heb meer dan genoeg tijd gehad om mijn oor hier en daar te luisteren te leggen en om verschillende dossiers en persoonlijke gegevens door te nemen. Hun samenwerking was tot in de verre omstreken bekend en er waren gedurende al die jaren opmerkelijk minder sterfgevallen hier in deze streek. Minder gangreengevallen, minder kraambeddoden en minder kindersterfte! Dat kun je niet alleen aan dokter Goossens toeschrijven, papa.'

Viktor klemde zijn lippen samen en siste woedend: 'Dat ik deze woorden moet horen uit de mond van mijn bloedeigen zoon, van iemand die medische wetenschappen studeert, waar duidelijk onderwezen wordt dat de plantentheorie achterhaald en ouderwets is en wetenschappelijk zeker niet ondersteund. Heeft die universiteit je dan niets bijgebracht?'

Benjamin deed alsof hij de woede niet opmerkte. 'O, zeker wel, papa,' antwoordde hij luchtig. 'Maar wetenschap is niet alles. Als iedereen hetzelfde denkt, dan zal er nooit iets vooruitstrevend gevonden worden. Planten en kruiden zijn eeuwenlang ons enige hulpmiddel geweest om ziekten en wonden te behandelen. Het is niet erg verstandig om dat zo maar te vergruizen en teniet te doen. Volgens mij was die oude dokter Goossens een heel verstandige man. Hij combineerde het beste van twee geneeswerelden en met uitstekende resultaten. Waarom zou jij dat ook niet doen, papa? Ik weet zeker dat Mimi een goede hulp voor je zou zijn.'

Viktor keerde zich als door een wesp gestoken naar zijn zoon toe. 'Nooit! Ik zal nooit met die vrouw samenwerken, zet dat maar uit je hoofd! Volgens mij heeft die heks je al net zo betoverd als de rest.' Hij stak zijn vinger waarschuwend naar hem op. 'Ik hoop dat de universiteit je weer tot andere gedachten zal brengen, Benjamin, want anders loopt het niet goed met je af. Ik wil niet dat

je hierover nog met één woord rept, heb je dat goed begrepen?'
Benjamin stond langzaam op. Hij lapte de laatste woorden van zijn vader aan zijn laars en zei: 'Het spijt me dat je niet kunt inzien dat Mimi goed werk verricht, papa. Maar ze verdient het zeker niet dat je haar bekritiseert en de bevolking tegen haar opzet.'
Na deze woorden verliet hij de kamer.
Viktor had zijn handen tot vuisten gebald. Hij had zijn jongste zoon altijd verafschuwd om zijn huidprobleem, maar het feit dat de jongen voor dokter ging studeren, maakte dat een beetje goed. Er was toch nog iets aan die jongen waar hij trots op kon zijn. Maar vandaag was ook dat laatste teniet gedaan. Wat had hij nu aan een zoon die heulde met de wolven, die zich tegen hem keerde en adoreerde wat hij verfoeide? Het was misschien beter dat hij helemaal geen dokter kon worden! Hij moest Benjamins toelage stopzetten! Maar Viktor schudde in gedachten zijn hoofd. Nee, dat kon hij niet. Hélèna zou het nooit goedkeuren en zij was ten slotte ook niet onvermogend. Nee, hij moest een andere oplossing vinden. Hij liet zich weer in zijn stoel zakken en zette peinzend de toppen van zijn vingers tegen elkaar. Hij moest maar eens een brief schrijven naar zijn vriend Henri Ballancer. Hij had heel wat invloed in medische en wetenschappelijke kringen. Als er iemand was die ervoor kon zorgen dat Benjamin tot andere gedachten gebracht kon worden, dan was hij het wel.

HOOFDSTUK 11

Kasimir stond verscholen in de schaduw van een grote eik en keek in de richting van Mimi's huis. Het was nog vroeg in de ochtend, maar de zon was al van de partij, zodat het al behaaglijk warm was. Alles lag er vredig en groen bij. Hij wachtte geduldig. In plaats van Emera ergens op te wachten, was hij ditmaal naar haar huis gegaan. Hij wilde er zeker van zijn dat ze hem niet kon ontlopen. Hij wilde haar nog even spreken en zijn charmes op haar loslaten, voordat Elisabeth Monard en haar moeder arriveerden en gedurende een paar dagen al zijn tijd zouden opslorpen.

Hij zag Mimi het eerst. Ze verliet het huis aan de achterzijde en droeg een grote, zwarte tas. Hij wist dat ze op weg was naar haar patiënten en was blij dat Emera niet bij haar was. Hij was uitstekend op de hoogte van hun doen en laten en wist dus ook dat Emera dikwijls met haar meeging. Ditmaal had hij echter het geluk aan zijn zijde. Hij kon nu ongestoord met haar praten.

Hij wachtte nog even tot Mimi's gestalte door de begroeiing in de verte was opgeslokt en maakte zich daarna los uit de schaduw.

Emera neuriede een liedje terwijl ze de laatste putemmer boven haalde. Ze goot het water in de wastobbe, die in het schuurtje naast hun huis stond. Daarnaast stond een gevlochten mand met het vuile wasgoed. Ze was al vroeg begonnen om de ketel te vullen, zodat ze op tijd klaar zou zijn. Nu de zon scheen, moest ze daarvan profiteren. Als ze goed doorwerkte, zou alles deze avond fris gewassen, droog en gestreken zijn. Ze neuriede nog altijd toen ze de lege emmer op de stenen rand van de put zette en naar de houtmijt aan de andere kant van het huis ging. Ze nam een armvol sprokkelhout voor het vuur onder de wasketel en draaide zich weer om, toen ze Kasimir de hoek om zag komen. Het eerste wat in haar opkwam was een gevoel van onbehagen, een licht onveilig gevoel dat weldra overstemd werd door het luide bonzen van haar hart toen ze zijn warme glimlach en knappe gezicht zag.

'Dag Emera. Ik moest deze kant op en toen besloot ik om maar eens even binnen te wippen. Het lijkt een eeuw geleden dat ik je heb gezien. Ik hoop dat jij of je moeder het niet erg vinden?' Hij deed net alsof hij niet wist dat Mimi weg was.

Emera schudde haar hoofd. 'Moeder is niet thuis, maar iedereen is hier welkom, Kasimir. Er komen hier zoveel mensen om kruiden of zalven vragen, dus waarom jij niet?' Ze probeerde haar stem

oppervlakkig te laten klinken, maar innerlijk was ze heel onrustig.
'Dan moet ik je teleurstellen, Emera. Ik heb geen kruiden of zalfjes nodig. Ik... ik wilde je alleen maar even zien.'
Emera draaide zich wat ongemakkelijk van hem weg. 'Nou, je kunt
zoveel naar me kijken als je wilt, maar ik ga ondertussen wel verder met mijn werk.'
'O, wat dom van me. Natuurlijk wil ik je niet van je werk afhouden.
Kom, ik help je wel even.' Zonder het te vragen nam hij de bos
sprokkelhout van haar over. 'Waar moet het naartoe?'
Emera ging hem voor naar de wasketel en liet hem de takken in
het smeulende vuur leggen. Hij was er best handig in, want het
duurde niet zo lang voordat het vuur onder de ketel hevig brandde.
'Bedankt, Kasimir,' zei ze gemeend. 'Ik hoop dat je mooie hemd
niet te erg geleden heeft onder de houtblokken?' Ze wreef voorzichtig over de fijne stof om een paar houtsplinters te verwijderen.
Hij profiteerde van deze handeling en nam haar hand vast. 'Het
geeft niet, Emera. Het feit dat ik jou heb gezien maakt mijn dag
meer dan goed.' Zijn mooie, bruine ogen keken haar liefdevol aan.
'Ik heb je zo gemist, Emera,' fluisterde hij zachtjes.
Emera maakte haar hand los. O, waarom bracht hij haar zo in verwarring? Maar ze kon hem geen tweede kans gunnen. Omwille van
haar moeder moest ze een einde maken aan deze gevoelens.
'Ik... ik moet verder werken, Kasimir.'
Maar hij liet haar niet met rust. 'Ik weet zeker dat je nog van me
houdt, Emera. Ik zie het aan je ogen. Dat kun je niet verbergen.'
Ze schudde haar hoofd. 'Begrijp je dan niet dat onze liefde onmogelijk is, Kasimir? Jouw vader en mijn moeder...'
'Komen niet overeen,' vervolledigde Kasimir haar zin. 'Maar daarom is het net goed dat wij elkaar liefhebben, liefje. Op die manier
staat papa machteloos.'
'Of hij onterft je en zet je op straat!'
'Ben je echt zo bezorgd om me? Zo ver zal het niet komen. Ik geef
toe dat hij furieus zal zijn als hij het te horen krijgt, maar hij kan
mij moeilijk iets weigeren. Ik ben ervan overtuigd dat hij dan vlug
zal bijdraaien en je moeder met rust zal laten, omwille van de lieve
vrede.' Hij streelde haar wang met zijn vingers. 'O liefje, ik verlang
zo naar je. Je bent zo mooi, zo lief, zo adembenemend.'
Emera's weerstand werd minder. Het was zo moeilijk om weerstand te bieden aan zijn smekende blik, zijn vleiende woorden en

zijn zeldzame schoonheid. En hij had gelijk. Misschien was hun liefde sterk genoeg om de vete te stoppen!

Hij zag haar vertwijfeling en waagde zijn kans. Langzaam bracht hij zijn hoofd dichter bij dat van haar en drukte ten slotte heel zacht zijn lippen op haar mond. Ze sloot haar ogen en genoot zichtbaar. Een triomferend gevoel ging door hem heen. Hij waagde het om haar wat dichter naar zich toe te trekken en haar gezicht met kussen te overladen. 'O liefje,' fluisterde hij schor. 'O, wat heb ik naar deze dag verlangd…'

Emera liet zich even meevoeren. Toen hij haar voorzichtig tegen zich aantrok en vol op de mond kuste, sloot ze genietend haar ogen en ze liet zich meevoeren in deze heerlijke gewaarwording. Maar plots kwam Benjamins beeltenis in haar op. Het leek wel alsof ze hem zoende in plaats van Kasimir! Onbehaaglijk maakte ze zich los. 'Het… het spijt me, Kasimir.'

'Wat is er, Emera, liefje?'

Emera draaide zich van hem weg en begon het wasgoed te sorteren. 'Het spijt me. Ik weet niet… ik weet niet of het wel zo'n goed idee was om…' Ze liet het wasgoed vallen en draaide zich weer naar hem toe. 'Ik denk niet dat ik nog voldoende van je kan houden om je gelukkig te maken, Kasimir. Misschien is het toch beter om het hierbij te laten.' Ze durfde hem niet te vertellen dat ze daarnet aan een andere man dacht, daarvoor had ze te veel tact.

Maar hij wilde het zo niet laten!

'Emera, liefje, hoe kun je dat van mij verlangen?' Hij nam haar beide handen vast en trok haar, ondanks haar lichte tegenstand, zachtjes naar zich toe. 'Je houdt van me, ik zie het in je mooie ogen. Heel je lichaam verlangt naar me, je hart en je ziel behoren me toe. Waarom vecht je daartegen? O Emera, jij bent als een pure, zwarte parel; in mijn ogen een kostbaar sieraad dat ik zal koesteren tot het einde van mijn leven.' Hij voelde haar weerstand afnemen en genoot van zijn overwinning. Hij moest verdergaan en haar geen kans geven om weer bij haar positieven te komen. Zeemzoet praatte hij op haar in, fluisterde haar mooie woordjes toe, overdekte haar gezicht met subtiele kussen en liet zijn handen strelend over haar rug glijden. Emera liet zich meevoeren, als betoverd.

Pas toen ze zich realiseerde dat hij de knoopjes van haar bloes aan het losmaken was, maakte ze zich met een verontwaardigde kreet los en keek ze hem verbaasd en perplex aan. Een vuurrode blos steeg naar haar wangen.

'O nee... wat heb ik gedaan!' mompelde ze verschrikt.

'Jij maakt me gelukkig, liefje,' zei Kasimir schor. 'Dat heb je gedaan!'

'Het was niet mijn bedoeling om... O, het spijt me.' Ze ging, volledig ontnuchterd, enkele veilige passen bij hem vandaan.

Kasimir zag aan haar houding dat zijn kans voor vandaag verkeken was. Het had geen zin meer om aan te dringen, dat wist hij uit ondervinding. Het was heel spijtig, maar het was nu eenmaal zo. In ieder geval wist hij nu dat hij Emera weer in zijn macht had en hij was ervan overtuigd dat het nu niet meer zo lang zou duren voordat hij zijn zin kreeg. Maar eerst moest hij die saaie mus en haar moeder nog een beetje tevreden stellen.

Hij drukte een kus op zijn vingers en blies die naar haar toe. 'Mijn hart behoort je toe, liefje, maar nu moet ik verder. Ik hoop je heel vlug weer te zien. Tot dan, Emera.'

Na deze woorden was hij weg, de staldeur door en de hoek van het huis weer om. Emera had een hand op haar borst gedrukt en bleef een hele tijd geschokt staan waar ze stond. Hoe had ze het zover kunnen laten komen? Ditmaal had ze hem zelf zijn gang laten gaan. Sterker nog: ze had hem aangemoedigd! Hield ze dan zoveel van hem dat ze zich verloor in zijn liefde? Ze was geneigd om 'ja' te zeggen, maar het bleef stil in haar binnenste. Ze draaide zich geërgerd om en begon het wasgoed in het hete sop te gooien. Hoe kwam het toch dat haar hart en haar verstand met elkaar in de clinch lagen? Als ze bij hem was kon ze haast niet anders dan 'ja' fluisteren en dan wist ze zeker dat ze van hem hield, maar als hij weg was leek het wel alsof een deel van haar, haar waarschuwde voor deze gevoelens. Ach!

Ze nam de wasstok en duwde het wasgoed tot onder het dampende wateroppervlak. Waarschijnlijk was het nog een deel van de angst die was blijven hangen. Maar sindsdien had hij niets meer gedaan wat haar angst aanjoeg. Ze dacht aan de knoopjes van haar bloes die ze vlug weer had dichtgedaan en schudde wild haar hoofd. Nee! Dat had ze zelf in de hand gewerkt. Ze had hem gewoon zijn gang laten gaan omdat ze zichzelf had laten meeslepen in haar hartstocht. Ze kon hem niet weerstaan. Dat was haar zwakte. Ze was niet langer in staat om haar gevoelens voor hem in de hand te houden. Was dat liefde? Was dat de reden waarom een deel van haar, haar waarschuwde voor hem? De angst om haar lichaam niet meer onder controle te hebben, om zich mee te laten voeren tot het begaan van een grote zonde? De lust van het vlees? Emera rilde ondanks de betrekkelijke ochtendwarmte. De pastoor zou haar naar de hel verbannen als ze dit moest opbiechten! Ze besloot er de volgende keer met Kasimir over te praten. Hij moest toch ook wel begrijpen dat ze zo niet verder konden gaan. Als hij echt van haar hield, dan moest hij daar toch rekening mee houden?

Kasimir stond er niet eens bij stil dat Emera met heel wat vragen en onverwerkte gevoelens zat. Hij was in zijn nopjes. Eindelijk had hij haar weer in zijn bezit. Het had wel een poos geduurd en ze was behoorlijk volhardend, maar het streelde zijn ego dat hij zelfs de hardste noten kon kraken. Het gaf hem voldoening om te weten dat hij elke vrouw in zijn macht kon krijgen. Elisabeth Monard was geen uitdaging voor hem. Hij wist nu al dat ze haar benen zou openen zonder dat hij erom hoefde te vragen, dat had ze al laten blijken toen hij haar voor de eerste maal zag. Ze zou in katzwijm vallen, alleen maar om in zijn armen te kunnen liggen. Nee, dan was de lol er voor hem af. Bovendien waren zijn toekomstige schoonouders er ook nog! Hij moest laten zien dat hij rekening hield met haar maagdelijkheid en dat hij zijn vleselijke lusten in toom kon houden. Hij lachte inwendig. Nou, daar zou hij helemaal geen moeite mee hebben.

HOOFDSTUK 12

Benjamin kon Emera niet uit zijn hoofd zetten. Hij voelde zich schuldig omdat hij geen afscheid van haar genomen had en omdat hij Emera niets had laten weten van zijn vaders reactie nadat hij met hem had gesproken. Aanvankelijk was hij ervan overtuigd geweest dat ze het beter niet kon weten. Zo zou ze zich nog meer zorgen maken. Maar naarmate de dagen voorbijgingen, werd zijn twijfel daarover groter.

Hij zuchtte diep en draaide een bladzijde om van het dikke medische boek dat voor hem lag. Nou ja, waarom zou hij zich daarover druk maken? Zij was hem waarschijnlijk allang vergeten.

Hij keek weer peinzend voor zich uit. En als ze hem nu eens niet vergeten was? Moest hij dan deze uiterst zeldzame kans niet benutten? Na enkele tellen klemde hij zijn lippen op elkaar en deed het boek met een klap dicht. Op deze manier kwam hij nergens! Sinds hij weer in Antwerpen aangekomen was, had hij nog niets uitgevoerd. Hij kon zich niet eens concentreren! Misschien was het toch beter dat hij terugkeerde naar Westerlo om met Emera over het gesprek te praten. Hij was ervan overtuigd dat het studeren daarna wel beter zou gaan. Hij hoefde immers niets belangrijks te missen. Het was nog maar eind augustus en zijn laatste academische jaar was nog niet eens begonnen. Bovendien zou hij maar een paar dagen afwezig zijn.

Nu zijn plan concreet begon te worden, voelde hij een warm en rustig gevoel door zich heen gaan. Hij gleed even met zijn vingertoppen over de aangetaste huid en voelde tot zijn grote voldoening dat de uitslag al iets minder uitgesproken was.

Hij was niet van plan om langs zijn ouderlijk huis te gaan. Hij voelde geen behoefte om zijn ouders of broer te zien en hij had al helemaal geen zin om met hun twee gasten kennis te maken, die daar waarschijnlijk nog logeerden. Hij zou een kamer huren in hotel Heberlin, dat zou zijn leugen ook meteen een beetje goedmaken.

Nu hij eenmaal een besluit had genomen, kwam hij direct in actie. De volgende ochtend stond hij heel vroeg op, nam zijn jas en hoed, sloot de deur van zijn kamer af, liet een briefje achter voor zijn gastfamilie en nam de trein naar de stad Turnhout. Van daaruit was hij aangewezen op de tram, die doorreed naar Westerlo.

Het liep tegen het eind van de middag toen hij het smalle paadje naar Mimi's huis op liep. Hij hoopte dat er iemand thuis zou zijn, anders zat er niets anders op dan hier te wachten. Tot zijn blijdschap stond de deur open. Hij bleef in de opening staan en zag Mimi in een pan op de kachel roeren.

'Dag, Mimi.'

Mimi keek verrast op. 'Nee maar, Benjamin! Jou had ik hier niet verwacht. Kom jij je boeken ophalen?'

Benjamin schudde glimlachend zijn hoofd. 'Emera mag de boeken nog wel even houden, Mimi. Ik ben hier naartoe gekomen omdat ik zonder zalf zit.' Dat was niet gelogen, ook al was het maar de halve waarheid.

'Ik zal een grote pot voor je maken, zodat er je lang mee toe kunt. Heb je zin om met ons mee te eten? Ik ben een stevige boerenomelet aan het maken en er is vers brood, nog warm uit de oven. Emera zal dadelijk wel terugkomen van het kippenhok en dan is alles in een wip klaar.' Mimi had deze woorden nog maar net uitgesproken, toen Emera langs de achterdeur binnenkwam. Ze droeg een mandje gevuld met eieren. Zodra ze Benjamin in de deuropening zag staan, verscheen er een brede glimlach op haar stralende gezicht. 'O Benjamin, wat heerlijk dat je terug bent! Ik heb gisteren nog tegen mijn moeder gezegd dat ik je graag met allerhande vragen zou willen bestoken. De boeken zijn enorm interessant, maar sommige dingen gaan mijn verstand te boven. Ik hoop dat jij me daarbij kunt helpen.'

Mimi kon een glimlach niet onderdrukken. 'Nou nou, meisje! Verwelkom je zo een bezoeker? Laat Benjamin alsjeblieft even tot rust komen. Hij eet met ons mee. Daarna is hij misschien wel zo vriendelijk om je een beetje van zijn tijd te gunnen.' Ze ging naar de kast en nam een extra bord dat ze op de tafel zette, alsof ze geen weigering wilde horen.

Benjamin was blij dat hij uitgenodigd werd. Hij had een reuzehonger en de geur van het versgebakken brood deed het water in zijn mond lopen.

'Is je tante ook hier?' vroeg Mimi terwijl ze verder kookte.

Benjamin sloeg zijn blik weg. 'Nee. Ik logeer ditmaal alleen in hotel Heberlin. Ik ben van plan om maar een paar dagen te blijven, net voldoende om hierheen te komen voor de zalf en om nog wat te genieten van dit mooie dorp.'

'Zo! Nu, dan ken ik alvast iemand die daar heel blij om is.' Ze keek veelbetekenend naar haar dochter die de eieren in een kom klutste en vroeg zich in stilte af of ze daar zelf ook zo blij om moest zijn.

Na het eten en de afwas gingen de twee jonge mensen op de bank voor het huis zitten. Mimi bleef binnen en stampte gedroogde planten fijn in een vijzel. Ze hoorde hun vrolijke stemmen en het uitbundige gelach dat regelmatig opsteeg. Ze besefte eens te meer dat deze twee mensen heel goed met elkaar overweg konden, maar dat hun toekomst weinig perspectief bood. Ze wuifde haar zorgen weg. Het feit dat haar Emera zo vrolijk was, verwarmde haar moederhart. Op dit ogenblik was haar dochter gelukkig, daar bestond geen twijfel over en dat kon haar in ieder geval niet meer ontnomen worden. En de toekomst? Nou ja, dat zag ze dan nog wel. Het had geen zin om zich nu al zorgen te maken. Ze besloot er niet meer over te piekeren en ging naar de droogmatten om nog enkele planten te halen.

Emera genoot inderdaad. Benjamin wist zo veel en zijn geduld leek oneindig. Hij gaf antwoord op al haar vragen, soms met humor, soms eenvoudig, soms ingewikkeld als het niet anders kon, maar altijd zo dat Emera uiteindelijk begreep wat hij bedoelde. Na een paar uur met hun neuzen in de boeken gezeten te hebben, keek Benjamin haar bedachtzaam aan. Hij aarzelde even, maar stak dan toch van wal.

'Voor ik naar Antwerpen vertrok, ben ik nog even met dokter Wouters gaan praten, zoals ik je beloofd had,' begon hij. 'Ik moet je eerlijk bekennen...' – hij aarzelde even voor hij verderging – '...het gesprek verliep niet zo gunstig, Emera. Ik vrees dat mijn inbreng geen verzoening tot stand heeft kunnen brengen. Ik wilde het je niet vertellen, omdat ik niet graag had dat jij je nog meer zorgen zou maken. Maar eenmaal in Antwerpen liet het me niet meer los. Het was niet eerlijk van me om je in het ongewisse te laten, ook al was het geen heuglijk nieuws.'

Emera keek hem met grote ogen aan.

'Heb je dat echt voor me gedaan? Ben je met hem gaan praten?'

'Ja, natuurlijk. Ik had het je toch beloofd? Maar ik wilde dat ik meer had kunnen doen. Dat ik hem tot andere gedachten had kunnen brengen en dat hij zag wat voor een prachtmens je moeder wel is.'

Emera voelde een warm gevoel door zich heen gaan. Tranen van dankbaarheid prikten achter haar ogen. Na alle roddels en kwaadsprekerij waren zijn woorden als zalf op een wond.

'Dank je, Benjamin. Dat is erg lief van je. Ik hoop dat dokter Wouters zich op een dag toch nog bedenkt.'

Benjamin zweeg. Hij kende zijn vader en wist heel goed dat een verzoening zo goed als uitgesloten was. Maar hij kon haar dat onmogelijk zeggen.

Emera keek naar zijn profiel. Toen hij antwoord had gegeven op haar vele medische vragen, leek het net alsof ze hem al een eeuwigheid kende. Hij was zo geduldig, zo begripvol, zo lief en attent. Ze dacht aan Kasimir. Hij was ook lief en attent, maar anders. Bij Benjamin voelde ze zich heerlijk rustig en was er geen greintje angst te bespeuren. Het leek net alsof ze hem door en door vertrouwde, ook al kende ze hem nauwelijks. Dat besef kwam met een schok. Ze realiseerde zich dat ze van hem hield. Deze liefde was sterk en puur, heel anders dan datgene wat ze voor Kasimir voelde. Met Benjamin zou ze de rest van haar leven gelukkig kunnen worden, daar was ze van overtuigd! Maar hield hij ook van haar?

Toen ze naar hem opkeek, zag ze dat hij haar aankeek. Hij vond haar zo verschrikkelijk mooi dat hij het niet eens in zijn hoofd haalde om nog maar te dénken dat ze van hem zou kunnen houden. Hij was er zo intens van overtuigd dat een prachtige jonge vrouw niets te maken wilde hebben met een mismaakte man.

Maar Emera zag alleen een knappe man, een man waarbij ze zich veilig en geborgen voelde en waardoor haar hart op dit ogenblik als een razende tekeer ging. Maar hij was een dokter en zij maar een gewone meid. Misschien was ze niet goed genoeg voor hem en kwam het daardoor dat hij haar zo afstandelijk aankeek? Deze laatste gedachte ontnuchterde Emera en ze draaide teleurgesteld haar hoofd van hem weg. Ze schuifelde onrustig met haar klompen in het zand.

'Vertel me eens iets over je familie, Benjamin?' vroeg ze plots. 'Vinden ze het goed dat jij hier bent?'

Benjamin bleef haar aankijken terwijl hij antwoordde. 'Wat zouden zij daar op tegen kunnen hebben?' vroeg hij in tegenstelling tot wat hij dacht.

'Nou ja... Jij bent haast een dokter en wij... Je begrijpt wel wat ik bedoel, niet?'

Toen hij doorhad wat ze wilde zeggen, waagde hij het om haar hand vast te pakken. 'Dat mijn ouders geld genoeg hebben om me te laten studeren, wil nog niet zeggen dat ik verstandiger of beter ben dan jij, Emera. Aan de hand van de vragen die je me stelde kan ik met zekerheid zeggen dat je haast zoveel weet als ik en ik vond het heerlijk om er met je over te praten.'

'Ik vind het ook fijn om er met jou over te praten, Benjamin. Ik wilde dat we dat meer konden doen.'

'O ja?' Benjamins hoop flakkerde op.

'Ja. Maar ik ben bang dat je ouders het zullen afkeuren. We zijn nu niet bepaald van dezelfde stand.'

'Ik zie niet in wat ze aan je kunnen afkeuren. Bovendien ben ik oud genoeg om zelf mijn beslissingen te nemen, Emera.'

'Ik zou niet graag hebben dat er onenigheid van komt. Dat wil ik je niet aandoen.'

'Ik heb het nooit goed kunnen vinden met mijn vader en met mijn broer, maar ik weet zeker dat mijn moeder je dadelijk aardig zou vinden,' antwoordde hij eerlijk.

Hij keek haar even recht aan. 'Er is iets wat ik je moet vertellen, Emera...' Hij wilde haar de waarheid vertellen, maar de woorden bleven in zijn keel steken. Hij kon het niet! Hij was verschrikkelijk bang dat ze dan helemaal niets meer met hem te maken wilde hebben.

'Ik zou je graag terug willen zien,' zei hij daarvoor in de plaats. Hij haalde diep adem en zette zich schrap voor een teleurstelling, terwijl hij vervolgde: 'Maar ik weet ook wel dat niemand graag het hof wordt gemaakt door iemand met een geschonden uiterlijk. Je zou me al een groot plezier doen als ik gewoon een vriend mocht zijn die je af en toe mag komen opzoeken.'

Emera's hart sloeg een roffel. Ze begreep nu dat zijn huidaandoening hem meer getekend had dan ze vermoedde. 'Je hebt gelijk, Benjamin,' antwoordde ze. 'Ik word niet graag het hof gemaakt door iemand met een geschonden uiterlijk.' Ze lachte toen ze zijn teleurstelling zag. 'Maar wel door een knappe, geleerde man zoals jij,' liet ze erop volgen.

Het duurde enkele seconden voordat hij besefte wat ze gezegd had en toen hij haar aankeek zag hij dat haar blauwe ogen zacht en liefdevol naar hem opkeken. Hij slikte. 'Weet je het zeker, Emera? Je zou van mij de gelukkigste man van heel de wereld maken.'

'Ik weet het zeker, Benjamin. Maar ik ben bang dat ik door je ouders niet erg geapprecieerd zal worden.'

'Je hoeft niet bang te zijn, Emera. Ik ben oud genoeg om zelf een vrouw te kiezen en bovendien ben ik ervan overtuigd dat mijn moeder je met open armen zal ontvangen. Voor mijn vader zal het nooit goed genoeg zijn, dus kan ik maar beter mijn eigen hart volgen.'

Hij keek haar zo warm en zo intens aan, dat Emera haar liefde voor hem tot in haar tenen voelde. Zijn hoofd boog langzaam naar haar toe.

Het gerammel van enkele potten in het huis deed hen plots beseffen dat ze niet alleen waren. Met een schok werd de betovering verbroken. Ze gingen weer rechtop zitten en ze keken elkaar even grinnikend aan.

'Ik moet nu gaan, Emera. Het begint al behoorlijk donker te worden en ik moet nog een kamer boeken voor deze nacht. Als je wilt, kom ik morgen nog even langs.'

'Graag. Ik zal op je wachten, Benjamin.'

Even later had Benjamin ook afscheidgenomen van Mimi en was hij het pad afgelopen naar het dorp. Diezelfde avond danste Emera al neuriënd het huis door, deed zonder morren alles wat haar moeder haar opdroeg en leek op wolken van geluk te zweven. Mimi wist dadelijk wat er aan de hand was, maar ze was verstandig genoeg om er niets over te vragen. Als de tijd rijp was zou Emera het haar zelf wel zeggen. Ze was blij dat haar jongste dochter zo gelukkig was, maar geluk kon zo vlug doorgeprikt worden. Ze wachtte af, in stilte en met hoop.

HOOFDSTUK 13

Viktor liet de cognac in zijn glas ronddraaien en keek er even peinzend naar voordat hij zijn hoofd oprichtte en pastoor Adriaans aankeek.

'Ik ben hier naartoe gekomen om even met u te praten over die… die kruidenvrouw.'

'Mimi?'

'Juist, ja.' Viktor zag dat de pastoor, gemakkelijk achterovergeleund, een slok uit zijn glas dronk en daarna genietend met zijn tong klakte.

'Wat is er met haar? Ik dacht dat ze haar leven wel gebeterd had nadat ik met haar heb gesproken.'

'Gebeterd? Ze strooit nog altijd even kwistig rond met haar brouwsels! En het zal niet beteren voordat ik er een eind aan maak! Ik ben van plan om de schepenbank bij elkaar te roepen. Het wordt hoog tijd dat zij ophoudt met haar onchristelijke praktijken!'

Pastoor Adriaans keek de verontwaardigde man voor hem verbluft aan. 'Een drastische aanpak, mijn beste. U weet toch dat Mimi hier erg geliefd is en dat ze ook veel goede dingen doet? Bovendien is ze wel degelijk een goede christen. Zij komt elke zondag naar de mis en stopt geregeld wat in het offerblok.'

'Is iemands leven nemen dan geen doodzonde, mijnheer pastoor?'

'Dat van Ella? Maar ook u zult weleens patiënten hebben die niet meer te redden zijn, dokter Wouters. Ons leven ligt nu eenmaal in Gods handen.'

'Niet alleen dat van Ella. Uit verhalen van mijn patiënten kan ik afleiden dat velen van hun overleden familieleden nog zouden leven indien ik ze had gediagnosticeerd. Haar brouwsels doen meer kwaad dan goed! Zelfs nu, op dit ogenblik, ken ik verschillende mannen en vrouwen die zij langzaam met haar mengsels aan het vergiftigen is. Ik heb meer dan genoeg getuigen die zich ellendig voelden toen ze onder haar behandeling stonden. Die vrouw weet niet eens waar ze mee bezig is. Ze is ongeletterd en onkundig!'

Pastoor Adriaans nipte van zijn glas. 'Dat laatste kan ik niet helemaal ontkennen.'

Viktor profiteerde van deze toegeving en ging snel verder. 'U weet net zo goed als ik, mijnheer pastoor, dat de studie voor dokter niet gemakkelijk is. Wij kennen het menselijke lichaam vanbinnen en vanbuiten. Wij kennen de verschillende besmettelijke ziekten die ons kunnen teisteren en de laatste nieuwe medicijnen om deze te behandelen. De tijd dat kruidenvrouwtjes de zieken en gewonden verzorgden is verleden tijd. Zij kunnen niet opereren, zij kunnen zich niet eens voorstellen hoe een mens er vanbinnen uitziet. Dankzij ons, dokters en chirurgen, heeft de mensheid een veel betere kans om – met Gods hulp, natuurlijk – ziekten en verwondingen te overleven. Moeten we deze kennis aan diggelen laten gooien door vrouwen zoals Mimi? Nee, mijnheer pastoor. God heeft ervoor gezorgd dat wij een stel hersens hebben gekregen en dat de wereld toebehoort aan hen die gestudeerd hebben. Hij zou zich vreselijk vertoornd voelen als we niets met deze gave zouden doen. Hij heeft ons de kans gegeven om mensen beter en deskundiger te kunnen helpen. Het zou een vreselijke zonde zijn om deze kans niet te gebruiken omdat er nog altijd vrouwen zijn zoals Mimi die onze kennis ondermijnen.'

'Tja, als je het zo uitdrukt, dan moet ik je gelijk geven.'

'Dat heb ik ook, mijnheer pastoor. En ik ben niet de enige die deze mening is toegedaan. Rentmeester Naets denkt er hetzelfde over en zelfs mejuffrouw Marie-Thérèsa Caers. Bovendien heb ik verleden week nog met burgemeester Van Merode gesproken. Hij was het volledig met me eens. Hij vond dat het mijn plicht was om deze vrouw voor de schepenbank te brengen. Omdat het maar om een simpel geschil gaat, stelde hij voor om de rechtszaak ook simpel te houden en enkel het schepengezelschap en rechter Schoofs op te roepen om beide partijen te beluisteren. Een van deze dagen zal Mimi dus de veldwachter mogen verwachten met een dagvaarding.'

'Wat bent u van plan om met haar te doen? Wilt u haar de gevangenis in laten draaien?'

Viktor schudde het hoofd. 'Nee. Ik ben geen onmens, al verdient ze het wel. Ik wil enkel dat ze uit dit dorp verbannen wordt en dat ze ophoudt met haar gifmengsels.'

'En haar beroep als baker dan? De meeste zwangere vrouwen rekenen op haar.'

'Elke vrouw kan baker zijn, mijnheer pastoor. Kinderen baren is het meest natuurlijke wat er is. Het enige dat bakers moeten doen is troost bieden en raad geven. Nou, dat kan toch iedereen? Zelfs de nonnen van het Sint-Vincentiusklooster.'

Pastoor Adriaans grinnikte. 'Ik vraag me af of zuster Thérèsa wel een vrouw is en als ze dat is, dan weet ze niet eens waar de kindjes vandaan komen! Ik zie haar nog geen baker zijn, dokter Wouters en anders beklaag ik die arme drommels in het kraambed.' Hij schaterlachte, zodat zijn dubbele kin schudde. Viktor lachte mee omdat hij wist dat de pastoor en zuster overste nu niet bepaald goed met elkaar overweg konden. Hij wachtte even tot de pastoor was uitgelachen en vervolgde: 'Zoals ik al zei zijn er genoeg kandidaten om haar beroep als baker over te nemen. En als er complicaties optreden, moeten ze toch mijn hulp inroepen.' Na deze woorden dronk dokter Wouters zijn glas in één teug leeg. Hij zette het lege glas op een bijzettafeltje en vervolgde: 'Ik hoop dat je het met me eens bent, mijnheer pastoor. Ik heb genoeg getuigen en bewijzen om haar voor altijd op te sluiten, dat zegt toch genoeg, niet? Ik ben dus nog heel billijk als ik alleen maar om haar verbanning vraag.'

Pastoor Adriaans dronk zijn glas eveneens leeg, nu met iets minder smaak. Hij had Mimi al zo vaak de biecht afgenomen en kende haar als een plichtsbewuste, diepgelovige en rechtschapen vrouw. Het viel hem dan ook moeilijk om dit oordeel over haar te horen vellen. Maar aan de andere kant moest hij toegeven dat dokter Wouters gelijk had en dat geleerde dokters nu eenmaal beter waren dan ongeletterde vrouwen. Bovendien had hij haar gewaarschuwd en blijkbaar had zij deze waarschuwing in de wind geslagen. En wat nog belangrijker was, was dat de notabelen van het dorp achter dokter Wouters stonden. Zelfs burgemeester Van Merode. Dat bond zijn handen. Zij spijzigden zijn offerblok nu eenmaal veel meer.

Op dat ogenblik was Mimi's lot bezegeld...

HOOFDSTUK 14

Kasimir was op weg naar Emera's huis. Een paar dagen geleden had hij uitgebreid en hartstochtelijk afscheid genomen van Elisabeth en haar moeder. Hij was ervan overtuigd dat zijn huwelijk al een voldongen feit was. Hij had zijn weerzin tegen het mollige, onaantrekkelijke meisje opzij gezet en haar overladen met attenties, zoete woordjes en subtiele liefkozingen. Ook haar moeder, een pronte, corpulente dame op leeftijd, had hij met zijn charmes overladen. Hij was zich er maar al te goed van bewust dat hij vooral zijn toekomstige schoonmoeder op zijn hand moest hebben om naar de gunsten van haar dochter te dingen. Nou, het was hem behoorlijk goed gelukt. Ze waren zelfs twee dagen langer gebleven dan dat oorspronkelijk de bedoeling was. Elisabeth adoreerde hem alsof hij God zelf was – het was bijna heiligschennis – en haar moeder was zo onder de indruk van zijn charmes dat zij het niet kon laten om hem voortdurend aan te raken. Ze stond erop dat hij volgende maand naar hen toekwam, zodat hij met papa Felix Monard de fabrieken eens kon bekijken.

Kasimir glimlachte. Dat had hij goed geregeld. Zijn toekomst zag er rooskleurig uit. Als hij eenmaal met Elisabeth getrouwd was, dan zou hij geen dag langer in dit afstompende dorp blijven. Dan zou hij weer in het bruisende Antwerpen wonen en zijn mondaine vrienden weer ontmoeten. Dan had hij geld en prestige genoeg om zich in de hoogste kringen te bewegen en daar de mooiste vrouwen het hof te maken.

Maar zover was het nog niet. Hij had besloten om haar ten huwelijk te vragen als hij volgende maand naar hen toe ging. Hij was ervan overtuigd dat er geen tegenwerking zou zijn.

Hij bande Elisabeth uit zijn gedachten en dacht aan Emera. Hij moest de gang van zaken maar eens een beetje bespoedigen, want veel tijd had hij niet meer. Het gesprek dat hij de vorige avond met zijn vader had gehad, gaf hem te kennen dat deze volop bezig was met een rechtszaak tegen Mimi. Het was nog een kwestie van dagen voordat hij voldoende personen gevonden had die hun woordje wilden komen doen voor de leden van de schepenbank. Kasimir had geopperd dat hij nog wel enkele personen kende die, met een beetje geld, gemakkelijk om te kopen waren om rechter Schoofs nog meer van Mimi's schuld en onkunde te overtuigen. Zijn vader had hem geprezen om zijn gezond verstand en hem gezegd dat hij een zoon naar zijn hart was. Kasimir lachte vergenoegd. Maar eerst moest hij Emera nog aan zijn palmares toevoegen. Hij keek misnoegd naar de lucht, die er grijs en donker uitzag. In de verte hoorde hij zwak het gerommel van onweer dat langzaam dichterbij kwam. Dat betekende waarschijnlijk een fikse regenbui voordat hij goed en wel bij haar huis was aangekomen. Hij zag ertegenop om zich doornat te laten regenen, maar als hij haar wilde zien, had hij geen andere keus.

Toen hij de kasseiweg verliet en een karspoor naast weilanden en velden insloeg, zag hij Emera in de verte het pad naar de Grote Nete inslaan. Ze droeg een mand en was blijkbaar op weg om planten en kruiden te plukken. Zijn hart sloeg een tel over. Kwam dat even goed uit! Hij had verwacht om weer uren te moeten wachten voordat hij haar alleen zou treffen. De donkere lucht was hem ditmaal goedgezind. Ze probeerde het naderende onweer waarschijnlijk voor te zijn. Het feit dat ze naar de rivier toe ging, gaf hem grote voldoening. Daar waren op deze vroege ochtend en met het onweer in het vooruitzicht beslist weinig pottenkijkers. Misschien kon hij nu eindelijk zijn gang eens gaan zonder dat hij bang hoefde te zijn om gestoord te worden. Hij stapte vlug door om haar niet uit het oog te verliezen en haalde haar in toen ze net bij de Kaaibeekbrug aankwam.

'Dag Emera! Wat leuk dat ik je hier zie!' Hij wees naar haar lege mandje. 'Ben je op zoek naar bepaalde kruiden?'

Emera voelde weer dat waarschuwende in haar en ditmaal werd het niet verdrongen door zijn innemende glimlach. Nu ze overtuigd was van haar liefde voor Benjamin, kon ze zijn charmes veel beter weerstaan. Maar de knagende onrust bleef. Op dat ogenblik besefte ze pas goed dat ze nooit echt van Kasimir had gehouden. Ze keek even om zich heen naar het verlaten, groene landschap en kon een huivering niet onderdrukken. Ze was inderdaad van plan om enkele kruiden te zoeken, maar nu veranderde ze van gedachten.

'Nee Kasimir,' zei ze beslist. 'Ik was op weg naar de Kaaibeekhoeve om boter. Ga je mee?' Ze was blij dat de grote hoeve niet zo ver van de brug lag, zodat ze er in een wip kon zijn. Hij aarzelde. De kordaatheid in haar stem deed zijn voorhoofd fronsen. Hij wilde niet met haar mee, want dan zou het niet langer lijken op een toevallige ontmoeting. Het zou hem weleens kunnen compromitteren zo vlak voor de rechtszaak. Maar het was niet zozeer het feit dat ze samen gezien zouden worden, dat hem nu bezorgd maakte. Het was meer haar houding, haar hele manier van doen. Er was iets veranderd.

'Nee, maar ik moet wel even met je praten, Emera,' zei hij listig. 'Het gaat over je moeder. Ik wacht hier wel even tot je terug bent.'

'Over mijn moeder?'

'En eigenlijk ook over mijn vader.'

Nu was ze helemaal verontrust. 'Vertel het me nu maar, Kasimir. De boter kan wel even wachten.'

Kasimir zuchtte diep. 'Goed dan. Maar laten we een eindje langs de oever lopen. Het is een heel verhaal.'

Emera's onrust werd nog meer geprikkeld en ze besloot om hem zijn zin te geven. Misschien was dit ook een goede gelegenheid om hem te vertellen dat ze alleen maar vriendschap voor hem voelde, zodat hij voor eens en voor altijd besefte dat verder aandringen geen zin had.

Ver ging ze niet. Even voorbij de brug zette ze zich in het gras neer en klopte veelbetekenend naast zich. Kasimir kon zijn ergernis met moeite verbergen. Het feit dat het lage struikgewas hen enigszins aan het zicht onttrok, maakte dat hij naast haar ging zitten. Hij verborg zijn ergernis, nam haar hand en keek haar met een gemaakt zorgelijke blik aan. 'O Emera, liefje, ik weet niet hoe ik het je moet zeggen. Ik vind het vreselijk, maar mijn vader...' Hij sloeg zijn blik van haar weg en klemde zijn lippen krampachtig op elkaar voordat hij verderging. 'Ik weet nu zeker dat mijn vader alles wil doen om je moeder een hak te zetten. Ik heb hem gesmeekt om haar met rust te laten, maar hij wil niet naar me luisteren.'

Emera keek een ogenblik in zijn knappe gezicht. Ze zag tranen blinken en kreeg medelijden. Een paar maanden geleden zou ze hem troostend in haar armen genomen hebben, maar die tijd was voorbij. Ze hield niet langer van hem en ze kon deze gevoelens niet veinzen enkel en alleen om haar moeder te vrijwaren van dokter Wouters' haat. 'Wat bedoel je, Kasimir? Wat wil hij mijn moeder aandoen?'

Kasimir haalde lichtjes zijn schouders op. 'Ik weet het niet, Emera. Hij wil het me niet zeggen. Maar ik ken mijn vader. Hij zal niet ophouden tot hij zijn zin krijgt. Het enige wat we kunnen doen is onze liefde verstevigen. Als jij net zo veel van mij houdt als ik van jou, dan staat mijn vader schaakmat.'

Op dat ogenblik schoot een bliksemschicht door de grijze lucht, gevolgd door een donderslag. Emera keek geschrokken omhoog. 'Kom!' Kasimir sprong op en trok haar overeind. 'Daar kunnen we schuilen!' Hij wees naar een bouwvallig houten stalletje, dat iets verder van de oever verwijderd stond.

Emera wilde zich protesterend losrukken, maar toen de eerste dikke druppels op haar neervielen, liet ze haar protest achterwege en rende ze net zo hard als hij naar de enige droge beschutting in de directe omgeving. Het stalletje had maar drie gesloten zijden, waarin grote gaten gaapten op die plaatsen waar de planken waren weggerot. Het dak was er niet veel beter aan toe, maar aan de rechterkant was het nog behoorlijk intact. Ze hadden nog maar net het stalletje bereikt toen de hemelsluizen zich openden en het water in een stortvloed naar beneden kwam. Kasimir grinnikte. 'Net op tijd.' Hij keek naar boven. 'Ik hoop maar dat het resterende dak het nog even uithoudt.' Hij deed zijn jasje uit en spreidde het uit op het weinige stro dat er nog lag. 'Ga hier maar op zitten, Emera, dan wordt je rok niet vuil. We zullen noodgedwongen moeten wachten tot het onweer over is.' Emera keek even naar de donkere lucht die hier en daar doorkliefd werd door felle bliksemflitsen. Het rommelen van de donder leek nu overal rondom hen. Ze begreep dat het nog wel even kon duren voordat het onweer was overgetrokken en zette zich enigszins misnoegd neer. Hij wachtte geduldig tot ze zat en ging naast haar zitten. 'Eigenlijk is dit nog niet zo slecht,' hernam hij het gesprek. 'Nu kunnen we verder praten en toch droog blijven. Gezellig.' Hij nam haar hand weer vast en drukte een kus in de palm ervan.

'Ik meen het, Emera. Er is maar een manier om mijn vader van gedachten te laten veranderen. We moeten laten zien dat we van elkaar houden.'

Emera maakte voorzichtig haar hand los en schudde het hoofd.

'Het… het spijt me, Kasimir. Maar ik kan niet van je houden.'

Hij kreunde. 'Dat méén je niet, liefje. Je weet niet wat je zegt. Ik wéét dat je van me houdt.'

'Je begrijpt het niet, Kasimir. Ik… ik houd van iemand anders. Ik kan je alleen nog maar mijn vriendschap geven.'

Hij keek haar even sprakeloos aan. 'Een ander? Er is niemand in dit dorp die beter is dan ik, Emera! Wie is het?' Hij was vastbesloten om die kerel eens flink de les te lezen, zodat hij Emera met rust liet, maar haar antwoord liet al vlug die gedachte varen.

'Het heeft geen zin dat ik je zijn naam geef, Kasimir. Hij woont niet eens in het dorp of in één van de omliggende gehuchten. Ik heb hem leren kennen toen hij hier op vakantie was en hij heeft me gevraagd om me weer te zien.'

'Een vreemdeling? En jij hebt ja gezegd?'

'Ik houd van hem, Kasimir.'

Hij wuifde haar woorden geërgerd weg 'Dat denk je maar, liefje. Hoe kun je dat nu weten na zo'n korte tijd? Je weet toch waar hij op uit is? Een vreemdeling mag je nooit vertrouwen. Hij wil vast van je profiteren, een beetje met je spelen, daar ben ik van overtuigd. Je moet hem uit je hoofd zetten, Emera. Er is niemand die meer om je geeft dan ik en ik weet zeker dat jij ook nog van mij houdt. Bovendien moet je aan je moeder denken. Wil je dan dat mijn vader haar het leven zuur maakt?'

'Nee, natuurlijk niet. Maar ik kan mijn hart niet loochenen, Kasimir. Het spijt me.' Emera voelde dat Kasimir ontdaan was door dit nieuws en ze wilde opstaan en weggaan zodat hij het kon verwerken. Maar hij greep haar rok en hield haar tegen.

'Ga niet weg, Emera. Je zou doornat zijn voordat je een paar stappen gezet hebt.'

Emera staarde naar het regengordijn en zuchtte teleurgesteld toen ze besefte dat hij gelijk had.

'Laten we het gezellig maken,' grijnsde Kasimir. Nu hij besefte dat ze het meende, gooide hij het over een andere boeg. 'Het is niet omdat je hart aan een ander toebehoort, dat we geen plezier mogen maken...' Hij streelde met zijn wijsvinger over haar wang en vervolgde: 'En dat we niet mogen genieten van elkaar.' Emera trok haar hoofd weg en keek hem kwaad aan toen ze besefte wat hij bedoelde. 'Als je niet wilt inzien dat ik van iemand anders houd, dan verkies ik nog liever doornat te worden dan hier samen met jou te blijven,' antwoordde ze gevat. Ditmaal stond ze resoluut op. Maar hij greep haar arm vast, zodat ze niet weg kon.

'Au, je doet me pijn, Kasimir. Laat me los.' Hij grinnikte, terwijl zijn vingers nog harder knepen en haar op haar plaats hielden. Met zijn andere hand nam hij haar kin en dwong haar hem aan te kijken. 'Wil je niet liever in mijn ogen verdrinken dan buiten in de regen, liefje?' Zijn stem klonk schor en fluisterend. 'Ik weet zeker dat je nog altijd naar me verlangt.' Zijn lippen gleden als een streling over haar gezicht, gingen naar haar hals en bleven even op een kloppende ader rusten. 'Je hart klopt vlug, lieveling, en je mooie

huid trilt. Geef maar toe dat je net zo veel wilt genieten als ik.'
Emera rukte haar hoofd met een gil los. Zijn vingers lieten rode
vlekken na op haar kin en wangen. 'Nee! Laat me los, Kasimir!' Ze
keek met een woedende blik naar zijn hand, die nog steeds als
onwrikbaar staal haar arm omklemde. Hij grijnsde alleen maar.
Een spottende, verwijtende grijns. Hij wilde haar niet loslaten.
Niet nu hij haar eindelijk op een plaats had waar niemand hen kon
storen. Hij wilde gewoonweg niet aanvaarden dat ze niets meer
voor hem voelde. Dat kon gewoon niet! Voordat Emera er erg in
had, duwde hij haar hard achterover. Ogenblikkelijk lag hij bovenop haar, zodat de zwaarte van zijn lichaam haar vasthield. 'Ik zal je
laten voelen wat genieten is, schatje,' fluisterde hij schor bij haar
oor. 'Ik weet zeker dat je me er dankbaar voor zult zijn.'
Emera was heel even verdoofd geweest door de schok, maar nu ze
besefte wat er ging gebeuren begon ze te gillen en verwoed met
haar armen en benen te slaan. Hij dwong haar armen boven haar
hoofd en hield haar beide polsen in een ijzeren greep vast. Het gillen smoorde hij door zijn lippen op die van haar te drukken.
Emera voelde hoe zijn vrije hand haar bloes opentrok en tranen
van onmacht vulden haar ogen. 'Ontspan je, liefje, je zult zien dat
het heerlijk is,' fluisterde hij hees van opwinding. Buiten stroomde de regen nog altijd kletterend omlaag. Soms verlichtte een blik-
semflits de donkerte van de stal en liet twee verstrengelde, wor-
stelende gestalten zien. Het rommelen van de donder en de neer-
gutsende regen overstemde elk ander geluid. Kasimir kneedde
haar bosten en drukte er vurige kussen op. Emera spartelde met
haar benen en gilde dat hij haar los moest laten. 'Laat me los,
Kasimir! Ik haat je! Ik haat je!' Ze spuwde deze woorden uit.
Vreemd genoeg leken ze Kasimir weer bij zijn positieven te brengen. Hij staarde verbouwereerd naar haar panische gezicht, liet
daarna haar handen los en gleed van haar af.
Toen Kasimir van haar afrolde besefte hij dat hij haar bijna had
verkracht. Dat was niet zijn bedoeling. Hij ging er juist prat op dat
hij vrouwen kon bespelen tot ze hem vrijwillig gaven wat hij wens-
te. Maar het was haar eigen schuld. Ze had hem van zijn zinnen
beroofd. Hij stond op en keek naar het snikkende figuurtje dat met
haar rug naar hem toe lag.
'Nu hoef je niet te huilen, Emera. Je wilde zelf net zo veel van het
liefdesspel genieten als ik, anders was je niet met me mee hier
naartoe gekomen. Geef het maar toe. Je lokkende blik, je sensuele

mond, je blote enkels en knieën toen je naast me zat, allemaal tekens dat je er net zo veel zin in had. Nu moet je niet doen alsof ik je gedwongen heb, want ik heb dat niet gedaan. Je mag van geluk spreken dat ik me nog tijdig kon inhouden, want ik wil geen verkrachting op mijn geweten hebben.' Hij keek nog even op haar neer, maar toen ze nog altijd niets zei, haalde hij ongeïnteresseerd zijn schouders op. 'Ik moet weg.' Zonder er verder nog een woord aan vuil te maken, trok hij zijn jas onder haar vandaan, trok hem aan en zette de kraag ervan rechtop, voordat hij de regen instapte, die nog altijd gestaag maar minder hevig naar beneden stroomde. Emera bleef nog een hele poos onbewegelijk liggen. Enkel het schokken van haar schouders was zichtbaar. Ze huilde zacht en stil voor het onrecht dat haar was aangedaan en tegelijkertijd realiseerde ze zich dat het misschien toch haar eigen schuld was. Had ze Kasimir aangemoedigd? Had ze hem hoop gegeven? Had ze een zonde begaan? Strafte God haar op deze manier? Al deze vragen en veronderstellingen deden haar nog harder huilen. O, wat voelde ze zich ellendig. Maar de geestelijke pijn was op dit ogenblik veel erger dan de lichamelijke. De vernedering die ze had moeten ondergaan; de schaamte omdat ze hem aanleiding had gegeven, al begreep ze niet goed hoe; het besef dat ze Benjamin nu niet langer onder ogen durfde te komen; de schande als iemand het te weten zou komen. Ze zou het niemand kunnen zeggen, zelfs haar moeder niet. Ze zou het heel haar leven met zich meedragen, als een smet, als een onuitroeibare etterende steenpuist. Ze snikte nu met lange, diepe halen, zodat haar hele lichaam schokte.

Het duurde even voordat het snikken wat tot bedaren kwam. Emera richtte zich op en wiste de tranen van haar wangen, maar toen ze haar kleding weer rechttrok en het stro ervan afklopte, begonnen ze toch weer te lopen. Ze stond op en haalde diep adem. Ze nam een tip van haar rok en depte haar ogen en wangen droog. Haar moeder mocht niet zien dat ze gehuild had, anders zou ze beslist vragen gaan stellen en ze kon dat nu niet aan. Ze wachtte nog even tot het rillen van haar lichaam verminderde en verliet het bouwvallige hok. De regen was opgehouden, maar alles droop en drupte en de lucht was nog zwaar bewolkt, zodat er elk ogenblik een nieuwe bui kon losbarsten. Emera zag het niet eens. Als verdoofd volgde ze het pad, maar de schrijnende pijn in haar binnenste maakte haar maar al te zeer bewust van de werkelijkheid. Haar ogen waren gelukkig al minder opgezwollen toen ze thuiskwam. Bovendien was ze onderweg nog overvallen door een regenvlaag, zodat ze dadelijk naar boven holde om droge kleding aan te trekken. Het lukte haar nadien om gewoon te doen, alsof er niets was gebeurd.

Maar Mimi ondervond al snel dat er iets niet in orde was. De dagen daarna zag ze haar dochter dikwijls afwezig voor zich uit staren en haar ogen stonden dof en droevig of waren roodomrand, alsof ze gehuild had. De vrolijkheid die ze van haar dochter gewoon was, was verdwenen. Zou haar jongste kind een ziekte onder de leden hebben? Of was er iets anders dat haar dwarszat? Ze besloot om er even met haar over te praten. Op deze zaterdagnamiddag was het vrij rustig. Ze moest nog even naar Kobus, die met een manke zeug zat, maar daarna zou ze beslist tijd maken om Emera te vragen wat er haperde. En ze zou niet opgeven tot ze wist wat het was!

Zover kwam het echter niet. Mimi was nog maar net terug van Kobus, toen de veldwachter aan de deur verscheen met een brief waarin stond dat ze dinsdagochtend in de zaal van het vredegerecht werd verwacht. Ze werd beschuldigd van oplichterij, van het toedienen van giftige brouwsels met de dood als gevolg en van onkundige verzorging. Mimi was er zo van geschrokken dat ze Emera's problemen vergat. Ook Emera kreeg een schok toen ze het hoorde. Ze had nooit gedacht dat het zo ver zou komen, ze had nooit gedacht dat dokter Wouters haar moeder voor het gerecht zou dagen. O lieve help, het was haar schuld! Zij had dit kunnen voorkomen als ze op Kasimirs wensen was ingegaan. Hij had haar gewaarschuwd en zij had deze waarschuwing in de wind geslagen. Haar schouders zakten nog dieper. Nu was het te laat! Of misschien toch niet? Kasimir hield van haar en ook al waren deze gevoelens niet wederkerig... Als ze nu naar hem toeging... Misschien konden ze samen zijn vader ervan overtuigen dat hij een vergissing gemaakt had!

Ze sprong op. 'Ik moet even weg, moeder!' Ze greep haar schouderdoek van de haak en was het huis al uit voordat Mimi haar kon vragen waar ze naartoe ging. Ze haastte zich naar het dorp, liet haar klompen roffelen op de kasseiweg en wachtte even voor de deur om wat op adem te komen voor ze aanbelde. Hélèna van Dormael deed open. Toen ze Emera zag, keek ze even hautain op haar neer. 'Dokter Wouters is niet thuis, meisje.'

Emera schudde haar hoofd. 'Ik kom niet voor de dokter, mevrouw. Ik... ik zou graag met Kasimir willen spreken.'

'Kasimir? Wat wil je van mijn zoon?'

'Laat maar, mama. Ik zal wel met haar praten.' Kasimir verscheen bij de deur en keek Emera met een geërgerde blik aan. Hij nam haar bij haar elleboog zodat ze enigszins gedwongen werd om hem te volgen en nam haar mee naar zijn vaders kabinet. Daar sloot hij de deur zorgvuldig, zodat zijn moeder het gesprek niet kon volgen. 'Wat wil je van me?' siste hij woedend zodra hij de deur gesloten had. 'Wat kom je hier doen? Besef je dan niet dat je mijn moeder helemaal overstuur hebt gemaakt?'

Zijn woorden brachten haar in de war. 'Ik... Het was helemaal niet de bedoeling... O Kasimir, jouw vader... Mijn moeder wordt op het gerechtshof verwacht.' Meer kon ze op dat ogenblik niet uitbrengen.

'Denk je nu heus dat ik dat niet weet? Ik heb je ervoor gewaarschuwd!'

Emera knikte. 'Ik had beter naar je moeten luisteren, Kasimir. Maar misschien kunnen wij je vader nog tot andere gedachten brengen. Als hij weet wat we met elkaar gehad hebben...'

'Wat hebben we gehad?' onderbrak hij haar honend. 'Ik heb je een paar keer gezien, Emera, en een paar woorden met je gewisseld, maar dat betekent nog niet dat we iets met elkaar gehad hebben.'

Ze keek verbluft op. 'Maar... maar wat er laatst gebeurd is...'

'Dat heeft niets te betekenen, meid. Als jij niet zo gewillig was geweest, dan was er niets gebeurd. Ik ken je amper! Bovendien wil ik niets meer met je te maken hebben. Ik ben zo goed als verloofd en ik laat mijn geluk niet vergallen door een domme boerenmeid die denkt dat ze me kan strikken met leugens en mooie praatjes. Het ga je goed, Emera, en doe de groeten aan je moeder.'

Na deze woorden opende hij de deur. Een niet mis te verstaan gebaar. Emera deed er het zwijgen toe. Ze kon geen woord uitbrengen, ook al zou ze het willen. Haar keel was verstikt van de tranen die ze met alle geweld tegenhield. Hij liet haar uit zonder nog één woord te zeggen. Pas toen ze de kasseiweg had verlaten en opgeslokt werd door de begroeiing, kon ze haar tranen niet langer bedwingen. Ze stroomden over haar wangen en deden haar lichaam schokken.

Kasimir had haar een tijdje nagekeken. Hij zag dat ze kaarsrecht ging, met opgeheven hoofd. Ergens ergerde het hem. Hij had gehoopt dat het haar zou raken, dat ze hem hysterisch zou smeken om van hem te mogen houden. Nu ja, hij was van haar verlost, dat was het voornaamste. Toen hij de deur sloot en zich omdraaide, stond zijn moeder achter hem.

'Wat kwam dat meisje doen, Kasimir?' vroeg ze langs haar neus weg.

Verveeld antwoordde hij op haar vraag. Hij moest haar iets voorliegen, anders zou ze hem niet met rust laten. 'Niets om je zorgen om te maken, mama. Emera kwam me zeggen dat haar vriendin ziek was van ellende, omdat ik niet wil ingaan op haar avances. Ik heb haar gezegd dat ik verloofd was en dat ik mijn huwelijksgeluk niet in gevaar wil brengen door in te gaan op een hysterische meidengril.'

Hélèna drukte een hand tegen haar borst. 'Hoe komt dat arme kind erop om op jou verliefd te worden?'

Hij pakte glimlachend een hand van haar vast en drukte een kus in de palm ervan. 'Ach, mama, wie wordt er nu niet verliefd op me? Ik kan het ook niet helpen dat ik er goed uitzie en weet hoe ik een vrouw kan charmeren. Dan had jij me maar niet zo perfect moeten maken.'

Hélèna glimlachte en duwde hem plagend tegen zijn borst. 'Ach, gekkerd! Ik kan die meisjes best begrijpen. Als jij maar oplet dat je hen kan weerstaan.'

'O, wees maar niet ongerust, mama. Jij kent me toch? Zoiets zou ik nooit doen.'

Hélèna knikte, overtuigd van zijn onschuld.

HOOFDSTUK 15

Benjamin neuriede terwijl hij het pad op ging naar Mimi's huis. Hij voelde zich uitgelaten, blij als een jong kind. Sinds hij wist dat Emera ook bepaalde gevoelens voor hem koesterde, was ze nog geen ogenblik uit zijn gedachten geweest. Er waren momenten dat hij het niet eens kon geloven en dacht dat hij dit alles maar gedroomd had. Maar nu was hij weer op weg naar haar toe. Hij versnelde zijn stappen en keek genietend naar de groene velden en weiden. De dag leek al even stralend als zijn gemoed, met een warme zon in een haast wolkenloze lucht. Hij kon haast niet wachten om haar weer te zien.

De deur stond open en hij zag Mimi in een van de armstoelen zitten. Ze keek even op toen hij binnenkwam, maar sloeg haar blik onwennig van hem weg.

Benjamin zag dadelijk dat er iets aan de hand was. Dit was niet de vrolijke en energieke Mimi die hij kende. Hij ging naar haar toe; liet zich op zijn hurken zakken en nam een van haar koude handen vast. 'Wat is er, Mimi?' Zijn hart klopte luid van angst toen hij Emera nergens zag. 'Is er iets met Emera?'

Mimi schudde zacht het hoofd. 'Emera maakt het goed, Benjamin, ook al is ze er net zo van aangedaan als ik.' Ze keek even op naar zijn vragende blik en vervolgde: 'Dokter Wouters heeft me aangeklaagd. Ik word morgen in het gerechtshof verwacht.' Ze zei het zo stil dat Benjamin moeite moest doen om haar te verstaan, maar de woorden drongen als mokerslagen door hem heen. Geschokt bleef hij haar aanstaren. Mimi kon haar tranen amper bedwingen. Haar ogen waren nat toen ze hem aankeek. 'O Benjamin, wat moet ik doen? Ik weet niet eens hoe ik me moet verdedigen. Wat gaan ze met me doen? Wat staat me te wachten? O lieve help, ik ga dood als ze me in de gevangenis stoppen!' Ze liet haar tranen nu de vrije loop en schudde volledig ontredderd het hoofd. Benjamin trok haar even troostend tegen zich aan. Hij zei niets. Hij kon haar niet geruststellen, hoezeer hij dat ook zou willen.

'Waar is Emera, Mimi?'

Mimi richtte zich weer op. 'Ik wilde dat ik haar hiervoor kon beschermen, dat arme kind… Ze is nog amper een schim van zichzelf. Ze is net voordat je kwam naar de stal gegaan met de woorden dat ze de dieren ging voederen. Ik denk dat ze graag even alleen wilde zijn.'

'Vind je het erg als ik even met haar ga praten? Ik wil haar en jou zeggen dat ik achter jullie sta en dat ik alles wil doen om jullie te helpen.'

Mimi glimlachte vluchtig. 'Ik weet dat je het goed bedoelt, Benjamin, maar ik vrees dat niets ons nog kan helpen. Het schepencollege zal aanwezig zijn, allemaal notabelen die dezelfde mening zijn toegedaan als dokter Wouters. Ik denk niet dat ik een schijn van kans maak.' De tranen welden weer op. 'Maar het is goed dat je met haar gaat praten. Op dit ogenblik heeft ze een goede vriend hard nodig. Je zult haar wel in het kippenhok vinden, en anders bij de geit in de stal.'

Hij vond haar inderdaad in de stal, waar ze op wat stro zat, haar knieën opgetrokken en haar armen eromheen geslagen. Ze staarde afwezig naar de witte geit die mekkerend haar richting uitkeek. Toen ze Benjamin binnen zag komen, voelde ze een steek door haar heen gaan. Ze had sterk het gevoel dat ze hem bedrogen had en ze voelde zich vreselijk schuldig. Ze sloeg haar blik van hem weg, uit angst dat hij in haar ogen kon zien wat ze had gedaan. Haar afwijzende houding viel hem dadelijk op, maar hij weet het aan het feit dat de dagvaarding haar erg had aangegrepen. Hij ging naast haar zitten en zuchtte diep, terwijl hij eveneens naar de geit staarde.

'Je moeder heeft me verteld wat er is gebeurd,' zei hij zacht. 'Ik vind het vreselijk onrechtvaardig en ik beloof je dat ik alles in het werk zal stellen om jullie te helpen.'

Ze draaide langzaam haar hoofd naar hem toe. 'Dat is vriendelijk van je, Benjamin, maar ik denk niet dat je mijn moeder kunt helpen. Als ze haar morgen naar de gevangenis sturen, dan ga ik met haar mee. Ik laat haar niet in de steek, wat ze ook denken. Ik... ik neem het je dus niet kwalijk als je niet meer hier naartoe wilt komen.'

Hij keek haar een ogenblik sprakeloos aan. 'Wil jij dan dat ik niet meer kom, Emera?' vroeg hij schor.

Ze twijfelde een ogenblik en wilde hem zeggen dat ze hem niet waard was, dat ze een grote zonde had begaan omdat ze haar naakte lichaam door iemand anders had laten betasten. Maar toen ze zijn zachte, vragende blik ontmoette, kon ze de woorden niet over haar lippen krijgen. Als ze dat zei dan was ze hem kwijt. Voorgoed! En ze hield van hem. Ze hield intens veel van deze man. Kon ze hem dan de waarheid zeggen?

144

'Nee, Benjamin. Ik zou je vreselijk missen als ik je niet meer zou zien, maar je ouders... de schande... Ooo...' Ze barstte in een hevig snikken uit. Benjamin nam haar voorzichtig in zijn armen. Zijn lippen gleden als in een streling over haar donkere haren. Emera voelde het niet eens. Haar hele lichaam schokte en ze drukte zich wanhopig tegen hem aan. Benjamin besefte niet dat haar verdriet nog een andere reden kon hebben dan het onrecht dat zijn vader hen had aangedaan. Hij voelde een verschrikkelijke woede in zich opstijgen. Hij moest met zijn vader praten. Het was te laat om de rechtszaak stop te zetten, maar hij moest erin slagen om zijn vader tot andere gedachten te brengen, zodat Mimi geen hinder of schade ondervond van het proces.

Hij wachtte geduldig tot Emera wat tot bedaren was gekomen. Hij duwde haar een beetje van zich af, veegde de tranen weg met de rug van zijn hand en gaf haar een zakdoek, zodat ze haar neus kon snuiten. 'Ik houd van je, Emera, en ik zal je nooit in de steek laten, wat er ook gebeurt. Vergeet dat niet, liefje. Maar nu moet ik je spijtig genoeg alleen laten. Ik heb nog heel wat te doen als ik je moeder wil helpen.' Hij drukte heel subtiel een kus op haar betraande ogen.

'Wat... wat ga je dan doen?' vroeg Emera nog nasnikkend. Benjamin haalde zijn schouders op. 'Ik weet het nog niet zeker. Ik wilde dat ik een paar dagen vroeger hierheen was gekomen, dan had ik misschien meer kunnen doen. Ik hoop in ieder geval dat ik je straks nog even terug kan zien, want ik wil nog even met je praten. Er is iets dat ik je al langer wil vertellen. Maar nu moet ik echt weg. De dag is nog maar kort en ik wil alle tijd benutten die er nog is.'

Ze stonden beiden op. Benjamin keek haar nog even aan en streelde zacht haar wang. Hij hoefde niet te zeggen hoeveel hij van haar hield. Zijn ogen vertelden genoeg. Hij was verschrikkelijk bang dat ze hem nooit meer wilde zien als ze eenmaal de waarheid wist. O, waarom was hij ook begonnen met deze leugen? Zijn vader was het niet waard. Nooit geweest!

Daarna liet hij haar alleen en beende met grote passen terug naar het dorp. Hij moest zijn vader zo vlug mogelijk vertellen dat hij van Emera hield. Dan zou hij wel inbinden en er alles aan doen om de rechtszaak zo sereen mogelijk te laten verlopen. Naarmate hij de dorpskom naderde, groeiden zijn voornemens. Hij gaf niet langer om het feit dat iedereen hem kon zien. Hij rukte zelfs zijn hoed van zijn hoofd zodat de schilferige huid van zijn gezicht goed zichtbaar was. Het kon hem niets meer schelen! Het moest maar eens gedaan zijn met dat verstoppertje spelen voor de eer en glorie van zijn vader. Iedereen moest hem maar nemen zoals hij was.

Hij ging naar de achterkant van het huis en stapte gejaagd de keuken binnen, zodat Rozalie verschrikt opsprong. Haar wenkbrauwen fronsten zich woedend samen en ze wilde de vreemde indringer eens goed op zijn plaats zetten, maar voordat ze haar mond kon openen, was de man de keuken door en weer verdwenen. 'Hé daar! Dat gaat hier zomaar niet!' Ze liep hem achterna, maar toen Benjamin zijn hoofd omkeerde en zei: 'Het is goed, Rozalie. Ik ben het maar,' bleef ze abrupt staan, zodat haar dubbele kin trilde. 'Jongeheer Benjamin,' fluisterde ze ontzet. Ze had hem nog nooit zo gezien, zonder zijn hoed en op klaarlichte dag. De zeldzame keren dat ze hem had gezien waren vooral 's avonds geweest. Niet meer dan een schim was het, zijn gezicht verstopt onder de donkere schaduwen van zijn hoed. Geen wonder dat ze hem nu niet dadelijk herkende. Benjamin was allang uit haar zicht verdwenen, toen ze zich omdraaide en weer naar de keuken ging.

Benjamin ging zonder aarzelen naar zijn vaders kabinet, maar vond de plaats verlaten. Hij sloot de deur en ging verder naar de zitkamer. Daar trof hij zijn moeder, die met een handwerkje bezig was. Ze keek verrast op. 'Benjamin! Wat leuk! Ik had je niet verwacht.'

Hij forceerde een glimlach en kuste zijn moeder op haar wang. 'Dan is het des te meer een verrassing, mama. Ik zou graag even met papa willen spreken. Weet jij waar ik hem kan vinden?'

'Hij is naar een patiënt, Benjamin. Waarom blijf je hier niet op hem wachten?'

Benjamin beet op zijn onderlip. Het kon misschien uren duren voordat hij terugkwam, maar hij had geen andere keus.

'Spijtig dat Kasimir er niet is,' ging zijn moeder verder. 'Dan zaten we nog eens gezellig bij elkaar. Maar hij logeert op dit ogenblik bij de Monards en hij heeft het er blijkbaar naar zijn zin. Ik had zeker gedacht dat hij terug zou komen voor de rechtszaak. Hij heeft er al net zo erg naartoe geleefd als zijn vader, maar blijkbaar heb ik me dan toch in hem vergist. Nu ja, een rechtszaak kun je ook niet vergelijken met de liefde. O Benjamin, ik weet zeker dat er een huwelijk in het verschiet ligt!'

Benjamin keek zijn moeder bedachtzaam aan. 'Heeft papa met

jou over die rechtszaak gesproken, mama?'

'Nou, echt praten kun je dat niet noemen. Ik weet dat jouw vader die vrouw hier weg wil hebben omdat hij niet akkoord gaat met haar werkwijze, maar dat is dan ook alles. Waarom vraag je me dat?'

Benjamin besloot om zijn moeder eerst deelgenoot te maken van zijn gevoelens voor Emera. Het had geen zin om te wachten tot hij zijn vader had gesproken. Hij schoof een stoel bij, zodat hij recht tegenover zijn moeder zat, plaatste het handwerkje dat op haar schoot lag op een bijzettafeltje en pakte haar handen vast. Hij keek haar een ogenblik aan, terwijl hij nadacht hoe hij kon beginnen. Hij voelde de huid aan zijn rechterkant trekken en jeuken en wist dat de aandoening weer in volle hevigheid kwam opzetten door de stressvolle situatie.

'Ik ben verliefd, mama,' bracht hij er ten slotte uit.

Hélèna keek hem met grote ogen aan. 'Verliefd?' vroeg ze opgewonden. 'Wil je zeggen dat je een vrouw hebt leren kennen en dat jullie...'

Benjamin knikte. 'Ja, mama. Ik heb de vrouw van mijn dromen ontmoet en ik weet dat zij mij ook heel graag ziet.'

'O God in de hemel, dank U wel!' Hélèna straalde. Ze had altijd gehoopt dat er toch ergens een vrouw rondliep die van haar gehavende zoon kon houden. 'Heb je haar in Antwerpen leren kennen? Komt ze uit een gegoede familie?'

Benjamin keek even naar hun verstrengelde vingers. 'Nee, mama. Ik heb haar hier leren kennen. Ze is heel verstandig, mooi en lief.'

'Hier? Wie is het dan?'

'Dat is het nu net... Daarover wilde ik het met papa hebben voordat het te laat is. Ik wist niet dat hij van plan was om haar moeder voor het gerecht te dagen.'

Hélèna werd een beetje wit om haar neus. 'Wil je zeggen...?'

'Ja, mama... Ik houd van Emera, van Mimi's dochter.'

Hélèna trok haar handen los alsof ze was gestoken. Ze stond op en ging enkele passen bij hem vandaan.

'De dochter van die vrouw die morgen wordt berecht?'

Benjamin knikte zonder antwoord te geven.

Hélèna legde geschokt een hand op haar keel. 'Dan mag je haar nooit meer ontmoeten, Benjamin. Mijn zoon met de dochter van een bedriegster, dat kan niet, dat zou mijn dood betekenen.'

'Haar moeder is geen bedriegster, mama.'

'Ze staat morgen voor de schepenbank, Benjamin. Niemand wordt berecht zonder dat ze iets op hun kerfstok hebben, neem dat maar van me aan!'

Benjamin zuchtte diep. Het had geen zin om zijn moeder te overtuigen van Mimi's onschuld.

'Ik houd van Emera, mama. Ik wist niet dat iemand door mijn uiterlijk heen kon kijken, maar Emera ziet mijn huiduitslag niet eens. Ze ziet mij zoals ik ben, zoals ik werkelijk ben. Ik kan haar niet laten gaan. Dat zou mijn hart breken.'

'En jij wilde hierover met je vader praten?'

'Ja. Ik heb vandaag pas vernomen wat hij van plan is. Maar misschien kan hij de rechtszaak nog afblazen en anders kan hij in ieder geval zijn beschuldigingen fel afzwakken, zodat Mimi er met een berisping vanaf komt.'

'Ik kan niet voor hem spreken, Benjamin, maar ik weet zeker dat hij al net zo geschokt zal zijn als ik. Laat haar gaan, jongen, alsjeblieft. Er zullen nog wel meer vrouwen zijn die van je kunnen houden.'

Benjamin stond op. 'Maar er is er niet een zoals Emera,' zei hij zacht. 'Probeer niet om me op andere gedachten te brengen, mama. Ik kan mijn gevoelens niet loochenen. Wil je dan niet dat ik gelukkig ben?'

'Natuurlijk wil ik dat je gelukkig bent, jongen, maar jij verdient beter! Hoe kun je nu gelukkig worden met een meisje zoals zij?'

Benjamin hield afwerend zijn handen op. 'Ik heb geen zin om hierover te redetwisten, mama.'

Na deze woorden bleef het even stil. Hij zag dat zijn moeder bij het raam was gaan staan en in gedachten verzonken naar buiten staarde. Hij hoopte dat ze zo stil was omdat ze deze informatie wilde verwerken en accepteren, want hij was niet van plan om ook maar één duimbreed toe te geven.

Hélèna keek nietsziend voor zich uit. De dochter van een veroordeelde vrouw, ging het door haar heen. Wat zouden haar gerespecteerde vriendinnen daar wel niet van zeggen? En dan de schande hier in het dorp? Nee, ze mocht er niet aan denken! Als die rechtszaak er nu niet was, als Viktor die vrouw nu niet had beschuldigd, dan zou ze er misschien nog vrede mee kunnen hebben. Het was dan misschien wel een ordinaire werkmansdochter die niets bezat, maar het was geen onaardig meisje en bovendien wist ze goed genoeg dat haar zoon weinig kans had om een respectabel iemand te vinden die echt van hem zou houden en hem zou nemen zoals hij was, met al zijn lichamelijke problemen. Bovendien wilde ze heus wel dat haar zoon gelukkig was. Dat had hij wel verdiend!

Ze draaide zich ten slotte weer naar hem toe. 'Als die rechtszaak er nu niet was, dan had ik je mijn zegen kunnen geven, Benjamin. Maar nu... O, wat moeten we doen?' Ze sloeg haar handen voor haar gezicht en kreunde. Benjamin trok haar even troostend tegen zich aan. Hij zei niets. Wat kon hij zeggen? Hij kon alleen maar hopen dat zijn vader het geluk van zijn zoon boven zijn eigen trots kon zetten.

Maar dat was ijdele hoop. Benjamin had al een poos op zijn vader ingepraat, maar toen Viktor vernam dat zijn zoon van Emera hield en – als het aan hem lag – van plan was om met haar te trouwen, gingen de poppen pas echt aan het dansen. Zijn harde, woedende woorden drongen door het hout van de deur heen en deden Hélèna verschrikt een hand voor haar mond slaan toen ze in de gang naar de hevige woordenwisseling stond te luisteren. Pas na minutenlange harde heen en weer gaande woorden, werd de deur van het kabinet plots geopend en stevende Benjamin met een roodaangelopen gezicht naar buiten. Hij keek zijn moeder even besluiteloos aan, maar draaide zich toen om en verliet het huis.

Viktor stond in de deuropening en keek zijn zoon woedend na. 'Weet je wat die jongste zoon van je van plan is?' brieste hij toen hij zijn vrouw zag staan. 'Hij wil trouwen met dat addergebroed dat ik morgen voor het gerecht daag! Over mijn lijk, hoor je! Over mijn lijk!'

Hélèna kromp in elkaar. 'Hij houdt van haar, Viktor. Het is niet gemakkelijk voor hem om iemand te vinden die hem aanvaardt zoals hij is. Misschien moeten we daar toch eens over nadenken.'

'Ik hoef daar niet over na te denken! Dat is geen meid voor hem! Als hij een gerespecteerde dokter is, dan zullen er genoeg vrouwen voor hem klaarstaan, neem dat maar van me aan. Geld kan wonderen verrichten!'

'Ja, maar ze zullen niet van hem houden.'

'En denk je dat deze meid van hem houdt?'

'Benjamin zegt van wel.'

'Je bent naïef, Hélèna! Haar broodje is gebakken als ze met hem trouwt en dat beseft ze maar al te goed! Het zou me zelfs niet verwonderen als ze met hem heeft aangepapt om mij schaakmat te zetten.'

Hélèna bracht haar hand weer naar haar keel. Ze had het gevoel dat ze stikte. 'Wat moeten we doen, Viktor? Kun je de rechtszaak niet afblazen, zodat we de kans krijgen om deze schande van ons af te wenden?'

'Wat? Als mijn vrouw hoor je achter mij te staan, Hélèna, en niet achter je zoon! Je denkt toch niet dat ik deze kans ga vergooien? Ze wordt morgen berecht en voor mijn part wordt ze hier voor eens en voor altijd verbannen. En haar dochter ook! Benjamin zal haar dan wel vlug genoeg vergeten zijn!'

Na deze woorden draaide hij zich om en verdween weer in zijn kabinet. Hélèna voelde zich misselijk worden. Zij kende haar zoon beter dan Viktor en wist dat hij vastberaden was. Ze vreesde dat hij zich ditmaal niet naar zijn vaders wil zou schikken, ze was bang voor wat er ging komen. Ze drukte een hand op haar mond alsof ze daardoor de misselijkheid kon tegenhouden. Met een zwaar gemoed ging ze terug naar de zitkamer.

Benjamin was naar hotel Heberlin gegaan. Na de ruzie met zijn vader kon hij het niet langer aan om daar te blijven en het was te laat om nog naar Emera te gaan. Hij lag nu op zijn rug op het bed, zijn handen onder het hoofd en staarde naar het plafond waarop enkele platgedrukte muggen plakten. Hij was totaal ontredderd; woedend omdat zijn vader niet eens naar hem wilde luisteren. Wat moest hij nu doen? Enerzijds was er zijn moeder die hij respecteerde en die hij niet in verlegenheid wilde brengen, anderzijds was er Emera waarvan hij hield en die hij wilde helpen. Hij wist niet wat hij moest doen! Maar de tijd drong en hij had nog maar een korte nacht om hierover na te denken.

Hij had dan ook zo goed als niet geslapen toen hij zich die ochtend schoor en klaarmaakte, maar toch was er een zekere rust over hem gekomen, omdat hij nu wist wat hem te doen stond. Hij had er lang over nagedacht en alles gewikt en gewogen tot hij ervan overtuigd was dat hij er goed aan deed om te doen wat hij van plan was.

Hij had geen tijd meer om nog langs Emera te gaan om haar te vertellen wat hij van plan was en om haar zijn leugens op te biechten. Nu ja, zij zou het vlug genoeg te horen krijgen in de zaal van het vredegerecht. Hij was er bang voor, vreselijk bang. De angst dat ze hem zijn leugens kwalijk zou nemen en niets meer van hem wilde weten, maakte hem haast gek. Maar als hij dit risico niet nam, dan zou hij Mimi niet kunnen helpen. Hij moest het dus doen en de gevolgen aanvaarden, hoe erg die ook waren.

Met een zwaar gemoed ging hij in de richting van het dorpsplein. Er waren veel mensen rond het gemeentehuis. Het gebeurde nu eenmaal niet zo dikwijls dat er een openbare zitting werd gehouden en de mensen waren nieuwsgierig naar het uitgesproken oordeel. Bovendien betrof het een persoon die ze allemaal kenden. Velen kenden Mimi al vanaf hun geboorte en ook al waren er verschillenden die vonden dat ze het verdiende, toch stonden de meeste mensen pal achter haar.

De veldwachter stond voor de deur van het gemeentehuis en zorgde voor de ordehandhaving.

Toen Benjamin de zaal van het vredegerecht binnenging, zag hij dat alle stoelen bezet waren, zodat een groot deel van de mensen achteraan moest blijven staan. Een geroezemoes van stemmen gonsde door de kamer. Hij keek tussen de menigte door tot hij, op een van de voorste rijen stoelen, Emera zag zitten. Mimi zat op een stoel apart. Aan de andere kant zat zijn vader. Vooraan was een bank waarop de schepenen naast elkaar hadden plaatsgenomen. Hij richtte zijn blik weer op Emera en voelde een diepe liefde voor haar opkomen; een liefde overschaduwd door een vreselijke angst voor datgene wat hem te doen stond.

Het geroezemoes verstomde toen rechter Schoofs de rechtszaal binnenkwam. De veldwachter bulderde dat iedereen rechtop moest gaan staan en toen iedereen weer zat, begon de zitting. Emera keek met een bang hart om zich heen. Ze zag Trude en Lisa met Peet en Theo, ze zag haar tantes en oom, ze zag allemaal bekende gezichten van dorpsgenoten, maar diegene die ze hoopte te zien, zag ze niet. Ze had gisteren nog tevergeefs op Benjamin gewacht en was bang dat hij ten slotte toch maar had afgezien van een relatie met de dochter van een veroordeelde vrouw. Alleen al deze gedachte deed haar hart samenkrimpen, maar ze zou het kunnen begrijpen. Ook al was haar moeder onschuldig, ze bleef een veroordeelde vrouw. Ze keek naar haar moeder, die met opgeheven hoofd voor zich uit keek. Ze zag er sterk en prachtig uit met haar opgestoken haar en haar zondagse jurk, maar Emera wist wel beter. Ze wilde dat ze naast haar moeder kon gaan zitten en bemoedigend haar hand kon vastpakken bij elke beschuldiging die nu naar haar hoofd werd geslingerd.

Toen uiteindelijk alle getuigen aan het woord waren geweest – voornamelijk tegen Mimi, uiteraard – vroeg rechter Schoofs haar wat ze hier tegenin kon brengen. Mimi stond op, kaarsrecht, en keek de vrederechter recht in de ogen. 'Mijn kennis van planten en kruiden is altijd bedoeld om mensen en dieren te helpen, mijnheer de rechter, nooit om ze ziek te maken en zeker niet om ze te doden. Ik heb velen van hen die hier aanwezig zijn geholpen en genezen, maar soms zijn er ziekten die in Gods handen zijn en waarbij ik niets kan doen dan alleen het leed wat verzachten.'

Rechter Schoofs knikte en keek Viktor aan, zodat ook hij een woordje kon zeggen.

'Leugens!' hoonde Viktor. 'Je kunt hier niet spreken van kennis, mijnheer de rechter. Deze vrouw heeft amper onderricht gehad. Haar kennis van planten is enkel een overlevering van moeder op dochter. Zij weet niets van anatomie, niets van besmettelijke ziekten en niets van chirurgie. U heeft de getuigen gehoord. Zonder haar 'kennis' zouden vele mensen nog leven. Ik vraag dan ook om haar én haar dochter te verbieden om ooit nog mensen te behandelen en om hen voorgoed uit dit dorp te verbannen.'

Toen Mimi dit hoorde, trok het bloed uit haar gezicht weg. Ze liet zich weer op haar stoel zakken en keek verbouwereerd naar Lisa en Trude, naar Peet en Theo, naar haar zusters Magda en Roza en haar broer Karel, naar al die mensen die haar zo dierbaar waren...

Hier weggaan betekende een leven achterlaten, betekende alles achterlaten...

'Ik wil ook nog een woordje doen, als het kan, mijnheer de rechter.'

Alle hoofden draaiden zich om en keken naar de vreemde man die nu door het gangpad naar voren trad. Rechter Schoofs bekeek de vreemdeling aandachtig en fronste zijn wenkbrauwen toen hij de verdikte, schilferende huid zag.

'Wie ben je? En wat geeft jou het recht om hier te komen pleiten?'

'Ik ben Benjamin Wouters, de jongste zoon van dokter Wouters,' zei Benjamin met luide stem. Toen de menigte dat hoorde, ging er een verbaasd gemompel door de zaal dat Emera's zachte kreet overstemde. 'Ik zou graag voor beide patijen willen spreken, mijnheer de rechter.'

Rechter Schoofs blikte even naar de schepenbank en naar Viktors gespannen gezicht. 'Goed,' zei hij ten slotte. 'Zeg wat je te zeggen hebt, jongeman. Ik geef je het woord.'

Benjamin draaide zich om en haalde diep adem voordat hij begon. 'Net zoals mijn vader, studeer ik geneeskunde en later wil ik zo goed worden als hij. Ik respecteer mijn ouders en mijn vaders gedachtegoed, maar ik heb ook respect voor Mimi. Ik heb verschillende malen met haar gesproken en kan met zekerheid zeggen dat haar kennis niet geveinsd is, maar berust op een wetenschappelijke ondergrond en dat deze kennis al eeuwenlang gebruikt wordt om mensen en dieren te helpen. Zoals iedereen hier weet heeft Mimi ook jarenlang samengewerkt met dokter Goossens. Hun samenwerking verliep zonder problemen, wat aangeeft dat klassieke en natuurlijke geneeskunde perfect samen kunnen gaan.'

Viktor, die met een steeds roder wordend gezicht zat te luisteren, kon zijn woede niet meer in toom houden. 'Dokter Goossens was een oude man,' siste hij. 'Misschien was hij wel seniel en heeft die vrouw gewoon van hem geprofiteerd!'

'Ik weet dat je een andere mening bent toegedaan, papa. Spijtig, want zij zouden een grote hulp voor je kunnen zijn, indien je met hen kon samenwerken. Behalve goede natuurgenezers, zijn zij ook goede verloskundigen. Hier in de wijde omgeving zijn er geen betere bakers te vinden. Het zou dus een grove vergissing zijn om hen te verbannen, omdat zij nu eenmaal van grote betekenis zijn voor dit dorp.'

Viktor zag nu niet langer rood, maar heel bleek. 'Jij! Mijn eigen zoon... een verrader!' bracht hij hees uit. 'En dat alleen maar omdat die heks je het hoofd op hol heeft gebracht!' Hij wees met een beschuldigende vinger naar Emera.

Benjamin schudde ontdaan zijn hoofd. 'Nee papa, jij hebt het mis. Zij wist niet eens dat ik je zoon was. Ik heb tegen haar gelogen, omdat jij niet graag hebt dat iedereen te weten komt dat ik' – hij wees naar zijn gehavende gezicht – 'je mismaakte zoon ben. Ik wilde dat ik het niet had gedaan, want zij accepteerde me tenminste zoals ik ben. Maar ik wil me niet langer verstoppen en ik wil ook niet meer ontkennen dat ik van Emera houd. Ik hield al van haar vanaf het eerste moment dat ik haar zag.' Deze woorden deden weer een gemompel in de zaal opstijgen. De veldwachter schreeuwde om stilte, zodat Benjamin verder kon gaan. 'Ik heb respect voor je mening, maar ik heb ook respect voor Mimi en ik vind dat je haar onrechtvaardig behandelt.' Hij draaide zich nu naar de schepenbank toe en keek de schepenen een voor een aan.

'Jullie doen de mensen uit dit dorp een groot onrecht aan als jullie Mimi en Emera verbannen. Met mijn kennis als dokter kan ik jullie met zekerheid vertellen dat er in de wijde omtrek geen betere verloskundigen te vinden zijn. Het bewijs daarvan kunnen jullie terugvinden in de kerkelijke geboorte- en sterfteregisters. Het aantal kind- en kraambeddoden is hier veel lager dan in welk ander dorp ook. Alleen al daarom zijn ze van groot belang. Maar ik heb ook respect voor mijn ouders en voor mijn vaders geneeskunst, zodat ik ook hem niet afvallig wil zijn. Daarom stel ik voor dat Mimi en Emera de zieken en gewonden volledig aan hem overlaten, maar dat ze hier mogen blijven wonen om hun taak als bakers te blijven uitoefenen.'

Na deze woorden boog hij even zijn hoofd, draaide zich om en ging weer door het gangpad naar de achterzijde van de zaal. De mensen die in zijn buurt stonden gingen een paar stappen opzij toen ze zijn gehavende gezicht opmerkten, maar in hun ogen was er ook nieuwsgierigheid, bewondering en respect te zien. Iedereen wachtte nu angstvallig de uitspraak af.

Emera keek bleek en ontdaan voor zich uit. De klap was hard aangekomen, toen ze te horen kreeg dat Benjamin dokter Wouters' zoon was. Ze dacht dat ze hem kende, dat hij de man van haar dromen was… O, hoe had ze zich vergist! Hij was geen haar beter dan zijn broer Kasimir. Hij had haar belogen en bedrogen, hij had haar hart gestolen en het nu in stukken achtergelaten. Op dit ogenblik kon het haar niet schelen welk vonnis ze zouden uitspreken. Het liefst was ze ver weg van deze plaats, waar niemand haar nog kon kwetsen. Toch bleef ze zitten waar ze zat. Onbeweeglijk en ondoorgrondelijk. Het duurde gelukkig niet lang voordat de schepenen en rechter Schoofs terugkwamen. Ze hadden zich even afgezonderd om te overleggen. Ze hadden gedacht dat het een gemakkelijk vonnis zou worden omdat Mimi niet veel kon inbrengen. Maar nu dokter Wouters' zoon was komen opdagen, maakte zijn toespraak deze kwestie veel ingewikkelder.

Rechter Schoofs liet Mimi opstaan en sprak het vonnis uit.

'Het volledige schepencollege heeft besloten om gedaagde Maria Loockx, weduwe Stevens, vanaf heden te verbieden om nog zieke mensen te behandelen of te verzorgen. Alleen voor het baren van kinderen kan haar hulp en die van haar dochter ingeroepen worden. Indien zij zich niet aan deze regel houden, dan zal de schepenbank zich verplicht zien om haar en haar dochter alsnog te verbannen.'

Het duurde even voordat deze woorden tot Mimi doordrongen. Het was natuurlijk niet plezierig om te horen te krijgen dat ze haar geneeskrachtige kennis niet meer mocht gebruiken, maar ze zou hier kunnen blijven en haar beroep van baker gewoon kunnen blijven uitoefenen! Dat was meer dan ze had verwacht. Ze wist zeker dat ze zonder Benjamins hulp verbannen zou zijn. Zonder zijn inbreng had ze geen schijn van kans gemaakt. Ook voor haar was het een grote schok geweest toen ze zijn ware identiteit vernam en ze nam het hem eveneens kwalijk dat hij de waarheid had verzwegen. Maar in tegenstelling tot Emera had het haar hart niet gebroken. Toen de ware toedracht van het vonnis tot haar doordrong, viel er dan ook een zware last van haar af. Trude en Lisa vielen haar om de hals, blij dat het vonnis zo billijk was, de rest van haar familie en vrienden volgden.

Viktor likte zijn wonden en was in een hevig gesprek gewikkeld met burgemeester Van Merode. Hij wilde alsnog zijn beklag doen over de oneerlijke veroordeling, ook al besefte hij maar al te goed dat hij het niet meer ongedaan kon maken.

Benjamin baande zich een weg naar voren. Hij wilde Emera spreken, maar hoe hij ook zocht, ze was nergens te zien. Hij voelde sterk aan dat ze hem ontvluchtte, omdat zijn leugens haar diep geraakt hadden. Hij kreunde bij die gedachte.

Viktor zag zijn zoon en nam deze gelegenheid te baat. Hij ging naar hem toe en siste woedend: 'Vanaf nu heb ik nog maar één zoon! Voor mijn part mag je naar de hel lopen!' Na deze woorden beende hij met verbeten stappen naar de uitgang. Benjamin keek hem verslagen na. Haast iedereen had het gerechtshof al verlaten. Ook Mimi en haar familie. Hij liet zich langzaam op een stoel zakken en had veel moeite om zijn tranen te bedwingen.

HOOFDSTUK 16

'Wat?' Kasimir keek zijn vader met open mond aan. 'Heeft Benjamin een verhouding met Emera? Onmogelijk!' Hij kon helemaal niet begrijpen dat een beeldschoon meisje zich aangetrokken kon voelen tot een man als Benjamin.

'En toch is het zo, Kasimir. Als hij niet voor hen had gepleit, dan waren ze vast en zeker verbannen, daar kan ik een eed op doen!'

Kasimir rilde onbewust. Nu hij wist wie Emera's andere aanbidder was, gruwde hij bij de gedachte dat hij haar lichaam betast had nadat het bezoedeld was door zijn broers ziekte. Hij hoopte vurig dat het inderdaad niet besmettelijk was. Maar hij was er niet gerust op! Hij probeerde deze gedachte uit zijn hoofd te zetten.

'Nou, heel spijtig dat ik er niet was. Ik dacht dat het de moeite niet zou zijn om ervoor naar huis te komen. Het was immers een uitgemaakte zaak.' Hij was niet helemaal eerlijk. Hij had er bewust voor gezorgd dat hij weg zou zijn. Hij wilde Emera's gebroken houding niet zien als ze te horen kreeg dat zij en haar moeder verbannen werden. Dat beetje schuldgevoel had hij nog wel.

'Het was ook een uitgemaakte zaak, jongen, maar de schepenen hielden natuurlijk rekening met Benjamin. Waarom moet nu juist mijn eigen zoon op dat wicht verliefd worden?'

Dat is niet moeilijk, ging het door Kasimir heen. Wie zou er niet op haar verliefd willen worden? Hij voelde een wrevel in zich opkomen bij de gedachte dat Emera Benjamin verkoos boven hem.

'Waar is hij nu?'

'Wie? Benjamin?'

'Ja. Is hij terug naar Antwerpen?'

Viktor haalde honend zijn schouders op. 'Voor mijn part mag hij in de hel branden. Ik heb hem gezegd dat hij hier niet meer moet aankloppen.'

'En wat zegt mama daarvan?'

'Jouw moeder moet zich schikken naar mijn bevelen, Kasimir. Ze moet zich erbij neerleggen.'

Kasimir knikte nadenkend. 'Ik ga even naar haar toe, papa. Ze weet nog niet dat ik terug ben.'

Na deze woorden verliet hij het kabinet van zijn vader.

Viktor leunde achterover en drukte zijn vingertoppen tegen elkaar. Hij was zo verschrikkelijk kwaad op zijn jongste zoon dat hij een dag na het vonnis naar Antwerpen was vertrokken om daar zijn

156

vriend Henri Ballancer te ontmoeten. Hij had hem al eerder geschreven om zijn ongenoegen betreffende zijn zoon kenbaar te maken, maar nu wilde hij alles doen om te beletten dat Benjamin dokter zou worden. In Viktors ogen verdiende hij het niet. Hij was het niet waard om de geneeskunde uit te oefenen. Hij was een bedrieger, een man met twee gezichten, die de klassieke geneeskunde ten schande maakte. Maar toen hij Henri hiervan op de hoogte bracht, was die het niet met hem eens.

'Ik heb mijn oor hier en daar te luisteren gelegd, Viktor,' had hij gezegd. 'En ik ben tot de conclusie gekomen dat Benjamin erg gewaardeerd wordt door zowat de hele medische en wetenschappelijke academie. Zijn inbreng in de medische vooruitgang oogst veel lof en zijn onderzoek naar bepaalde culturen is zo vooruitstrevend dat zelfs ik met bewondering tegen hem opkijk. Zelfs al zou ik het kunnen, dan nog zou ik een man met zijn kwaliteiten niet willen ontmoedigen of dwarsbomen. Je zou trots op hem moeten zijn, Viktor...'

Dat was dus op een sisser uitgelopen. Viktor had zijn toelage stopgezet en zijn vrouw bevolen om hem niets meer toe te sturen in de hoop hem zo te kunnen treffen, maar hij had van dezelfde bron vernomen dat Benjamin verleden jaar een doctoraat begonnen was en op die manier in zijn eigen onderhoud kon voorzien.

Maar er moest toch iets zijn waardoor hij Benjamin kon treffen? Hij was geen man die zomaar over zich heen liet walsen. O nee, dat zou Benjamin nog wel ondervinden!

Kasimir vond zijn moeder in de zitkamer, waar ze afwezig door het raam naar buiten keek. Ze keek niet eens om, om te zien wie er binnenkwam. Pas toen hij zacht een hand op haar schouder drukte, draaide ze zich om en glimlachte zwak.

'Ben je eindelijk terug, Kasimir? Ik heb je gemist.'

'Ik heb jou ook gemist, mama. Ik wilde dat ik eerder terug was gekomen, want ik heb net van papa gehoord dat de rechtszaak niet erg vlot is verlopen.'

Hélèna's gezicht vertrok en ze sloot even haar ogen. 'In plaats van die twee vrouwen heeft hij zijn eigen zoon verbannen,' zei ze zacht.

'Waarom haalde Benjamin het ook in zijn hoofd om te komen pleiten?' vroeg hij licht geprikkeld.

'Omdat hij van haar houdt, Kasimir.'

Kasimir liet zijn hand van haar schouder glijden en draaide zijn rug naar haar toe. 'Zoveel dat hij zijn eigen moeder daarvoor verloochent? Dat maak je mij niet wijs, mama. Geen enkele vrouw is dat waard!'

'Hij heeft mij niet verloochend, Kasimir. Hij heeft het me duidelijk proberen te maken de dag voor de rechtszaak. Hij heeft geprobeerd om het voor beide partijen draaglijk te maken. Je vader had naar hem moeten luisteren, in plaats van hem weg te sturen.' Haar schouders zakten moedeloos in elkaar voor ze verderging. 'Maar nu is het te laat. Hij is weg en ik weet niet eens waar hij is en of ik hem ooit nog terug zal zien. Ik heb een zoon verloren, Kasimir, en we zullen met de schande moeten leven die dit alles met zich meebrengt.'

Kasimir draaide zich met een ruk weer naar haar toe.

'Ik hoop dat de schande dan niet tot de Monards doordringt. Ik heb net om Elisabeths hand gevraagd, mama. Wij zijn verloofd.'

'O Kasimir... O, laat ons hopen van niet. Dit had een heuglijk feit moeten zijn, maar met dit alles...'

Kasimir zag de tranen over haar wangen lopen. Zijn moeder huilde zacht en stil. Ze wendde zich weer naar het raam, waar ze een zakdoekje pakte en haar neus snoot. Een opborrelende ergernis nam bezit van hem. Die nare Benjamin! Zijn broer was al zijn hele leven een lastpak geweest en nu moest hij het nog erger maken door zijn ouders ongelukkig te maken. Hij gaf zijn vader groot gelijk om hem weg te sturen. Begreep zijn moeder dan niet dat ze hem beter kwijt dan rijk waren? Wat had hij aan een broer die hij nooit gekend had, die met zijn monsterachtig uiterlijk de mensen angst aanjoeg en waarmee altijd rekening gehouden diende te worden. Nee, hij begreep niet waarom zijn moeder zo droevig was. Met verbeten stappen verliet hij de zitkamer, zijn moeder in haar eigen verdriet achterlatend. Hij moest weg van hier, weg van dit huis en de akelige sfeer die er hing.

Hij ging het dorp uit en sloeg het karspoor in dat naar Emera's huis leidde. Hij wilde met haar praten, hij wilde met zekerheid vaststellen dat zij van Benjamin hield, want hij kon het nog altijd niet geloven. Hij zag haar voor het huis, waar ze met een bezem het erf netjes maakte. Haar moeder was er ook. Ze liep met een mand vol witte was naar een grasland naast het huis, waar ze de kledingstukken uitspreidde zodat ze konden bleken in de zon. Hij wachtte geduldig achter een dichtbegroeid eikenbosje. Hij was verstandig genoeg om te beseffen dat Emera niet met hem zou willen praten als hij naar haar toeging. Het feit dat hij een zoon van dokter Wouters was, was nu al voldoende om Mimi en Emera het huis weer in te jagen. Nee, hij kon beter wachten tot hij haar bij verrassing kon treffen. Pas dan kon hij met haar praten of haar dwingen om met hem te praten. Hij wachtte geduldig en hij wachtte lang. Het was nu half september, maar de zon scheen alsof het hoogzomer was. Het zweet brak hem uit en hij kreeg een verschrikkelijke dorst, maar Kasimir gaf het niet op. Zijn geduld werd pas tegen de avond beloond, toen hij zag dat Emera met een bosje wilde bloemen en een kan water zijn richting uitkwam. Ze ging naar het kapelletje aan de lindeboom, waar ze dorre bloemen uit een aarden kruik nam. Ze goot het gebruikte water weg, vulde de kruik opnieuw en zette de verse bloemen erin. Daarna ging ze op de bank ervoor zitten en vouwde haar handen samen voor een gebed.

'Dag Emera.'

Er ging een schok door haar heen toen ze hem zag. 'Ga weg, Kasimir,' zei ze gemeend. 'Je hebt hier niets te zoeken.' Ze stond op en wilde naar huis lopen, maar hij greep haar arm vast. Emera was echter vastbesloten dat hij haar geen tweede maal zou aanraken en ze rukte kordaat aan haar arm. 'Laat me los, Kasimir,' siste ze woedend. 'Als je durft om me een tweede maal te onteren dan zal ik het je betaald zetten!' Haar woorden klonken zo vastberaden dat Kasimir haar even verwonderd aankeek. Hij liet haar arm los en hield zijn handen afwerend voor zich uit. 'Ik heb nooit iets gedaan wat je zelf niet wilde, Emera, dat weet je maar al te goed,' prentte hij haar in. 'Ik wil alleen maar even met je praten over mijn broer. Ik heb horen zeggen dat jullie van elkaar houden, is dat waar?'

'Ik wil niets meer met jullie beiden te maken hebben. Dus maak dat je wegkomt en zorg ervoor dat ik je hier nooit meer zie!' Na deze woorden liep ze naar huis. Hij hield haar niet tegen, maar glimlachte fijntjes. De boosheid in haar ogen vertelde hem dat ze de waarheid sprak. Benjamins liefde kwam dus maar van één kant. Hoe had hij daaraan kunnen twijfelen? Hoe had hij kunnen denken dat zij Benjamin zou verkiezen boven hem? Met een gevoel van voldoening ging hij weer in de richting van het dorp. Hij zou bij Trinette van Gansen nog een paar glazen bier gaan drinken om zijn grote dorst te lessen, voordat hij zijn vader ging vertellen hoe de vork in de steel zat.

Maar als hij de tranen gezien had die 's nachts als een ononder-
broken stroom over Emera's wangen liepen, dan had hij geweten
dat zij onnoemelijk veel van Benjamin hield...

HOOFDSTUK 17

Benjamin voelde zich misselijk van ellende. Hij wist niet meer wat hij moest doen. De dag na de rechtszaak was hij naar Mimi's huis gegaan, maar Mimi had hem resoluut de deur gewezen omdat Emera hem niet wilde zien. Het had zijn hart gebroken en hij was gekwetst en volledig ontdaan naar Antwerpen vertrokken. Dagen en nachten had hij niets anders gedaan dan zich suf piekeren, maar er was geen enkele oplossing om zijn leugen en bedrog goed te praten. Emera had gelijk dat zij hem minachtte en niet langer van hem hield. Het was zijn eigen grove fout. Maar hij kon haar niet van zich afzetten. Hij kon nergens anders aan denken dan aan haar. Hij moest met haar praten, al was het maar één keer. Hij moest haar uitleggen waarom hij tegen haar gelogen had en haar vragen om het hem te vergeven. Hij moést, anders zou hij eraan ten onder gaan!

Op een zondagochtend eind september nam hij de trein en de tram naar Westerlo. De zon was nog altijd van de partij, ook al was het fris. Zodra hij in het dorp was aangekomen, ging hij in de richting van het gehucht waar Mimi en Emera woonden. Enkele mensen keken hem na. Ze kenden deze jonge man met zijn hoed nu maar al te goed en het nieuws dat hij terug was, ging als een lopend vuurtje door het dorp.

Hij trof Mimi alleen thuis. Ze plooide en streek wasgoed op de tafel naast de deur. Ze keek hem enigszins afwijzend aan, maar stuurde hem niet weg.

'Dag Mimi.' Benjamin had zijn hoed afgenomen en draaide hem onwennig rond. 'Ik kwam eens langs om te kijken hoe het met jullie gaat. Ik… ik hoop dat ik jullie niet ontrieft heb door het voorstel dat ik gedaan heb aan de schepenbank. Ik kon mijn vader niet helemaal aan zijn lot overlaten, zie je, en ik…'

Mimi keek hem nu eindelijk aan en onderbrak hem. 'Ik weet maar al te goed dat het helemaal niet gemakkelijk voor je was, Benjamin, en ik ben je dankbaar voor datgene wat je voor ons gedaan hebt. Ik ben ontzettend blij dat ik hier nog woon en dat ik baker kan blijven. Dankzij jou slaan we ons er wel door. Maar het feit dat je mijn dochter bedrogen hebt, is niet goed te praten.'

Benjamin boog beschaamd zijn hoofd. 'Het spijt me dat ik niet helemaal eerlijk tegenover jullie ben geweest, Mimi. Ik wilde dat ik mijn ware naam niet had verzwegen. Dan was alles anders geweest en dan had ik Emera niet ongelukkig gemaakt. Ik zou haar willen uitleggen waarom ik de waarheid niet dadelijk heb gezegd.'

'Zoals je ziet is Emera niet thuis, Benjamin. Ze is na de hoogmis naar Maaike toe gegaan en ik verwacht haar nog niet dadelijk terug. Ik ben blij dat ik je alsnog kan bedanken voor je hulp in het gerechtshof, maar ik vrees dat Emera je nog altijd niet wil zien.'

'Daarom wil ik het juist uitleggen, Mimi. Ik kan niet verdragen dat ze me haat.'

Mimi stopte even met haar werkzaamheden en keek hem een ogenblik recht aan. 'Waarom heb je haar die vreselijke leugen dan verteld, Benjamin?' vroeg ze hem op de man af. 'Ik dacht dat je van haar hield?'

'Ik houd ook van haar, Mimi. Ik houd ontzettend veel van haar.'

'Je hebt haar vertrouwen beschaamd!'

Benjamin boog schuldig zijn hoofd en draaide zich om, om het huis te verlaten, maar bij de deur draaide hij zich weer naar haar toe.

'Ik wil dat ze weet dat ik het niet zonder reden deed, Mimi,' zei hij aarzelend. 'Ik weet dat ik het niet meer goed kan maken en dat het mijn eigen schuld is dat ik het liefste en het mooiste meisje ter wereld verloren heb, maar ik kan niet leven met de gedachte dat ik niet alles geprobeerd heb om het haar uit te leggen.'

'Was je leugen dan belangrijker dan haar liefde en vertrouwen?'

Benjamin schudde zijn hoofd. 'Ik heb heel mijn leven met deze leugen doorgebracht, Mimi. Op den duur werd het een gewoonte. Mijn vader wilde niet dat iemand wist dat ik zijn,' – hij wees met zijn vinger naar zijn gezicht – 'mismaakte zoon was. Hij schaamde zich voor mij. Hij schaamde zich omdat hij, als dokter, niet eens een behandeling kon vinden om zijn zoon te genezen. Als kind al heb ik geleerd om me onzichtbaar te maken, om me te verstoppen voor de blikken vol afschuw wanneer mensen mijn mismaakte huid zagen, om de minachting op mijn vaders gezicht en de mede-lijdende blikken van mijn moeder te negeren. Naarmate ik opgroeide lukte het me steeds beter en sinds ik een hoed draag, valt het niet meteen meer op. Het feit dat mijn vader zich voor mij schaamt, maakte dat ik mijn ware naam voor velen verborgen hield. Ook voor Emera. Ik wilde voorkomen dat iedereen te weten kwam dat ik dokter Wouters' jongste zoon was, omdat ik anders mijn vader in diskrediet bracht. Nadien heb ik geprobeerd om mijn leugen op te biechten, maar ik durfde het niet omdat ik bang was dat Emera mij dat vreselijk kwalijk zou nemen. Ik wilde nu dat ik het wel had gedaan. Dan was de waarheid op de hoorzitting niet zo hard aangekomen. O Mimi, ik wilde dat zij het me kon vergeven, dat ze begrijpt dat mijn liefde voor haar echt is en dat het nooit mijn bedoeling is geweest om haar ongelukkig te maken.'

Mimi zuchtte diep. Zij kon natuurlijk niet spreken in Emera's naam, maar zij had haar jongste dochter haast elke nacht horen huilen en trok daaruit haar conclusies.

Buiten, in het zonlicht naast de deur, stond Emera. Ze stond er al een tijdje en hoorde elk woord dat binnen gezegd werd. Haar gezicht leek haast doorschijnend wit. Ze was na de hoogmis inderdaad met Maaike aan de praat geraakt. Haar vriendin had immers niet naar de hoorzitting kunnen komen, maar had hier en daar stukken opgevangen. Het dorp was als een bijenkorf en nieuws gonsde tot in de verste uithoeken. Bovendien was ze verleden zondag niet naar de hoogmis geweest, omdat haar grootmoeder ziek was en ze de hele dag bij het ziekbed had moeten waken. Nu wilde ze dus alles uit Emera's mond horen en ze vroeg haar de oren van het hoofd. Mimi was al verdergegaan, zodat de twee vriendinnen de gelegenheid kregen om eens bij te praten, maar in tegenstelling tot wat haar moeder dacht, verliep het gesprek niet zo gemoedelijk. Nadat Maaike de details over de rechtszaak wist, keek ze Emera met een onthutsende blik aan. 'Je hebt dus met die jongste zoon te doen?' vroeg ze uiteindelijk. 'Diegene met dat mismaakte gezicht, zoals ze hier in het dorp zeggen.'

Ondanks haar boosheid over zijn leugens kon Emera niet anders dan hem verdedigen. 'Hij is niet mismaakt, Maaike. Hij is een knappe man!'

'Nou, ik hoor hier wel iets anders zeggen! Zijn halve gezicht moet eruitzien als een melaatse.'

'De mensen zeggen zoveel! Benjamin is een man zoals ieder ander. Je kent hem niet, Maaike.'

Maaike had haar scherp aangekeken. 'Nou, geef mij dan maar die andere zoon. Die past heel wat beter bij je. Maar ik denk dat je kans bij welke zoon dan ook nu wel verkeken is. Dokter Wouters lust je wel rauw! Ik heb gehoord dat hij Benjamin niet langer wil erkennen als zijn erfgenaam. Hij wil hem zelfs niet meer in huis! Hij kan zijn studie nu wel vergeten! Je zou er dus maar bekaaid afkomen, Emera. Een gehavende man en dan nog een arme luis ook. Nou, gelukkig ben je van hem af! Je hebt meer dan gelijk door hem de laan uit te sturen nadat hij zo tegen je gelogen heeft.'

Emera dacht dat het haar goed zou doen om haar hart bij haar vriendin uit te storten, maar ze ondervond al vlug dat het niet zo was. Alles wat Maaike over Benjamin zei, deed haar pijn. Ze wist wel dat Maaike het goed bedoelde, maar ze kon er niet tegen. Ze had vlug een einde gemaakt aan het gesprek en was naar huis gegaan. Maar toen ze de openstaande deur naderde, hoorde ze Benjamins stem. Geschrokken was ze blijven staan. Ze kon het niet opbrengen om naar binnen te gaan en bleef naast de deur staan, zodat ze het grootste deel van de conversatie had kunnen volgen.

Op dit ogenblik hoorde ze haar moeder zeggen: 'Ik weet het niet, Benjamin. Ik weet niet of ze naar je wil luisteren. Dat zul je haar zelf moeten vragen. Jouw inbreng in het proces heeft me doen inzien dat je wel degelijk van mijn dochter houdt. Het moet zwaar voor je geweest zijn om een keuze te maken tussen je ouders en ons. Maar ik kan niet in haar hart kijken. Je hebt haar erg gekwetst en haar vertrouwen geschonden. Ik wil niet dat dit haar een tweede maal overkomt. Als je om haar geeft, dan laat je haar misschien beter met rust.'

Benjamin kreunde lichtjes. 'Dat heb ik geprobeerd, Mimi. Maar ik kan niet verder leven voordat ik weet dat ze me niet meer haat. Ik houd van haar en ik zal nooit ophouden van haar te houden, ook al besef ik dat ik haar liefde niet verdien.'

Haar moeder zuchtte diep. 'Goed dan! Ik zal het haar zeggen. Ik zal haar zeggen dat je hier bent geweest en dat je graag met haar wil praten. Meer kan ik je echt niet beloven.'

'Dank je, Mimi. Zeg haar dat ik in hotel Heberlin logeer en dat ik morgen opnieuw hier naartoe kom in de hoop dat ze een beetje tijd voor me wil maken.'

Na deze woorden maakte Emera dat ze weg kwam. Ze liep naar de achterkant van het huis, waar ze zich in de stal verstopte. Ondanks haar voornemen om hem nooit meer te zien, had ze haar hart een slag sneller voelen slaan toen ze zijn stem hoorde. Ze kon het echter niet opbrengen om hem nu al te ontmoeten. Het was te vlug, het lag te gevoelig, ze was er nog niet klaar voor. Maar nu ze wist waarom hij gelogen had, begonnen de scherpe kantjes zachter te worden. Ze kon niet zeggen dat ze niets meer voor hem voelde. Integendeel! Als ze maar dacht aan zijn warme stem, als ze in gedachten zijn troostende schouder voelde, als ze zijn ogen zag en de liefde die erin verscholen zat... Dan kromp haar hart ineen en voelde ze hoe erg ze hem miste en hoe verschrikkelijk ze nog altijd naar hem verlangde. Maar dat was haar hart dat sprak. Haar verstand ging een andere richting uit. Nu ze wist dat Kasimir en Benjamin broers waren, was haar achterdocht gegroeid. Ze had Kasimir ook een tweede kans gegeven en tot wat had het geleid? Hij had haar onteerd en daarna als een stuk vuil behandeld! Dat wilde ze niet meer. Nooit meer! Als Benjamin voor de tweede maal haar vertrouwen zou breken, zou dat haar dood betekenen. Daar was ze van overtuigd. Het was dus beter dat ze hem nooit meer zag.

HOOFDSTUK 18

Toen Viktor van het gehucht De Zoerledreef thuiskwam, waar hij een doodziek kind met bronchitis had behandeld, was hij naar de zitkamer gegaan waar hij zijn vrouw bleek en broos in de sofa zag zitten. Ze had een boek vast, maar het lag op haar schoot en haar ogen keken in het niets.

'Hélèna, liefje.' Hij kuste zijn vrouw op haar koele voorhoofd. 'Waar is Kasimir? Ik moet hem dringend spreken.'

Ze schudde zwak het hoofd. Omdat ze niets zei, gaf hij zichzelf maar een antwoord. 'Nou ja, erg lang kan hij niet wegblijven. Nu zijn verloving met Elisabeth een feit is, hoeft hij niet meer op jacht te gaan. Misschien dat hij nu eindelijk zijn wilde haren kwijtraakt. Verheug jij je daar niet op, lieverd? Eerst een verlovingsfeest en nadien de trouwerij! Je zult je handen meer dan vol hebben!'

Nu draaide Hélèna haar hoofd in zijn richting. 'Er is niemand die ik kan uitnodigen, Viktor. Ik wil niet dat ze zich verkneukelen en verlekkeren en mij constant de vraag stellen hoe het met mijn jongste zoon gaat. Je had de grootste schande nog van ons kunnen afwenden als jij je zoon niet het huis had uitgejaagd!'

Viktor schonk geïrriteerd een glas cognac in. 'Ik wil daar niet meer over praten, Hélèna, en ik kom ook niet op terug op mijn beslissing. Maar Kasimir is ook je zoon. Moet hij dan boeten om wat zijn broer heeft gedaan? Hij zal zijn verlovingsfeest én zijn trouwfeest krijgen en jij zult er alles aan doen om het te doen slagen!'

Na deze woorden nam hij zijn glas mee en verliet de zitkamer. Toen hij met een grimmig gezicht naar zijn kabinet toeging, kwam Kasimir net door de voordeur naar binnen.

'Ik moet je spreken, Kasimir,' zei hij kort. Hij hield de deur van zijn kabinet open, zodat Kasimir wijselijk besloot om zonder weerwoord aan deze eis te voldoen. Zodra Viktor de deur achter hen gesloten had, vroeg hij op de man af: 'Waar ben je geweest?'

Kasimir haalde zijn schouders op. 'Is dat zo belangrijk?'

'Natuurlijk is dat belangrijk! Je bent verloofd, Kasimir! Je tijd om rond te lummelen en meisjes het hoofd op hol te brengen is nu voorbij. Maar dat is niet de reden waarom ik je wil spreken. Ik heb gehoord dat je broer hier in het dorp is.

'Benjamin?'

'Ja, wie anders? Ik heb horen zeggen dat hij deze middag uit de tram is gestapt en dat hij direct in richting van De Bist is gegaan, waar je weet wel wie woont. Je hebt me toch gezegd dat zijn gevoelens voor die meid slechts een storm in een glas water waren? Waarom gaat hij dan naar haar toe?'

'Ik zou het ook niet weten, papa. Emera heeft me zelf gezegd dat ze hem nooit meer wil zien. Ik begrijp dus ook niet wat hij daar gaat doen.'

'Zoek dat dan maar eens uit, jongen. Ik kan niet verdragen dat zij ook maar iets met elkaar te maken hebben. Het is al erg genoeg dat ik hen hier moet dulden! Als die verrekte Benjamin er niet tussen was gekomen, waren ze nu al ver onder mijn ogen vandaan!'

'Als het gerecht niet mee wil werken, kun je het recht toch in eigen handen nemen, papa.'

Viktor keek zijn zoon verrast aan. 'Wat wil je daarmee zeggen?'

'Dat ik een aantal mensen ken die voor een beetje geld gerust een brandje willen stichten of het leven van iemand danig zuur kunnen maken.'

Het bleef even stil. 'Het idee is aanlokkelijk, Kasimir. Maar het is mijn plicht om mensen te helpen, niet om hen in een brand te laten omkomen,' zei Viktor ten slotte.

'Er hoeft hen niets te overkomen, papa. Maar hun geit kan doodgaan en hun kippen. En de beesten die ze behandelt, kunnen ook weleens zieker worden in plaats van beter. Als er een aantal dieren onder haar handen gestorven zijn, dan zullen de dorpelingen wel twee keer nadenken voordat ze haar hulp inroepen. Een aantal mannetjes die de kwaadsprekerij nog een beetje aandikken zijn natuurlijk ook welkom. Je weet hoe goedgelovig deze mensen zijn, papa. Als ze een beetje bewerkt worden, dan geloven ze alles en jagen ze deze heks eigenhandig het dorp wel uit.'

Viktor dacht een ogenblik na. 'Daar zit wel wat in, jongen. Als een aantal dieren onder haar handen sterven, moet er wel een duivel aan het werk zijn. Zelfs de pastoor kan haar dan moeilijk goed praten. Dit is beslist iets waar we verder over moeten praten. Maar niet nu. Op dit ogenblik wil ik weten wat je broer hier komt doen! Probeer dat uit te zoeken, Kasimir.'

Kasimir had eigenlijk andere plannen. Hij had een niet onaardige boerenmeid het hof gemaakt en had met haar afgesproken op een afgelegen plaats. Toch knikte hij. 'Goed papa.' Na deze woorden verliet hij zijn vaders kabinet.

Hij besloot om dadelijk naar Emera's huis te gaan in de hoop haar ergens alleen te treffen, zodat hij haar op de man af kon vragen wat zijn broer hier was komen doen. Op die manier hoefde hij Benjamin niet te zien en vooral zijn vreselijke schurft niet. Daarna kon hij nog altijd naar zijn afspraak. Maar het toeval of het lot besliste anders. Op een van de karsporen naast de uitgestrekte velden kwam hij zijn broer tegen. Benjamin zag Kasimir het eerst. Hij wilde rechtsomkeert maken en het klein paadje tussen de bomen inslaan, maar hij bedacht zich, rechtte zijn rug en ging verder. Kasimir zag alleen maar de uitslag op de rechterkant van Benjamins gezicht. Nu hij geen hoed meer droeg, viel het erg op. Veiligheidshalve bleef hij een aantal meters van hem verwijderd staan. 'Dag broer. Ik had je hier niet verwacht,' zei hij naar waarheid. 'Ik dacht dat je in Antwerpen zat. Wat brengt je hierheen?' Hij deed gemaakt alsof hem iets te binnen schoot. 'Ach ja, natuurlijk! Volgens papa ben je verliefd op Emera! Tjonge, dat heeft in de rechtszaal wat teweeggebracht! Spijtig dat ik er niet was. Ben je naar haar toe geweest?'

Benjamin keek zijn broer wantrouwend aan. Hij was het niet gewend dat Kasimir zo familiair met hem sprak buiten de aanwezigheid van hun moeder. Hij ontweek de laatste vraag en zei: 'Ik houd van Emera, Kasimir. Heb jij daar iets op tegen?'

'Nee nee, zeker niet, Benjamin. Emera is een heel knappe meid. Het is zo gemakkelijk om op haar verliefd te worden. Al kan ik me niet voorstellen dat ze iets voor jou zou kunnen voelen.' Hij keek uitdrukkelijk naar Benjamins gehavende kant.

'Dan moet ik je teleurstellen, Kasimir. Emera kijkt door de buitenkant heen.'

Kasimir grinnikte. 'Emera kijkt door alles heen, broer. Denk je nu heus dat jij de enige bent? Emera is een knappe meid en dat weet ze maar al te goed. Vraag dat maar eens aan de jonge mannen hier in het dorp. Ik denk niet dat je iemand kunt vinden die haar nog niet bezeten heeft.'

'Dat lieg je!'

Kasimir schudde medelijdend het hoofd.

'Het spijt me werkelijk, Benjamin, maar ik heb het zelf ondervonden. Nog vrij recent zelfs. Het kostte me geen moeite om haar voor me te winnen. Bovendien was ze ook heel gewillig en vurig. Haar lichaam voelde zo lekker aan en ze kon er maar niet genoeg van krijgen. Ze was beslist niet aan haar proefstuk toe, wees daar maar zeker van! Nou, succes ermee!'

Na deze woorden ging hij zijn broer voorbij en hij vervolgde zijn weg. Hij was ervan overtuigd dat zijn woorden hun doel bereikt hadden.

Benjamin had zijn handen tot vuisten gebald en keek zijn broer woedend en met een verstikkend gevoel na. Er begon een lichte motregen te vallen, maar hij merkte het niet eens. De gedachte dat zijn broer Emera bezeten had, verscheurde hem. Nee! ging het door hem heen. Dat kon niet! Hij kende Emera immers. Ze zou beslist door zijn mooie praatjes heen gekeken hebben!' Maar toen drong het tot hem door dat Emera inderdaad een van de mooiste meisjes uit het dorp was en dat Kasimir er prat op ging om alle mooie meiden te veroveren. Waarom zou hij liegen? Waarom zou hij haar niet het hof gemaakt hebben met zijn vleiende woorden en zoete praatjes? En waarom zou zij niet ingegaan zijn op zijn avances? En op die van alle viriele jonge mannen uit het dorp? Hij schudde wild met zijn hoofd. Nee! Nee! Zo kende hij haar niet! Zij was een nette, prachtige, lieve vrouw! Maar de twijfel was gezaaid en ontkiemde. Hij kreunde zacht. 'O Emera! Waarom?'

De volgende ochtend was Benjamin niet langer van plan om naar Emera toe te gaan. Hij had de hele nacht liggen piekeren. De gedachte aan Emera met zijn broer deed hem huiveren en maakte hem woedend tegelijk. Waarom had zij hem dat niet verteld? Waarom verweet ze hem dat hij gelogen had terwijl zij zelf een bezoedeld verleden had? Hij twijfelde of het alleen haar verleden was! Misschien betekende hij niet meer dan een volgende verovering voor haar. Het was beter dat hij haar niet meer ontmoette. Zij zou het trouwens niet eens erg vinden, want ze wilde hem toch niet meer zien! Maar dan zag hij weer haar zachte gezicht en de liefde in haar blauwe ogen. Hij had zich nog nooit zo goed gevoeld in de aanwezigheid van een meisje, van een vrouw. Zij zag hem zoals hij was, zij begreep hem en zij was bereid om met hem verder te gaan. O, hij was zo gelukkig geweest. Hij zou alles in het werk gesteld hebben om zijn leugens weer goed te praten. Maar na wat Kasimir hem gisteren verteld had…

Hij had willen geloven dat zijn broer blufte. Dat hij dat maar gezegd had om hem een hak te zetten. Maar al vlug moest hij inzien dat hij hem goed genoeg kende om te weten dat hij de waarheid sprak. 'O Emera… Je bent blijkbaar toch niet zo onschuldig als ik dacht,' kreunde hij zacht. O, wat had hij zich in haar vergist en wat deed het pijn om dat vast te stellen.

Hij voelde zich helemaal geradbraakt. Hij sloeg het ontbijt over dat de zusjes Heberlin zo zorgvuldig voor hem hadden klaargezet, nam zijn regenjas en zijn hoed en verliet het hotel. Hij was van plan om een stevige wandeling te maken, zodat hij zijn gedachten kon ordenen. Daarna zou hij de rekening betalen en weer naar Antwerpen vertrekken. Het werd tijd dat hij dit hoofdstuk in zijn leven afsloot. Alleen al die gedachte deed zijn borstkas samentrekken, maar hij kon niet leven met een vrouw die niet genoeg had aan één man.

HOOFDSTUK 19

Het was op een koude, winterse ochtend in het begin van november dat Emera bleek en ontdaan haar hoofd door de achterdeur stak. 'Moeder, kom vlug. Witje ligt dood in de stal!'
Mimi sloeg een schouderdoek om en volgde Emera. In het donkere stalletje zag ze de geit uitgestrekt in het stro liggen. Ze liet zich op haar knieën naast het dier zakken en betastte het verstijfde, dode lijf. Daarna keek ze verslagen op. 'Ik kan geen enkele verwonding aan haar vinden, Emera. Waarschijnlijk heeft haar hart het begeven. Ze was nu eenmaal niet meer één van de jongste.'
Het verlies van hun geit woog zwaar. Het dier zorgde voor hun dagelijkse melk en voor Emera betekende Witje zelfs iemand waartegen ze kon praten als ze een luisterend oor nodig had.
Gelukkig had Mimi nog een beetje geld kunnen sparen voor in noodgevallen zoals deze, maar dat maakte het niet minder erg. Nou ja, het was nu eenmaal zo. Mimi stond er niet erg lang bij stil. Het was een tegenvaller, maar het leven ging door.
Drie dagen later gaf zij haar zuurverdiende geld aan Emera. 'Kun jij even naar boer Weckhuizen gaan, Emera. Hij is bereid om een van zijn melkgeiten te verkopen, maar let goed op dat ze gezond is.'
Emera voldeed maar al te graag aan dit verzoek. Ze hoopte dat dit dier haar muizenissen en zware gedachten konden laten verdwijnen. Want sinds Benjamin uit haar leven was verdwenen, had het leven voor haar niet veel zin meer. Ze had gehoopt dat ze hem uit haar gedachten kon zetten, dat haar gevoelens voor hem na een tijdje wel zouden vervagen. Maar dat was niet zo! Het was nu al langer dan een maand geleden dat ze tevergeefs op zijn komst had zitten wachten. Ze had eerst getwijfeld of ze hem nog wel wilde zien. Maar na een slapeloze nacht kon ze het niet meer over haar hart verkrijgen om hem te ontlopen. Dat ze wist waarom hij gelogen had, maakte al veel goed. Hij moest wel ontzettend veel van haar houden om zelfs tegen zijn vader in te gaan. De gedachte dat ze hem terug zou zien, verwarmde haar hart en ze voelde vlinders in haar buik als ze dacht aan zijn zachte blik en zijn glimlach. Hoe had ze ooit kunnen denken dat hij net zo was als zijn broer Kasimir? Benjamin was zo anders, zo liefdevol, zo zacht en attent, ze wist nu zeker dat ze haar leven met hem wilde delen. Ze zou het hem die dag gezegd hebben. Ze zou hem gezegd hebben dat ze van

171

hem hield. Dat ze met heel haar hart en ziel van hem hield… Maar hij was niet gekomen… En ook de weken daarna niet.

Dagen en nachten had ze om hem gehuild, maar het leven ging gewoon door alsof er niets was gebeurd. Ze had de draad weer opgepakt, al was de levensvreugde nog altijd ver te zoeken. En nu was ook Witje van haar weggegaan…

O, ze wist maar al te goed waarom haar moeder haar naar boer Weckhuizen liet gaan. Zijn oudste zoon Jaak had een oogje op haar. Dat had hij al langer laten blijken. Hij was knap, attent en zeker een goede partij, maar het kostte Emera veel moeite om iets voor hem te voelen. Benjamin zat nog in haar hart en ook al wist ze dat het geen zin had, toch kon ze hem niet zomaar van zich afzetten.

Ze moest haar gedachten onderbreken toen ze bij de boerderij was aangekomen. De waakhond blafte luid en deed de boerin uit het woonhuis komen. Ze wreef haar handen droog aan haar schort. 'Dag Emera. Al zo vroeg op pad?'

Emera liet haar de geldstukken zien. 'Ja, ik kom voor de geit.'

'O ja, dat is waar ook. Karel heeft me er iets van gezegd. Jullie oude geit lag dood in de stal, niet? Nou, dat is me wat! Maar aan Gods wil valt niet te tornen! Kom eerst binnen een kopje thee drinken, meid, want je zult het wel koud hebben. Het heeft deze nacht knap gevroren.'

Emera ging maar al te graag op dit verzoek in. Ze was helemaal verkleumd.

Binnen was het behaaglijk warm. Het vuur in de open haard laaide hoog op. Een grote ketel hing aan een haak boven het vuur te pruttelen. Het rook er naar versgebakken brood. De kamer was schamel bemeubeld met een kast en een tafel met stoelen tegen het raam, maar het was er netjes en gezellig. Twee kleine kinderen speelden in een hoekje een spelletje met zelfgemaakt speelgoed. De boerin schonk twee koppen vol met dampende thee en gebaarde Emera naar een stoel bij het raam. 'Ga toch zitten, Emera. Het doet goed om af en toe eens iemand te zien. Hoe is het met je moeder?'

'Met moeder is alles goed, Bertien.'

'Gelukkig! Ik heb altijd geweten dat je moeder een goed mens is, Emera. Maar hoe zit het met jou en met die zoon van dokter Wouters? Het is toch dankzij hem dat je moeder vrijgesproken werd? Was hij niet verliefd op je?' vroeg ze op de man af. Ze wist dat haar zoon Jaak een oogje op dit meisje had en ze moest weten wat er allemaal aan de hand was. Na de rechtszaak was hij niet meer gezien. Ze wist natuurlijk wel dat dokter Wouters zijn zoon het huis uit had gezet. Was dat de reden waarom hij het met Emera had uitgemaakt of had er nog iets anders gespeeld? Ze moest het weten, zodat haar Jaak zich niet in het verderf zou storten.

Emera boog het hoofd. Ze voelde zich vreselijk ongemakkelijk. Ze had niet verwacht dat de boerin haar met deze vragen zou bestoken. 'Ik heb hem sinds de rechtszaak niet meer gezien, Bertien. Maar ik ben hem wel vreselijk dankbaar voor alles wat hij voor ons heeft gedaan.'

De deur ging open en liet een koude tocht binnen. Jaak lachte stralend toen hij Emera aan de tafel zag zitten. Zijn wangen zagen rood van de kou. Zijn blonde haar leek daardoor nog witter en zijn blauwe ogen helderder. 'Dag Emera. Jij komt zeker voor de geit, niet?' Ze knikte. Zonder zijn blik van haar weg te slaan vervolgde hij: 'Vader vraagt of hij een mand met aardappelen voor je moet meebrengen, moeder.'

'Ja, dat kan hij doen, jongen. Dan hoef ik er straks niet meer op uit.'

'Ik zal het hem zeggen. Ga je mee, Emera? Ik zal je naar de geitenstal brengen.'

Emera was blij dat Jaak het gevoelige gesprek had onderbroken en dat ze hier weg kon, voordat Bertien haar weer met vragen zou bestoken. Ze nam een paar slokken van haar thee en legde het geld op de tafel. Daarna trok ze haar schouderdoek wat vaster om haar schouders, ze zei de boerin goedendag en volgde Jaak naar de geitenstal.

Er liepen wel negen geiten rond, waaronder één bok. 'Deze heb ik voor je uitgekozen,' zei Jaak plots zacht tegen haar. 'Ze geeft het meeste melk en ze is heel gedwee. Bovendien komt ze uit je hand eten en ze kent haar naam.'

Emera keek hem lachend aan. 'Hoe heet ze dan?'

'Ze heet Vlek. Kijk, ze heeft een donkere vlek op haar achterflank.' Jaak streelde de geit. Het dier bleef geduldig staan en mekkerde af en toe. 'Ze zal de anderen missen als je haar meeneemt, maar ik weet zeker dat je haar wel zult troosten als ze zich eenzaam voelt.'

Emera was geroerd door zijn bezorgdheid om het dier. Iemand die zo liefdevol met dieren kon omgaan was beslist een aardig mens. 'Ik zal heel goed voor haar zorgen, Jaak. Je mag altijd langskomen als je wilt zien hoe het met haar gaat.'

Jaak knikte. 'Misschien doe ik dat wel, Emera.' Hij keek haar aan terwijl hij dat zei. Als hij kwam, dan was het enkel om haar te zien, maar hij durfde dat niet te zeggen. Iedereen wist immers dat zij en die jongste zoon van dokter Wouters iets met elkaar hadden. Nu leek hij van de aardbodem verdwenen te zijn, maar niemand wist precies hoe het nu in elkaar zat. Jaak was bang om een blauwtje te lopen en wachtte geduldig af. Maar nu had hij in ieder geval een reden om naar haar toe te gaan.

Jaak bond een touw om de hals van de geit, zodat Emera het dier met zich mee kon nemen en keek haar nog even na toen ze in het winterse landschap verdween.

Op de terugweg bleef Jaak nog een hele tijd in haar gedachten. Ze wist al langer dat hij iets voor haar voelde. Misschien moest ze toch maar op zijn avances ingaan, zodat ze Benjamin voorgoed kon vergeten… Jaak zou altijd een goede man voor haar zijn, dat wist ze zeker. En ook al was ze niet verliefd op hem, toch kon ze een zeker respect en vertrouwen voor hem opbrengen. Misschien was dat voldoende om een relatie aan te gaan. Maar was dat wel eerlijk tegenover hem? Jaak verdiende een meisje dat echt van hem hield en juist dat kon ze hem nu niet geven.

Drie weken later waren hun haan en twee van de vijf kippen verdwenen. Ze werden alle drie met afgerukte koppen teruggevonden, her en der verspreid in de berm. Niemand dacht aan kwaad opzet. Mimi was ervan overtuigd dat een loslopende hond of een vos de schuldige was. De kadavers werden geplukt en opgegeten. De drie overgebleven hennen werden voor hun eigen veiligheid opgesloten in de stal.

Maar toen een week later deze kippen eveneens spoorloos verdwenen, begon Mimi zich toch zorgen te maken. Ze wist zeker dat er geen vos in de stal kon. Bovendien was gisteren de zeug van Nelis onder haar handen gestorven en daar begreep ze ook niets van. Het was nog een jong dier geweest, gezond en vol levenslust. Nelis was haar twee dagen geleden komen roepen, omdat het varken een ontsteking had opgelopen aan een van de tepels. Mimi had de beginnende ontsteking vakkundig behandeld, zoals ze al zo vaak gedaan had. En toch was het deze ochtend misgegaan en ze had niets kunnen doen om het dier te helpen. Nu ja, het gebeurde nog weleens dat er complicaties optraden en dat God het recht in handen nam. Men had het toeval nu eenmaal niet in de hand. Maar dit dier was zo sterk en gezond geweest, om dan ineens... Nee, ze begreep het niet.

Toen ze vijf dagen later de vaars van Nest Claes behandelde en het dier een dag later dood in zijn stal werd gevonden, wist Mimi helemaal niet meer hoe ze het had. Het dier liep alleen een beetje mank en daarvoor had zij een zalfje op de poot gewreven. Dat was alles. Dat kon niets met zijn dood te maken hebben. Toen Mimi het kadaver in de stal zag liggen en geen enkele doodsoorzaak kon vaststellen, werd het haar zwaar te moede. Nest beschuldigde haar ervan dat zij het dier vergiftigd had en het kostte haar al haar overredingskracht om de man ervan te overtuigen dat haar behandeling niets met de dood te maken had.

Maar het kwaad was geschied en het verhaal ging het dorp rond. Al vlug kwam Nelis met zijn dode zeug op de proppen. De dode geit en kippen werden erbij gehaald en elke dag kwamen er nog andere dieren bij die een onverklaarbare dood waren gestorven nadat zij door Mimi waren behandeld. Deze kwaadsprekerij zette een grote domper op de anders zo vrolijke en gezellige kerstdagen. In de nachtmis werden ze met argwanende blikken bekeken en ook al preekte pastoor Adriaans vol vuur over vrede, toch kon hij het ook niet laten om te benadrukken dat Gods toorn uiteindelijk diegenen strafte die het verdienden. Dat kon natuurlijk van alles betekenen, maar voor Mimi kwam het toch hard aan. Gelukkig was het kerstfeest thuis een en al gezelligheid. Iedereen was er. Mimi en Emera hadden een bescheiden feestmaaltijd bereid.

De kachel snorde, de woonkamer was versierd met hulst en het stalletje met Maria, Jozef en het kindje Jezus stonden op een piëdestal te pronken. Niemand wilde de gezellige sfeer verpesten door over de laster te praten. Niemand van hen twijfelde trouwens aan Mimi's onschuld! Er werd gepraat en gelachen en met de kinderen gespeeld en stilletjes gehoopt dat alles vlug zou overwaaien. Maar het nieuwe jaar bracht geen beterschap. Integendeel! Sommige dieren die Mimi had behandeld, vielen een paar dagen later om een onverklaarbare reden dood neer. Steeds meer mensen gingen aan haar kunnen twijfelen. Ze werd minder en minder gevraagd. Slechts een handvol mensen bleven rotsvast in haar geloven. Hoewel de slachtoffers tot hiertoe alleen maar dieren waren, kozen toch enkele hoogzwangere vrouwen een baker uit een naburig dorp. Mimi had het er moeilijk mee. Ze begon heel erg aan zichzelf te twijfelen.

'Heb je Dries Noten tekeer horen gaan?' vroeg Trude haar op een zondag na de hoogmis. 'Ik hoorde hem roepen tot aan de andere kant van het kerkplein.' De vrouwen waren naar Mimi's huis gegaan, terwijl Peet en Theo naar Trinette van Gansen getrokken waren om iets sterks te drinken dat de kou uit hun botten kon verdrijven.

Mimi boog haar hoofd. Ze had maar al te goed gehoord hoe hij haar beschuldigde. Hoe hij riep dat zij al zijn dieren had behekst, zodat ze een voor een dood neervielen.

Het was koud op het kerkplein. Een ijzige noordenwind floot om de kerk heen en dreef iedereen normaal gezien zo vlug mogelijk naar huis. Maar nu waren veel mensen blijven staan. De verhalen gingen roddelend van mond tot mond en Dries' beschuldigende woorden werden erbovenuit geschreeuwd. Vele ogen leken in haar rug te branden toen Mimi het kerkplein verliet. De kou sneed niet alleen in haar huid, maar ook in haar hart.

'Ik begrijp niet wat er mis is gegaan,' zei ze zacht.

'Er is niets misgegaan, moeder!' Emera was vastbesloten. 'Ik was erbij toen je de dieren behandelde en verzorgde. Het is gewoon stom toeval dat die dieren plots stierven. En Dries Noten liegt, dat weet ik heel zeker! Hij zegt dat al zijn dieren gestorven zijn nadat jij een van zijn konijnen had onderzocht omdat het ontstoken ogen had. Nou, dat is toch te gek om los te lopen?'

'Maar waaraan zijn al zijn dieren dan gestorven, Emera? Dries had vijf konijnen, drie kippen en een hond en de dag nadat ik naar hem toe ben gegaan, lagen ze allemaal morsdood op de grond. Ik heb ze zien liggen en zoals bij al de andere dieren kon ik geen doodsoorzaak vinden. Helemaal niets.'

'Dan is dat toeval geweest, moeder, maar daar hebben wij geen schuld aan.'

'Ik vrees dat de dorpelingen daar anders over denken, kindje,' zei Mimi somber.

Lisa zat in een gemakkelijke leunstoel bij de warme kachel. Ze knoopte haar bloes weer dicht nadat de baby voldoende gedronken had en zette het kind op een deken bij haar voeten, zodat ze het in de gaten kon houden. 'Begrijpen de mensen dan niet dat jij al een heel leven hun dieren hebt verzorgd, moeder? Jarenlang waren ze je maar al te dankbaar en nu ineens beschuldigen ze je van vergiftiging en hekserij.'

Trude knikte. 'Ik begrijp niet wat ze te klagen hebben, maar ik weet zeker dat het wel vlug zal overwaaien. Ze hebben je nodig. Er is niemand in de verre omtrek die zo goed met planten en verzorging kan omgaan als jij.'

Lode was op Mimi's schoot gekropen en sloeg zijn armpjes rond haar hals. 'Oma is de liefste van heel de wereld,' zei hij met een guitige glimlach. Zijn ontwapenende actie bracht de drie vrouwen aan het lachen. Ze waren blij dat het kind het zware gesprek onderbroken had.

Even later kwamen Peet en Theo binnen. 'Brr, wat is het koud buiten! Mijn handen zijn er bijna afgevroren,' zei Theo. De mannen gingen vlug bij de roodgloeiende kachel staan zodat ze wat konden opwarmen. Lode gleed van Mimi's schoot en liep naar zijn vader, die hem dadelijk in de lucht tilde. 'Zo, zoon! Heb jij goed op de meisjes gepast?' Lode knikte heftig met zijn hoofd. 'Dan ben jij een flinke jongen en daarom heb ik voor jou iets meegebracht!' Hij toverde een koek tevoorschijn. Trinette bakte meestal koeken op zondag om aan haar klanten uit te delen. Peet had de koek meegenomen voor zijn zoon. Het kind glunderde en zette er onmiddellijk zijn tanden in.

'Hoe was het bij Trinette?' vroeg Lisa.

'O, goed,' was het korte antwoord. 'Zoals gewoonlijk.'

De twee mannen wisselden een blik van verstandhouding. Ze hadden in de herberg verontrustende verhalen gehoord. Zelfs erg verontrustend! Die Dries Noten maakte het hele dorp gek. Opeens had iedereen zijn mond vol over Mimi. Ze lieten niks van haar heel. Al het goede wat ze gedaan had, was vergeten. De argwaan sloeg om in haat.

Peet en Theo waren echter overeengekomen om er niets over te zeggen. Wat voor zin had het om hun schoonmoeder en hun vrouwen ongerust te maken? Kwaadsprekerij was nu eenmaal niet tegen te houden. Ze hadden geprobeerd om de beschuldigende woorden te weerleggen, maar ze hadden het deksel op hun neus gekregen. Het scheelde een haar of ze waren de herberg uitgejaagd. Ze hoopten vurig dat deze roddels vlug zouden luwen, voordat er erge dingen zouden gebeuren.

Pastoor Adriaans had zich door de kou gewaagd om even met Mimi te kunnen praten. Hij plofte zijn corpulente lijf ongevraagd in een van de leunstoelen en zuchtte opgelucht toen de weldadige warmte van de kachel de kou verdreef.

Mimi en Emera wisten maar al te goed waarvoor hij kwam en ze zagen zijn komst dan ook met lede ogen aan. Het bleef even stil tot Emera met een fles elixir en drie kleine glaasjes de woonruimte binnenkwam. Zodra ze de glaasjes had volgeschonken en pastoor Adriaans een teugje genomen had, schraapte hij zijn keel.

'Ik hoor erg verontrustende dingen, Mimi,' viel hij met de deur in huis.

'Die hebben wij – spijtig genoeg – ook gehoord, mijnheer pastoor. Al kan ik in alle eerlijkheid zeggen dat ik hun zieke dieren alleen maar behandeld heb. Ik heb ze zeker niet gedood!'

'Maar ze zijn wel degelijk gestorven! En bijna allemaal een dag nadat jij ze had behandeld. Hoe verklaar je dat?'

'Daar heb ik echt geen verklaring voor. Ik heb die dode dieren onderzocht, maar ik kon geen enkele verwonding of oorzaak vinden.'

Pastoor Adriaans haalde zijn wenkbrauwen op. 'Dat maakt de zaak nog erger, niet? Het lijkt wel alsof God je wil straffen! Misschien is dat een teken dat je maar beter met je behandelingen kunt stoppen, voordat hij zijn woede helemaal over je uitspreidt en niet alleen dieren, maar ook mensen treft.'

'Maar waarom zou God ons willen straffen, mijnheer pastoor?' vroeg Emera verwonderd. 'Wij doen toch niets verkeerd? Wij willen alleen maar helpen.'

'God doet nooit iets zonder reden, kind! Hij heeft daar zijn redenen voor. Het feit dat jij de jongste zoon van dokter Wouters het huis hebt uitgejaagd is misschien al voldoende.' Hij wachtte even en keek Emera doordringend aan. 'Ik heb gehoord dat jij die arme, gehavende jongen het hoofd op hol hebt gebracht, zodat hij zich tegen zijn vader keerde en dat je hem nadien hebt bedankt voor zijn bewezen diensten!'

Emera schudde ontdaan het hoofd. 'Zo is het niet gegaan, mijnheer pastoor!'

'In ieder geval is dat voldoende om Gods toorn op te wekken. Als ik jou was dan zou ik maar heel veel bidden en God om vergeving vragen voor je losbandigheid.'

Mimi had haar lippen op elkaar gedrukt, maar kon zich niet langer inhouden.

'Mijn dochter heeft niets verkeerd gedaan, mijnheer pastoor. Benjamin Wouters heeft er zelf voor gekozen om ons te helpen.'

De pastoor nipte nog eens van zijn glaasje. 'In het dorp gaan er nochtans andere geruchten,' zei hij zeemzoet. 'Iedereen vraagt zich af waarom Emera uitgerekend een door God minderbedeelde jonge man uitkoos...'

Emera keek hem verbaasd aan. 'Bedoel je zijn huidaandoening?'

De pastoor knikte. 'De meeste vrouwen blijven liever een paar meter van hem vandaan uit angst om besmet te worden. De zussen Heberlin hebben me verteld dat ze zelfs het beddengoed hebben verbrand nadat hij in hun hotel logeerde.'

Emera schaterde het plots uit. 'Zijn huidziekte is helemaal niet besmettelijk, mijnheer pastoor. Benjamin is een man zoals ieder ander. Waarom zou ik dan niet op hem verliefd kunnen worden?'

Pastoor Adriaans keek haar even perplex aan. Misschien was het wel niet Gods woede, maar was de duivel in dit kind gevaren, dacht hij. Hij kon niet begrijpen dat een gezonde vrouw een mismaakte jonge man het hoofd op hol zou brengen zonder duidelijke bijbedoelingen. Hij had Emera onderschat. Hij dacht dat ze een maagdelijke onschuld was, maar blijkbaar had hij zich sterk in haar vergist. Maar hij hield deze beschuldiging voor zich. Het was al erg genoeg dat de hele dorpsgemeenschap zich tegen deze vrouwen keerde.

'In ieder geval maakt het er de situatie niet beter op,' besloot hij. 'Ik kom jullie waarschuwen dat er heel wat borrelt in het dorp en dat het beter is dat jullie geen beesten of mensen meer behandelen. God laat dit niet zonder meer gebeuren! Het heeft een betekenis en daar kun je maar beter rekening mee houden, voordat het te laat is.'

Hij dronk zijn glaasje leeg en hees zich moeizaam overeind. 'Ik raad jullie aan om zoveel mogelijk te bidden en om eens goed na te denken over jullie zonden waarmee jullie God ontstemd hebben. Misschien is het goed dat ik jullie morgen nog eens de biecht afneem, zodat Hij deze zonden kan vergeven.'

Na deze woorden verliet hij het huis. Emera en Mimi bleven beduusd achter. De woorden van de pastoor hadden veel indruk gemaakt. Mimi vroeg zich af waaraan ze Gods boosheid verdiend had, maar Emera wist dat maar al te goed. Zij had immers een doodzonde begaan! Ze had nooit met Kasimir naar het stalletje mogen gaan. Dan had hij haar niet kunnen dwingen tot deze zonde. Ze had het nog niet kunnen biechten, daarvoor was de vernedering en de schaamte te groot, maar misschien moest ze het morgen toch maar proberen...

Emera's biecht bracht alleen maar met zich mee dat pastoor Adriaans er nu nog meer van overtuigd was dat zij een lichtekooi was. Hij had haar opgedragen om zich elke dag te kastijden en te bidden, zodat zij haar lusten kon bedwingen.

Maar het hielp niet om de roddels en de beschuldigingen in het dorp te minderen. Dries bleef de mensen ophitsen. Hij schreeuwde hun toe dat Mimi bezeten was van de duivel. Hij riep dat ze een gevaarlijke heks was en wees erop dat ze vandaag wéér een slachtoffer had gemaakt met haar duivelse kunsten. Iedereen wist al dat Mieke Bellemans' geit deze nacht morsdood was gevallen, zonder dat er ook maar iets aan te zien was. Het nieuws was als een lopend vuurtje door het dorp gegaan en verhitte de gemoederen. Er was dus niet veel meer nodig om hen tot op het kookpunt te brengen. 'We moeten iets doen!' schreeuwde Dries. 'We moeten haar stoppen voordat ze haar duivelse kunsten op onze kinderen loslaat!'

Hij maakte het hele dorp gek en deed hun haat voor Mimi groeien tot het escaleerde in een blinde woede.

Op een steenkoude avond begin februari waren groepjes opgewonden dorpelingen op weg naar De Bist. Ze vloekten en tierden. Ze hadden fakkels meegenomen. Een spookachtig licht danste tussen de bomen.

Mimi en Emera hadden zich net klaargemaakt voor de nacht en de olielamp gedoofd toen het zwakke geluid van harde stemmen hen verbaasd deed opkijken. Mimi zette de brandende kaars op de tafel en ze keken beiden door het raam naar de spookachtige, lawaaierige optocht. 'Wat heeft dat te betekenen, moeder?' vroeg Emera verschrikt. 'Wat komen zij hier nog doen zo laat op de avond?'

Mimi was niet in staat om een woord te zeggen. Haast verstijfd van angst wachtte ze de woedende meute af. Op een vijftal meter van het huis bleven de mannen staan. Mimi en Emera kenden hen allemaal. In het licht van de toortsen waren ze heel goed te zien. Dries was er en Fons en Nelis en Bernus, allemaal mannen die al meer dan eens hun hulp hadden ingeroepen. Mimi onderdrukte haar angst en dwong zich om haar schouderdoek te nemen, zodat ze deze mannen kon vragen wat ze hier kwamen doen. Ze had zich echter nog maar net omgedraaid toen de eerste steen het huis raakte. Onder luid gejoel werden nog meer stenen tegen de muur gegooid. Geschrokken trok Mimi haar dochter met zich mee naar de andere kant van de kamer. Een van de projectielen vloog door het raam. Het geluid van brekend glas deed buiten een luid geschreeuw opstijgen. Dries stond vooraan en was de grootste raddraaier van allemaal. 'Heks! Heks! Heks!' brulde hij luid.

Mimi en Emera hielden hun hart vast. Ze waren verschrikkelijk bang. Wat gebeurde er toch? Wat kwamen die mannen hier doen? Ze hoefden niet lang te wachten om daarop een antwoord te krijgen. Op een gegeven moment maande Dries iedereen tot stilte. Daarna ging hij tot vlak bij het huis en schreeuwde luid: 'Wij willen geen heks in ons dorp, Mimi! Als je volgende week hier niet weg bent, dan komen we terug met rieken en stokken. Dan verjagen we je hardhandig en dan steken we dit duivelshol in brand!' Weer steeg een luid geroep op. Er werden nog enkele stenen naar het huis geworpen, waarna de dorpelingen onder hoongelach en geschreeuw weer in het bos verdwenen.

Emera en Mimi wankelden op hun benen. Mimi liet zich verslagen neerzakken. Ze legde haar hoofd in haar handen en begon te snikken. Emera staarde nog altijd als verdoofd naar het raam. De ijskoude tocht, die nu onbelemmerd naar binnen kon, had de kaars gedoofd, zodat het huis in duisternis gehuld was. Door het stukgeslagen glas zag ze het diffuse licht van de maan. De stilte leek nu oorverdovend. Langzaam liet ze zich naast haar moeder neerzakken, haar blik nog altijd verbijsterd op het raam gericht...

Op datzelfde moment stortte Benjamin zich volop op zijn studie en zijn onderzoeken. Hij dacht dat hij Emera op die manier uit zijn hoofd kon zetten. Terwijl hij bezig was lukte het hem wonderwel, maar zodra hij zich even ontspande, kwam haar beeltenis altijd weer terug. Het leek wel alsof ze op zijn netvlies gebrand stond! Benjamin begreep dat het een tijd zou duren voordat hij haar kon vergeten. Hij had geprobeerd om andere meisjes het hof te maken en dat ging hem vrij goed af, zolang zijn huiduitslag niet zo erg te zien was. Maar zodra zijn gezicht meer geschonden werd, haakten de meeste jonge vrouwen af. De enkeling die zijn huiduitslag voor lief nam, beroerde zijn hart niet genoeg om er zijn leven mee te delen. Misschien verwacht ik te veel en moet ik dankbaar zijn dat iemand met me wil samenleven, ging het door hem heen. Maar dan schudde hij beslist zijn hoofd. Hij had zich altijd al voorgenomen om alleen uit liefde te huwen. Hij wilde niet zijn zoals zijn broer. Hij wilde zielsveel van zijn vrouw kunnen houden en verlangde dat zij ook van hem hield. Weer gingen zijn gedachten naar Emera. Hij vroeg zich af hoe het met haar was. Zou ze al vlug iemand anders genomen hebben toen hij niet meer terugkwam? Misschien had ze ondertussen al een hele schare minnaars gehad? Hij wist dat hij haar nog eenmaal onder ogen moest komen, want ze had nog altijd de boeken die hij haar geleend had. Hij kon er niet onderuit. Ze waren nu eenmaal eigendom van de universiteitsbibliotheek. Aan de ene kant zag hij er tegenop, maar aan de andere kant voelde hij zijn hart een tel vlugger slaan bij de gedachte haar weer te zien.

Maar waarom zou hij morgen of overmorgen niet gaan? Ze konden hem best een dag missen. Het had trouwens geen zin om het uit te stellen. Hij moest er toch een kéér naartoe.

Twee dagen later stond hij op het dorpsplein in Westerlo. Het had die nacht gesneeuwd. Een dunne, witte laag bedekte de velden en de weiden. Op de kasseien was de sneeuw al gesmolten en ze lagen nu te glanzen onder een grauwe, grijze winterlucht. Gerrit van Nieke Coomans stond aan de tramhalte en herkende hem onmiddellijk toen hij uitstapte. Hij bekeek hem verwonderd en met een zekere argwaan. 'Het doet me genoegen om te zien dat je genezen bent, jongeheer Wouters,' zei hij ter begroeting.

Een kort ogenblik vroeg Benjamin zich af wat hij daarmee bedoelde, maar dan knikte hij zonder hem een antwoord te geven. Hij wist dat zijn gezicht vrijwel ongeschonden was. Dat zijn huidaandoening morgen al weer heviger zou kunnen zijn, hield hij maar voor zich. Maar Gerrit was al net zo nieuwsgierig als zijn moeder en probeerde nog meer te weten te komen. 'Nou, je zult je ouders wel een bezoekje gaan brengen, niet? Ik wist wel dat je vader je weer vlug met open armen zou ontvangen.'

'Zeker, mijnheer. Nog een goede dag voor u.' Benjamin maakte vlug een einde aan het gesprek door aan de rand van zijn hoed te tikken en verder te gaan.

Gerrit keek hem een tijdje na. 'Kijk eens aan,' mompelde hij zacht voor zich uit. 'Die gaat om de dooie dood niet naar zijn ouders.' Daarna ging hij eveneens verder. Het was nu eenmaal te koud om lang te blijven staan. Maar hij wist zeker dat zijn moeder graag zou horen dat de jongste zoon van dokter Wouters na al die maanden terug was gekomen en de richting van De Bist was ingeslagen. Nou, wie kon dat nog volgen!

Benjamin trok zijn hoed wat dieper over zijn hoofd en zette zijn kraag omhoog, terwijl hij het besneeuwde pad insloeg naar De Bist. Hij verwenste het feit dat zijn hart sneller begon te kloppen bij de gedachte dat hij Emera dadelijk zou zien. Wat voor zin had het? Hij hoefde zichzelf niet te kwellen. Hij kon zich beter zo koel mogelijk voordoen, zijn boeken ophalen en weer vertrekken om dit dorp voorgoed te verlaten. Voor zijn vader en zijn broer hoefde hij immers niet meer terug te komen en zijn moeder was hem al een paar keer in Antwerpen komen opzoeken, zogenaamd om haar vriendinnen te ontmoeten. Hij was blij om dat laatste. Hij zou het verschrikkelijk erg vinden als hij zijn moeder nooit meer kon zien.

Benjamin ademde diep de ijskoude lucht in en bleef even staan. Hij keek om zich heen naar de wit bestoven takken en de smette-loze velden. Hier en daar was de ongerepte sneeuw door een konijnenspoor getekend. Een buizerd cirkelde traag onder de grij-ze lucht en liet zijn typische schreeuw horen. Voor de rest was het stil. Een glimlach gleed over zijn gezicht. De rust, de stilte en de schoonheid van dit landschap bracht hem in vervoering. Ondanks alles hield hij van deze streek. Het was zo anders dan de drukte in een grijze, grauwe stad. Natuurlijk had Antwerpen ook zijn char-me met zijn mooie gebouwen, zijn faciliteiten, zijn kunst en cul-tuurmogelijkheden, maar als hij heel eerlijk moest zijn, dan ver-langde hij naar een plaats zoals deze. Een ongerept stukje Kempen, mooi in zijn eenvoud.

Hij ging weer verder. Enkel het knarsen van de sneeuw onder zijn voeten was nu hoorbaar. Het was nu niet meer zo ver. Ginds zag hij de lindeboom met het kapelletje en de bank ervoor, waarop hij samen met Emera had gezeten. Die was nu bedekt met een wit laagje. Even later stond hij voor het huis. Hij staarde verwonderd naar het kapotte raam en de deken die vanbinnen uit tegen het venster was gehangen om de koude wind zoveel mogelijk buiten te houden. Er was geen enkel teken van leven te zien of te horen. Geen gekakel van kippen, geen geblaat, geen mensenstemmen of geratel van de putemmer. Een onwennig gevoel bekroop hem. Ondanks zijn voornemens om Emera zo afstandelijk en koel mogelijk te benaderen, voelde hij zich toch bezorgd. Hij klopte en probeerde de deur te openen, maar ze leek gesloten. Hij bonsde met een vuist op het hout. 'Hallo, is hier iemand thuis?' Het geluid van zijn stem galmde door de stilte van het landschap. De bezorgdheid nam toe. Wat was hier allemaal aan de hand? Als het raam niet stuk was geweest en de stilte niet zo dreigend, dan had hij nog kunnen denken dat ze beiden voor hun werk waren weggeroepen. Maar nu kroop er een rilling over zijn rug. Hij kon het gevoel niet onderdrukken dat hier iets ergs aan de hand was.

Met zijn hoofd vol vragen ging hij naar de achterkant van het huis. Ook daar was de stilte haast voelbaar. Hij klopte en toen er geen reactie kwam probeerde hij de deur. Deze gaf gelukkig mee. Hij stak zijn hoofd naarbinnen en riep nog eens dat er volk was, maar er was niemand die reageerde. Hij was net van plan om dan maar onverrichter zake terug te keren, toen hij in de stal naast het huis een zacht geluid hoorde. Hij aarzelde even, maar duwde ten slotte de staldeur open. Zijn ogen moesten even wennen aan het schamele licht, voordat hij de kleine ruimte kon inkijken. Toen zag hij Emera. Ze zat geknield naast haar moeders lichaam en keek met een doodsbange blik naar hem op.

'Benjamin?' Zijn naam kwam haast als een bevrijding. Benjamin had in een flits de toestand aanschouwd en ging nu zonder aarzelen naar hen toe. Hij knielde naast Emera neer en legde zijn hand op Mimi's hoofd. 'Wat is er gebeurd, Emera?' vroeg hij terwijl hij Mimi oppervlakkig onderzocht.

Emera schudde haar hoofd, nog altijd niet bevattend dat Benjamin werkelijk naast haar zat.

'Het… het was te veel voor haar,' hakkelde ze, terwijl ze verstard naar iets wits in het hooi staarde.

Benjamin volgde haar blik en zag nu pas de dode geit liggen. Maar dat was toch geen reden om bewusteloos te vallen? Mimi was een sterke vrouw, daar moest dus beslist méér achter zitten. Hij besloot om nog even te wachten met zijn vele vragen. 'Ik zal je moeder naar binnen brengen, Emera. Daar kan ik haar beter onderzoeken.'

Hij tilde Mimi op en volgde Emera naar het huis. Zodra hij haar op bed had neergelegd en met een nauwkeuriger onderzoek begon, ging Emera naar de woonkamer om nog wat hout op de kachel te doen. Ze wist niet hoe lang ze als verdoofd in de stal had gezeten, maar aangezien de kachel zo goed als leeg was gebrand, moest het toch een behoorlijke tijd geweest zijn. Ze rakelde de smeulende as op en legde er enkele droge twijgjes en dennenappels op. Zodra ze zag dat het vuur opflakkerde, wierp ze er enkele stevigere hout-blokken op. Ze voelde een hand op haar schouder drukken. 'Het komt allemaal wel goed met je moeder, Emera,' zei Benjamin zacht. 'Ik kan niets merkbaars aan haar vinden, buiten het feit dat ze verzwakt is. Ze is gewoon erg geschrokken. Maar er is meer aan de hand, is het niet? De dood van deze geit is niet voldoende om haar zo van streek te maken.'

Emera liet haar hoofd op haar borst zakken. Het was nu de twee-de dag nadat hun nachtelijke bezoekers hun dreigementen hadden geuit. Haar moeder had vanaf die nacht nog geen oog dichtgedaan en ze had geen hap meer gegeten. Het leek wel alsof ze de moed liet zakken. Emera had al het mogelijke gedaan om haar weer wat op te beuren. Maar toen deze ochtend hun nieuwe geit ook dood in de stal lag, bleek dat voor haar moeder te veel en ze was bewus-teloos op de grond gevallen. Toen Emera haar moeder vond en het dode dier zag liggen, had ze haar moeders hoofd in haar schoot gelegd en ze was wiegend blijven zitten. Verdoofd, als in trance. Ze weigerde de tranen, die haast tot verstikkens toe in haar borst samenbalden, tevoorschijn te laten komen. Ze wist immers dat ze, als ze eenmaal huilde, niet meer zou kunnen ophouden.

Een bonzend geluid en een harde stem hadden haar met een schok uit deze toestand gehaald. De angst dat hun nachtelijke bezoekers weer waren teruggekomen, deed haar verstijven en ze bleef dood-stil zitten. Ze kon echter niet voorkomen dat haar moe-der kreunde en dat Benjamin dat geluid had gehoord. Gelukkig maar! Ze was zo blij dat hij er was en dat hij haar kon helpen om haar moeder weer beter te maken. Ze had nog geen gelegenheid gehad om Trude of Lisa op de hoogte te brengen, want dan moest ze haar moeder alleen achterlaten en dat wilde ze niet. Maar toen drong het plots tot haar door dat het misschien beter was dat nie-mand hen bezocht! Misschien hadden de mensen gelijk en waren ze bezeten! Hoe was anders de dood van al deze dieren te verkla-ren?

'Emera?' Benjamin legde nu ook zijn andere hand op haar schou-der en draaide haar naar zich toe. 'Emera, waarom antwoord je niet? Je hoeft niet ongerust te zijn. Je moeder komt er heus wel bovenop. Ze slaapt nu en dat zal haar goed doen.'

Emera keek hem eindelijk aan en in haar blik lag een oneindig verdriet. 'Je kunt hier beter weggaan, Benjamin. De duivel is in ons gevaren.'

'De duivel? Maar dat is toch onzin. Waarom zeg je dat?'

'Omdat... omdat alle dieren die wij hebben aangeraakt aan een onbekende ziekte zijn gestorven. De mensen... willen ons hier niet meer.'

Benjamin begreep er niets van. 'Vertel me alles vanaf het begin, Emera. Hoe is het begonnen?'

Hakkelend en haperend vertelde ze hem alles en ze besloot met de woorden dat er niets anders opzat dan het dorp uit te vluchten. Ze waren verdoemd.

Benjamin had sprakeloos naar het verhaal geluisterd. Hij geloofde zijn oren niet. Hoe konden deze doodbrave mensen nu geloven dat ze door de duivel bezeten waren? Maar hij wist wel hoe dat kwam. De progressie was in deze dorpen nog niet doorgedrongen, deels door hun streng katholicisme en deels door de mentaliteit van de dorpsbewoners. Maar hij wist wel beter! Hij geloofde niet in duivelspraktijken! De inquisitie en zijn heksenvervolging waren allang achterhaald!

Hij realiseerde zich echter dat hij enkel was gekomen om zijn boeken terug te halen. Hij mocht niet de fout maken om zich weer om Emera te bekommeren. Hij had hier niets meer te zoeken.

Hij keek naar haar mooie gezicht. De gedachte dat zij lag te kronkelen van genot onder het lichaam van zijn broer kwam plots in hem op. Het deed hem tandenknarsen.

'Waarom heb je mijn broer niet om hulp gevraagd?' vroeg hij sarcastisch.

Emera keek hem even verwonderd aan. Ze begreep zijn insinuaties niet.

'Wat zou Kasimir voor me kunnen doen?' vroeg ze dan ook.

'Zo! Je geeft dus toe dat je mijn broer kent?'

'Natuurlijk. Waarom zou ik dat ontkennen? Ik kende je broer al voordat ik jou leerde kennen, Benjamin. Alleen wist ik niet dat Kasimir een broer van je was. Dat had je voor me verzwegen.'

'Ik had een reden om mijn naam te verzwijgen, Emera, maar welke reden had jij om met mijn broer het hooi in te duiken, terwijl ik je het hof maakte? Je hoeft me niet zo aan te staren! Hij heeft me alles verteld. Ook van de vele andere minnaars die om je gunsten dingen! Ik dacht nog wel dat je een keurig, net meisje was en geen lichtekooi die achter mijn rug met Jan en alleman het bed in duikt.'

186

Emera verstrakte. 'Schoft!' beet ze hem toe. 'Als je dat van me denkt, dan ben je geen haar beter dan je broer!' De grote verrukking dat Benjamin terug was gekomen, verdween als sneeuw voor de zon. Als hij enkel en alleen hier was om haar te kleineren en te beschuldigen, dan kon hij beter voor altijd uit haar leven verdwijnen. Ze draaide haar rug naar hem toe. 'Ga weg, Benjamin,' zei ze met een schorre, gebroken stem. Maar nu hij eenmaal op dreef was, kon hij niet stoppen. Hij draaide haar met een ruk terug in zijn richting. 'Je ontkent dus dat Kasimir je heeft aangeraakt? Hij zegt toch dat jij heel gewillig was en dat je maar al te graag op zijn avances inging!'

Emera beet op haar onderlip. 'Laat me los!'

'Niet voordat ik weet waarom je hem verkoos! Was het leuk? Was het veel spannender en mooier dan om het hof gemaakt te worden door een mismaakte man?'

'Nee!' schreeuwde ze plots. 'Je hebt het mis, Benjamin! Besef je dan niet dat Kasimir liegt? Ik heb je broer gezegd dat ik niet van hem hield. Maar toen kwam dat onweer! Hij trok me mee naar een stalletje om er te schuilen... Hij... Ik wilde niet... Hij dwong me om...!

Benjamin verstijfde. 'Heeft hij je verkracht?' vroeg hij met een van woede trillende stem.

Emera schudde zacht haar hoofd. 'Dat... dat zou ik niet overleefd hebben, maar hij heeft... O lieve help!' Meer kon ze niet gezegd krijgen. Ze vond het zo beschamend. De tranen vonden uiteindelijk hun weg. Ze huilde nu met lange, diepe halen tot haar schouders ervan schokten. Ze snikte zo hevig dat ze dreigde in elkaar te zakken. Benjamin drukte haar echter stevig tegen zich aan en keek ontdaan op haar neer. Haar woorden hadden hem met een schok verstomd. Hij kon niet geloven dat zijn broer in staat was om een vrouw op die manier te vernederen. O, hij was er heel goed van op de hoogte dat Kasimir pronkte met zijn veroveringen en dat hij er haast altijd in slaagde om de vrouwen met zijn mooie praatjes te verleiden. Maar iemand dwingen was zeker niet zijn stijl.

Aan de andere kant wist hij ook niet wat zijn broer zou doen als hij werd afgewezen door het mooiste meisje van de streek. Zou hij deze nederlaag zonder meer kunnen aanvaarden? Hij klemde zijn lippen op elkaar en schudde zijn hoofd. Kasimir zou het er knap moeilijk mee hebben, daar was hij van overtuigd! Zo moeilijk dat hij zelfs tot de vreselijkste dingen in staat was! Het drong nu tot hem door dat zijn broer dit voorval weleens gebruikt kon hebben om hem van Emera te vervreemden. Hij had doen lijken dat ze niet meer dan een lichtekooi was, terwijl de werkelijkheid heel anders in elkaar zat. Hoe had hij zo blind kunnen zijn?

Hij liet zijn kin op haar snikkende hoofd rusten. 'Het spijt me, Emera,' zei hij zacht. 'Ik heb je onrecht aangedaan. Ik weet dat ik mijn houding niet goed kan praten, maar ik kon de gedachte niet verdragen dat Kasimir... dat jullie...' De rest van de zin liet hij onuitgesproken. Hij kreunde. Wat voor zin had het dat hij dit alles vertelde. Hij had Emera's liefde immers verloren. Ze zou het hem nooit kunnen vergeven, daar was hij zeker van. Maar Emera en haar moeder hadden zijn hulp nu meer dan ooit nodig. Hij kon het nu niet meer over zijn hart verkrijgen om hen zonder meer achter te laten.

Hij wachtte geduldig tot het ergste snikken wat tot bedaren was gekomen en zette haar neer op een stoel. Hij vulde de theepot met een kruidenmengsel dat hij in de bijkeuken vond en goot er kokend water op. Hij zocht tot hij het brood had gevonden, een schaaltje boter en braambessenjam. Even later reikte hij Emera een geurende kop thee aan. 'Drink dit maar even op, Emera, dat zal je goed doen.'

Ondertussen dekte hij de tafel. 'Ik denk niet dat jullie vandaag al iets gegeten hebben!' Benjamin hoefde maar even naar het bleke, ingevallen gezichtje kijken om te weten dat hij gelijk had.

Ze schudde haar hoofd. 'Ik heb geen trek, Benjamin,' bracht ze er moeizaam uit.

'Nou, je zult toch je best moeten doen. Als we willen achterhalen wat hier aan de hand is, dan wil ik dat je sterk genoeg bent om me te helpen.'

Ze keek verwonderd naar hem op. 'Wil je hier dan nog blijven na alles wat je over me gehoord hebt?'

Benjamin boog zijn hoofd. 'Het spijt me, Emera. Ik had mijn broer niet zonder meer moeten geloven en ik had dadelijk naar je toe moeten komen om een verklaring te vragen. Maar je wilde me niet meer zien en toen Kasimir die verschrikkelijke woorden uit-sprak... Ik dacht dat het beter was om je te vergeten.'

'Waarom ben je dan toch teruggekomen?'

'Omdat je nog een paar boeken van me had.'

'O...' Emera's hoop dat hij voor haar was teruggekomen en dat hij ondanks alles toch nog van haar hield, verdween nu volledig. Hij was alleen maar teruggekomen voor zijn boeken!

'Ik zal ze even voor je pakken.'

'Het heeft geen haast, Emera. Ik ga niet weg voordat ik hier het een en het ander heb opgehelderd!'

Ze keek hem moedeloos aan. 'Tegen de duivel kan men niets beginnen, Benjamin. Het is beter dat je weggaat.'

Maar hij schudde resoluut het hoofd. 'Ik ga niet weg, Emera. Je moeder heeft een dokter nodig. Het is mijn plicht om haar te helpen. Bovendien geloof ik niet in duivels en heksen. Hier is iets anders aan de hand en ik wil dat graag uitzoeken. Maar eerst ga je eten, zodat je sterk genoeg bent om naar je zus te gaan. Vraag haar of ze enkele dagen bij jou kan komen logeren, zodat je er niet alleen voor staat. Ik zal hier bij je moeder blijven tot je terug bent.'

Hij sprak kordaat, alsof hij geen tegenspraak duldde. Emera begon aarzelend te eten. Ze kon niet ontkennen dat ze een enorme opluchting door zich heen voelde gaan nu ze wist dat Benjamin bij hen bleef. Het besef dat zij en haar moeder er niet langer alleen voor stonden, gaf haar weer wat moed. Even later trok ze haar wollen mantel aan en verliet ze het huis.

Benjamin maakte een kop thee en belegde een snee brood voor Mimi. Hij zag dat ze wakker was. Ze had zich wat hoger tegen het hoofdeinde gezet en keek met vermoeide, roodomrande ogen voor zich uit.

'Zo, ik had gehoopt dat je nog zou slapen?'

Mimi forceerde een flauwe glimlach. 'Het is moeilijk om te slapen als je hoofd vol zorgen zit. Maar ik ben zo blij om je te zien, Benjamin. Ik dacht even dat ik alles maar gedroomd had. Ik had je hier niet meer verwacht.'

Benjamin keek onzeker de andere kant op. 'Ik moest wel terugkomen, Mimi. Emera heeft nog een paar boeken van me die ik terug moet brengen naar de universiteit…'

Het bleef even stil. Mimi bekeek zijn gezicht nauwkeurig. Ze begreep maar al te goed dat er meer achter zat. Als hij echt niets meer voor haar dochter zou voelen, dan had hij deze boeken wel door iemand anders laten ophalen. Het feit dat hij zelf was gekomen maakte voor Mimi heel wat duidelijk. Maar ze besloot om er niets over te zeggen. Liefde laat zich nu eenmaal niet leiden. Het gaat zijn eigen gang.

'Je ziet er goed uit,' doorbrak ze de stilte.

Benjamin wist dadelijk wat ze bedoelde. Hij knikte en gleed met zijn vingertoppen even over zijn gezicht. 'Ik zou willen dat ik er altijd zo uitzie, Mimi. Helaas is het altijd maar van korte duur.'

'Emera is ervan overtuigd dat jij ooit wel iets zult vinden om je huidziekte te genezen. En ik ben het volledig met haar eens. Waar is ze trouwens? Dat arme kind zal wel helemaal overstuur zijn.' Ze keek langs hem heen naar de deur.

'Ze is net naar Lisa vertrokken om haar te gaan halen. Het is beter dat jij een paar dagen het bed houdt, Mimi, en op die manier staat Emera er niet langer alleen voor.'

Mimi sloot even haar ogen. 'Dat heeft geen zin, Benjamin. We moeten alles inpakken en hier weg zijn voordat de meute terugkomt.'

'Daar zal ik dan wel een stokje voor steken! Emera heeft me alles verteld, Mimi, en ik ga hier niet weg voordat ik weet wat hier aan de hand is. En maak mij niet wijs dat de duivel hier tussenzit! Een dier kan niet zomaar neervallen, dat weet jij best. Of het is door een besmettelijke ziekte getroffen, maar dan sterven er meer dieren van dezelfde stal. Of het heeft een hartziekte, maar dan blijft het bij één dier.'

'Ik weet niet wat ik ervan moet denken, Benjamin. Dat maakt het juist zo moeilijk. Alleen bij Dries Noten is heel zijn veestapel uitgeroeid, tot zijn kippen toe. Maar bij de andere mensen is het telkens beperkt gebleven tot één dier. Maar altijd en alleen nadat ik het had behandeld voor een onbetekenend kwaaltje. Ik kan het niet verklaren, dus moet de duivel wel in het spel zijn!'

Benjamin klemde zijn lippen op elkaar. Hij wilde haar toeschreeuwen dat de duivel niet bestond. Hij was een wetenschapper, een man die bewijzen nodig had. Maar hij begreep ook wel dat hij Mimi niet van gedachten kon doen veranderen, voordat hij bewijzen op tafel kon leggen. Hij verborg zijn ergernis en vroeg in plaats daarvan: 'Jij hebt al die dieren onderzocht en geen enkele doodsoorzaak gevonden?'

Mimi knikte zwak. 'Er was niets te zien of te voelen. Geen opgezette lever, geen ontsteking of voelbaar gezwel, geen schuim uit hun bek, geen uiterlijke tekens van een besmetting, helemaal niets. Het enige wat ik kon bedenken was een hartkwaal. Maar waarom al deze dieren? Hier zit meer achter, Benjamin. Zelfs de pastoor denkt dat er bovenmenselijke krachten aan het werk zijn. Ik heb gebeden. Dagen en nachten lang heb ik God om vergeving gesmeekt. Maar Hij heeft mijn gebeden niet verhoord. Deze ochtend lag onze geit dood…'

'Door dezelfde ziekte?'

Mimi knikte weer. 'Waarschijnlijk. Gisteren was er nog niets aan te zien.' Ze keek met een uitgeputte, angstige blik naar hem op. 'Ik... ik kan het niet meer aan, Benjamin. Ik ben bang dat ik nog meer slachtoffers zal maken. Misschien wel mensen... dierbaren... O, ik mag er niet aan denken...'

'Daar hoef je ook niet aan te denken, Mimi. Het enige wat je nu mag doen is je thee opdrinken en eten.' Toen hij zag dat ze zwak haar hoofd schudde om te protesteren, duwde hij de kop thee in haar handen en zette de houten schaal met het brood op haar schoot. 'Ik duld geen weigering, Mimi! Dit is op doktersadvies. Ik wacht hier tot je alles op hebt!'

Hij kruiste zijn armen en keek met een gemaakt boze blik op haar neer. Mimi capituleerde en voldeed ten slotte aan zijn verzoek. Hij wachtte geduldig tot ze alles op had en dekte haar daarna weer toe. 'Zo, en nu ga je rusten. Ook op doktersadvies! Je hoeft niet bang te zijn, Mimi. Zolang ik hier ben, zal niemand het wagen om ook maar één stap in de richting van dit huis te zetten.'

Na deze woorden liet hij haar alleen. Mimi keek nog lange tijd naar de deur waarachter hij verdwenen was. Zijn aanwezigheid maakte haar wonderwel rustiger. Het nam de spanning en de onzekerheid niet weg, maar het maakte de angst iets minder, zodat ze ten slotte dan toch wegdommelde in een onrustige slaap.

Zodra Benjamin zag dat ze sliep, ging hij naar de stal om de dode geit te onderzoeken. Hij sneed het kadaver open zodat hij binnenin kon kijken naar een doodsoorzaak. Hij kon echter niets vinden. Het hart leek alleen iets vergroot te zijn, maar was dat voldoende om de dood veroorzaakt te hebben? Hij begroef het dier aan de rand van het bos. Het koste hem veel moeite om een gat in de bevroren bodem te maken, maar hij wilde het dier begraven hebben voordat Emera en haar zus terug waren. Toen hij daarmee klaar was, begon het al donker te worden en tot zijn grote opluchting zag hij even later Emera en haar zus verschijnen. Lisa had de kinderen meegebracht. Lode, warm ingepakt, stapte met rode wangen en een grote glimlach de woonkamer binnen. 'Oma, het heeft lekker gesneeuwd!' riep hij terwijl hij de kamer inkeek. Toen hij niet Mimi, maar een vreemde man bij de kachel zag zitten, bleef hij prompt staan, zodat Lisa met de kinderwagen haast tegen hem aanreed. Emera had haar zus al op de hoogte gebracht van Benjamins aanwezigheid, zodat ze nu nieuwsgierig naar de man staarde. Ze kende Benjamin natuurlijk vanwege de rechtszaak en ze was net zoals iedereen geschrokken toen ze hoorde dat hij van Emera hield. Maar haar zus wilde niets meer met hem te maken hebben en nadien was hij spoorloos verdwenen, zodat hij al vlug uit haar gedachten was verdwenen. Ze begreep dan ook niet goed wat hij hier kwam doen. Als hij alleen een paar boeken kwam ophalen, waarom bleef hij dan hier? Ze was vreselijk geschrokken toen Emera haar vertelde wat hier allemaal was gebeurd. Ze vroeg zich af waarom zij dat niet eerder had gehoord. Heel het dorp moest daar toch van op de hoogte zijn geweest? Maar ze wist wel beter. Diegenen die er het nauwste bij betrokken waren, kwamen het altijd het laatst te weten! Gelukkig was ze nu hier. Nu kon ze niet alleen haar moeder in de gaten houden, maar ook deze man. Ze vertrouwde hem niet en ze was vastbesloten om hem op zijn plaats te zetten als hij van plan was om haar jongste zusje te kwetsen of verdrietig te maken.

Benjamin stelde zich voor en Lisa knikte afstandelijk terwijl ze haar naam noemde. Daarna keerde ze zich naar haar zus. 'Ik ga even naar moeder kijken, Emera. Let jij even op de kinderen?' Ze wachtte niet op een antwoord, maar verdween dadelijk naar de bijkeuken. Omdat Lode nog altijd stilzwijgend naar hem stond te staren, zakte Benjamin door zijn knieën. Hij keek de jongen glimlachend aan. 'Wat ben jij al een grote kerel, zeg. Heeft het bij jullie al net zo veel gesneeuwd als hier?'

Lode knikte heftig. 'Nog veel meer! Ik heb samen met tante Em een sneeuwpop gemaakt en we hebben met sneeuwballen gegooid. Leuk!' Hij trok nu aan zijn sjaal. Emera hielp hem om zijn muts, sjaal en jas uit te trekken, waarna hij dadelijk naar de mand met blokken toe ging. Daarna nam ze de baby uit de kinderwagen, deed zijn muts af en zijn jas uit en nam Seppe op haar arm. Hij kraaide en sloeg zijn armpjes uit.

Benjamin glimlachte opgelucht. Het was goed dat de kinderen Emera's zorgen een beetje op de achtergrond drukten.

'Het is beter dat je moeder een paar dagen het bed houdt, zodat ze wat kan aansterken, Emera. Morgen kunnen de kinderen af en toe naar haar toe, dat zal haar wat afleiding geven. Maar niet te lang. Ik ga nu naar het dorp voordat het te donker wordt, maar morgen kom ik terug zodat ik kan zien hoe het met haar gesteld is.'

Zonder haar antwoord af te wachten, greep hij zijn jas en hoed en hij was verdwenen voordat ze hem iets kon zeggen. Emera bleef wat verdwaasd achter. Ze wilde hem zeggen dat ze hem dankbaar was voor zijn hulp, maar aan de andere kant wilde ze dat hij voorgoed uit haar leven verdween, zodat ze niet langer de pijn in haar binnenste zou voelen.

'Moeder laat weten dat ze zich al veel beter voelt,' hoorde ze Lisa zeggen. 'Ze heeft een beetje kunnen slapen. Ik geef het niet graag toe, maar ik denk dat Benjamins hulp haar veel goed heeft gedaan. Ze spreekt vol lof over hem. Maar zeg nu eens eerlijk: wat komt hij hier eigenlijk doen? Ik dacht dat jij niets meer met hem te maken wilde hebben?'

Emera draaide zich onwennig van haar weg. Ze nam een paar speelblokken voor de baby alsof ze zich daarmee een houding kon geven. 'Ik heb het je toch gezegd, Lisa. Hij kwam gewoon een paar boeken ophalen die hij me vroeger geleend had. Maar nu wil hij hier niet meer weggaan voordat hij weet wat achter deze – volgens hem – complete waanzin zit. Hij wil niet geloven dat de plotse dood van deze dieren onverklaarbaar is en zeker niet dat de duivel ertussen zit.'

'Nou, daar bewonder ik hem om.' Lisa rilde demonstratief alsof ze de duivelse adem al in haar nek voelde. 'Ik vind het fijn dat hij in moeders onschuld gelooft, maar ik vraag me toch af waarom hij wil uitzoeken wat er aan de hand is.'

Emera haalde haar schouders op. 'Hij is dokter, Lisa. Ik veronderstel dat hij zich verplicht voelt om over moeders welzijn te waken.'

Lisa keek haar jongste zus even keurend aan. Intuïtief voelde ze dat hier meer achter zat. Maar net als haar moeder besloot ze om er niet verder op door te gaan.

'Ik hoop in ieder geval dat hij Gods woede niet over ons heen haalt,' zei ze nog. 'Onverklaarbare dingen kunnen nu eenmaal beter met rust gelaten worden.'

'Erger dan dit kan het niet worden. Moeder is ziek van ellende, Lisa. We moeten hier weg en iedereen die ons dierbaar is, achterlaten.' Ze keek naar de baby in haar armen en voelde de tranen weer opkomen. Ze zou deze kinderen misschien nooit meer te zien krijgen. Lisa zag haar ontreddering en slikte een brok weg. Het drong nu pas goed tot haar door welke impact een verbanning zou hebben. Wie weet hoe ver haar moeder en zus zouden moeten vluchten om aan de woede van de bevolking te ontsnappen? Zou zij hen ooit nog kunnen bezoeken? Zouden haar kinderen hun oma en tante dan nog wel herkennen? Zou zij wel kunnen leven zonder haar moeder in de buurt? Ze werd er stil van. Stilzwijgend nam ze de baby van Emera over om hem de borst te geven. Ook in haar ogen blonken tranen.

HOOFDSTUK 20

Viktor keek met een verontruste blik naar zijn zoon. 'Hij moet gisteren al zijn aangekomen, Kasimir. Volgens Gerrit is hij dadelijk naar De Bist gegaan. Ik vraag me af wat hij daar, na al die tijd, zo plots nog te zoeken heeft.'

'Dat verwondert mij al evenzeer, papa. Ik dacht dat hij het na al die maanden wel bekeken had.'

Viktor leunde achterover in zijn bureaustoel en drukte zijn vingertoppen tegen elkaar. 'Zijn komst maakt me ongerust, Kasimir. Hij zou weleens een stokje kunnen steken voor ons zorgvuldig opgezette plan. Ik ben ervan overtuigd dat Benjamin niet zomaar zal geloven dat de duivel de oorzaak is van al het onheil.'

'Misschien zijn Mimi en Emera het dorp al uitgevlucht?' opperde Kasimir. 'Na het nachtelijke bezoek heeft niemand hen nog gezien.'

'Dat zou me sterk verwonderen! Ik heb horen zeggen dat Emera gisteren gezien is. Ze was samen met haar zus Lisa en haar kinderen. Ik vraag me af waar Benjamin op dat moment was? Hij kon nog niet terug in het dorp geweest zijn, want hij heeft pas 's avonds een kamer gehuurd bij de gezusters Heberlin. Nee, het staat me helemaal niet aan, Kasimir. Waarom moet hij juist nu weer opduiken? Heeft hij nog niet genoeg ellende aangericht?'

'Weet moeder dat hij hier is?'

'Nee, en dat kan beter zo blijven! Ze lijkt zich eindelijk verzoend te hebben met het feit dat ik toch niet zal zwichten voor haar smeekbeden. Het heeft dus geen zin om alles weer op te rakelen. Maar dat is mijn grootste zorg niet, Kasimir. Ik ben bang dat Benjamin jouw toekomst weleens in de war zou kunnen sturen. Als hij erachter komt dat wij ook maar iets met deze duivelskunsten te maken hebben, dan zullen zijn beschuldigingen weleens de staalfabrieken van Felix Monard kunnen bereiken, als je begrijpt wat ik bedoel.'

Kasimir knikte. 'Dat zou inderdaad een ramp zijn, papa. De trouwerij is al volop in voorbereiding. Volgende maand begin ik trouwens bij hem te werken. Het zou een catastrofe zijn als ik dit alles moest mislopen. Maar zo ver is het nog niet. Het zal Benjamin heel moeilijk vallen om ons te beschuldigen. Alleen Dries Noten weet dat ik ertussen zit en ik kan ervan op aan dat hij zal zwijgen. Benjamin kan zoeken zoveel hij wil, maar hij zal niets vinden.'

'Ik hoop dat je gelijk hebt, Kasimir. Misschien maken we ons inderdaad zorgen om niets en waarschijnlijk is hij morgen al weer verdwenen. Het verwonderde me alleen dat hij hier plots weer opduikt. Het lijkt wel of dat heksengebroed hem nooit loslaat!'

'Ik kan hem eens gaan opzoeken, papa. Ik ben tenslotte zijn broer en hij kan het moeilijk weigeren om me te ontmoeten.'

Viktor dacht even na en knikte uiteindelijk. 'Dat is geen slecht idee. Laat het lijken alsof je hem hebt gemist en probeer erachter te komen waar hij mee bezig is.'

Benjamin was met veel dingen tegelijk bezig. In de ochtend was hij naar De Bist gegaan waar hij constateerde dat Mimi er al een beetje beter uitzag. Emera had ook weer wat kleur op haar wangen nu Lisa en de kinderen haar gezelschap hielden. Zodra hij ervan overtuigd was dat ze het goed maakten, was hij op weg gegaan naar het huisje van Dries Noten. Hij had Mimi horen vertellen dat deze man de aanvoerder was van de nachtelijke bende die hen had bedreigd en hun huis met stenen bekogeld. Bovendien was dit de enige man die zijn hele veestapel had verloren door deze geheimzinnige ziekte. Misschien maakte zijn verhaal hem iets wijzer.

Het duurde even voordat hij het huisje vond. Dries, zijn vrouw Metteke en hun vijf kinderen woonden helemaal achteraan in Het Goorken, een klein gehucht in de schaduw van de Norbertijnenabdij. Benjamins handen en voeten leken bevroren toen hij het eindelijk zag staan. Het was een armoedige bedoening, half verstopt achter hoog opgeschoten, met sneeuw bestoven struikgewas en bomen. Maar er kwam rook uit de schoorsteen en dus was het bewoond. Tegen het huis aan was een krakkemikkig stalletje gebouwd. Toen hij erlangs liep, trok een gemekker zijn aandacht. Hij keek door de kieren van de half rotte planken en zag een spierwitte geit staan. Ze keek zijn richting uit en mekkerde hoopvol. Even verder scharrelden een tiental kippen en een haan in de sneeuw. Hij verwonderde zich erover dat deze arme mensen zich zo vlug een nieuwe veestapel konden veroorloven. Toen zag hij het meisje. Ze haalde net een emmer water uit de put. 'Wacht! Ik zal hem voor je dragen,' zei Benjamin toen hij zag dat het kind haast een bovenmenselijke inspanning moest doen om de emmer van de betonnen rand af te nemen zonder dat het ijskoude water over haar heen kletste. Het meisje schrok toen ze hem zag. Hier kwamen maar zelden vreemdelingen. Zonder een woord te zeggen liet ze Benjamin aan zijn lot over en ze holde op haar klompen het huisje binnen. Benjamin ging haar achterna. Hij zette de emmer in het kleine bijkeukentje en ging de woonruimte binnen waar vijf paar kinderogen hem nieuwsgierig en afwachtend opnamen. Metteke roerde in een kookpot die aan een ketting boven een open vuur hing. Zonder op te kijken vroeg ze: 'Wat wil je?'

Benjamin keek de kleine ruimte rond. Veel meer dan een tafel, wat stoelen en een open haard stond er niet in. Het was er ook niet erg netjes. De geur van urine en andere viezigheden overheerste de kooklucht. 'Ik zou graag meneer Noten willen spreken,' zei Benjamin.

Nu draaide de vrouw zich om en ze keek hen grijnzend aan. 'Mijnhéér,' ze legde er flink de nadruk op, 'is niet thuis. Hij zal waarschijnlijk bij Trinette zitten te zuipen. Nou, als je hem wilt spreken, dan moet je hem daar gaan zoeken!'

Benjamin knikte en wilde zich omdraaien, maar hij bedacht zich. 'Misschien kun jij me wel helpen?' vroeg hij.

'Dat betwijfel ik.' Metteke keek al weer naar haar kookpot. 'Als je iets moet weten dan moet je dat maar aan Dries vragen!'

'Het gaat om de dood van jullie beesten,' ging hij toch verder. 'Ben je niet bang dat jullie nieuwe geit ook zal sterven aan die geheimzinnige ziekte?'

'Zolang Mimi haar handen van haar afhoudt zal er niets gebeuren!' Mettekes ogen vlamden toen ze hem aankeek. 'Ze heeft ons behekst! Onze hond was nog kerngezond voordat we hem dood vonden en onze kippen en konijnen vielen neer waar ze stonden. Bovendien werd ik vlak daarna ziek. Ik hoestte me de longen uit mijn lijf! En een van mijn kinderen kreeg allemaal rode vlekken en hoge koorts. Gelukkig kon Dries de hekserij van ons afwenden en zijn we hersteld.'

'Hij is er ook in geslaagd om jullie veestapel weer te herstellen,' ging Benjamin hier vlug op in.

Metteke veegde haar handen af aan haar groezelige schort en ze ging nu voor hem staan. 'Mijn man is misschien wel een nietsnut,' siste ze nijdig, 'maar hij zorgt er tenminste altijd voor dat we niet verhongeren. En maak nu maar dat je wegkomt! Ik weet heus wel wie je bent en het is niet voor niets dat je eigen vader je uit zijn huis heeft gezet!'

Benjamin zweeg wijselijk en verliet het huis. Hier kwam hij geen stap verder! Maar hij vroeg zich toch af waar Dries het geld vandaan haalde om deze nieuwe geit en kippen te kopen. Het moest hem een kapitaal gekost hebben!

Benjamin besloot eerst de andere boeren te bezoeken die een dier of hoenders verloren hadden, zogenaamd door Mimi's hekserij. Maar tegen de avond ging hij terug naar het hotel, zonder dat hij ook maar iets wijzer was geworden. Elke keer had Mimi deze dieren behandeld voor een kleine kwaal, waarna het dier een paar dagen later overleed. Kippen, kalkoenen of tamme ganzen waren een ander verhaal. Hier en daar was er een bezweken zonder dat Mimi hen behandeld had. Zij moest maar even voorbij het huis gelopen hebben om de hoenders te beheksen. Benjamin begreep dat dit volslagen onzin was, maar hij zou deze mensen niet kunnen overtuigen van Mimi's onschuld zonder onomstotelijk bewijs en net dit bewijs kon hij nergens vinden. Maar er was wel iets wat hem verontrustte en dat hem niet meer losliet. Al deze mensen hadden een dier of hoen verloren, maar niemand van hen had het verlies al gecompenseerd. Het was winter en ze konden hun zuurverdiende geld nu wel voor andere dingen gebruiken. Het gevoel dat Dries Noten hem meer kon vertellen liet hem niet los. Hij besloot om toch nog eens met hem te praten. Maar niet meer vandaag. Het begon al donker te worden en hij was moe en koud tot op het bot. Hij hoopte op een stevige maaltijd in het hotel en op een hartversterkertje bij de warme kachel.

Maar die goede vooruitzichten moesten nog even wachten, want voordat hij villa Heberlin bereikte, kwam hij zijn broer tegen.

'Dat is ook toevallig,' grijnsde Kasimir. 'Ik kom net van het hotel. Ik hoorde dat je daar logeerde en ik wilde je even een bezoekje brengen. Je weet wel: als broers onder elkaar.'

De gedachte aan Emera's woorden deden Benjamins woede weer oplaaien.

'Weet papa dat je hier bent?' vroeg hij sarcastisch.

'Moet dat dan?' ontweek Kasimir zijn vraag. 'Hij hoeft het niet te weten. Ik vroeg me gewoon af hoe het met je was. Misschien heb ik je vroeger de indruk gegeven dat ik je niet erg mocht. Maar in werkelijkheid lig je me erg na aan het hart en ik maak me echt zorgen om je.'

Benjamin geloofde hem niet. Hij had heel zijn leven al een bondgenoot willen hebben, iemand die hij kon vertrouwen en waardoor hij zich niet zo alleen had gevoeld, maar Kasimir had hem

198

alleen maar verwenst en vernederd. En nu hij Emera's versie van de feiten had gehoord, werd de walging en haat voor zijn broer alleen maar groter.

'Je hoeft je om mij geen zorgen te maken, Kasimir,' zei hij koud. 'Ik heb nooit een broer gehad! Ik heb altijd alles alleen gedaan en daar pluk ik nu de vruchten van.'

'O ja? Zie dan maar dat je niet de verkeerde vruchten plukt! Ik heb horen zeggen dat je Emera weer hebt opgezocht? Ik wil je nog maar eens voor haar waarschuwen, Benjamin. Sinds jij weg bent gegaan was er geen enkele man meer veilig voor haar. Ze is niet meer dan een hoer!'

Benjamin greep hem zo vlug bij zijn kraag, dat Kasimir een ogenblik niet wist wat hem overkwam. Hij trok hem tot vlakbij zijn gezicht. 'Durf haar niet meer te beledigen, *broer*!' siste hij spinnijdig. 'Iemand die vrouwen dwingt is in mijn ogen niet meer dan uitschot!'

Kasimir rukte zich los. Hij wist dadelijk waarover Benjamin het had. 'Het is mijn woord tegenover dat van haar, Benjamin. Als je haar gelooft, dan ben je nog gekker dan ik dacht.'

Een onverwachte, harde vuistslag deed hem achteruit wankelen. 'Dit is mijn antwoord!' zei Benjamin woedend. 'Ik heb meer vertrouwen in haar dan ik ooit in jou gehad heb!'

Na deze woorden draaide hij zich met een ruk om en verdween met verbeten stappen, zijn handen nog altijd tot vuisten gebald.

Kasimir wreef over zijn bezeerde kaak en keek hem na. Zijn ogen flitsten koud en haatdragend. Hij liet het hier niet bij. Zeker niet! Hij zou Benjamin deze vuistslag betaald zetten, daar kon hij van op aan!

Benjamin op zijn beurt voelde de woede langzaam wegebben terwijl hij verderging. Hij had geen spijt van zijn daad, maar de hoop op een verzoening leek nu verder weg dan ooit. Bovendien kon hij ook niet meer rekenen op Emera's liefde. Die kans had hij eveneens verkeken. Hij voelde zich plots verschrikkelijk eenzaam en hij vroeg zich af waaraan hij dat verdiend had. Toen hij het hotel bereikte, had hij geen honger meer. Hij verlangde alleen maar naar een beetje warmte en wat troost. Hij dronk meer dan goed voor hem was en viel daarna in een rusteloze, ondiepe slaap.

De volgende dag voelde hij zich beroerd, maar een goed ontbijt kon wonderen doen. De zusters Heberlin kakelden vrolijk en legden hem in de watten. Nu hun gast zo goed als gaaf van huid was, waagden ze het zelfs om hem een schouderklopje te geven nadat hij hun ontbijttafel zoveel eer had aangedaan. O, ze wisten op dit ogenblik heel goed dat deze knappe jongeman de verworpen zoon van dokter Wouters was, maar dat deerde hen niet. Jongeheer Wouters was een nette, correcte jongeman en dat kon niet van elke gast gezegd worden!

Na het eten voelde Benjamin zich wat aangesterkt. Hij nam zijn jas en hoed en ging weer op pad. De vrieslucht had plaatsgemaakt voor regen. De sneeuw van de vorige dagen was weggesmolten. De kasseien glansden en de karsporen lagen er doorweekt en modderig bij. Benjamin vroeg zich af of het niet beter was als hij dit dorp zo vlug mogelijk achter zich liet. Hij pijnigde zich alleen maar door haar elke dag op te zoeken. Bovendien kon hij zijn moeder niet eens opzoeken, ook al woonde ze bij wijze van spreken naast zijn deur. Hij had hier eigenlijk niets anders te zoeken dan ellende en verdriet! Maar dan dacht hij weer aan Mimi's angstige blik, haar ontreddering en aan Emera's bleke gezicht. Hij kon hen niet in de steek laten! Niet voordat hij wist dat ze veilig en wel zouden achterblijven. Hij zuchtte diep, terwijl hij door de modder verderging. Kraaien en kauwen bevolkten de kale velden. Hun krassende roep doorbrak de stilte van het trooteloze, doorweekte landschap. Benjamin trok de kraag van zijn jas wat omhoog. De motregen voelde ijzig koud aan.

Zodra hij Mimi's huis binnenging, hoorde hij lachende vrouwenstemmen en viel de gespannen stemming van hem af. In de woonkamer zag hij Lisa, Emera en een onbekende jonge vrouw. Deze laatste hield Seppe in haar armen. Lode zat in een stoel bij de kachel en liet een ruw uitgesneden houten paardje over de leuning rijden. De deken was nu van het raam en het gat was met oude kranten dichtgestopt, zodat er tenminste weer wat licht binnen kwam. Ondanks de betrekkelijk kleine ruimte en de omstandigheden, was de sfeer warm en gezellig. Zodra Emera hem zag glimlachte ze breed. Ze nam Trude bij haar arm. 'Dit is mijn zus Gertrude, Benjamin, maar wij noemen haar Trude. Ze is dadelijk hier naartoe gekomen toen ze hoorde wat er gaande was.'

Benjamin nam zijn hoed af en knikte vriendelijk. 'Dag Trude. Aan het gelach te horen toen ik binnenkwam, is het een zegen dat jij hier bent.'

Emera knikte. 'Dat is het ook, Benjamin. We zijn altijd dolgelukkig als we weer eens met zijn drieën bij elkaar zijn. Haar echtgenoot

Theo is met haar meegekomen, maar hij is naar het aangrenzende dorp om een nieuw vensterglas. Hij zal wel niet zo lang meer wegblijven.'

Lode had zijn paard op de leuning laten staan en trok nu aan Benjamins broekspijp. 'De sneeuw is weg,' zei hij beteuterd. 'Nu ziet alles er vies uit.'

Benjamin grinnikte en ging even op zijn hurken voor het kind zitten. 'Misschien komt de sneeuw nog weleens terug,' zei hij bemoedigend. 'Maar voor alle zekerheid heb ik iets meegebracht waarmee je ook binnen kan spelen.' Hij haalde een beursje met knikkers uit zijn zak en gaf het aan de jongen. Hij had het speelgoed gisteren, toen hij op onderzoek uit ging, in de kruidenierswinkel gekocht en dit leek hem het geschikte moment om het te geven. Lode zette grote ogen op. 'O, kijk moe!' Met een glunderende blik haalde hij een dikke, glanzende, kleurrijke knikker uit het beursje en liet hem aan Lisa zien. 'Nou, nu heb je toch echt wel geluk, jongen. Zeg maar 'dank je' tegen Benjamin.'

Dat liet Lode zich geen tweemaal zeggen. Hij draaide zich weer om, sloeg zijn armen rond Benjamins nek en zei: 'Jij bent de liefste meneer die ik ken.' Zijn onschuldige uitspraak deed de vrouwen weer lachen.

Benjamin aaide hem nog even over zijn krullenbol en stond op. 'Hoe is het met jullie moeder?' vroeg hij aan niemand in het bijzonder.

'Beter,' zei Lisa terwijl ze de baby van Trude overnam. 'Ze eet en rust goed, maar ze is nog altijd niet de oude.'

'Dat zal nog wel even duren, Lisa. Maar dankzij jullie goede zorgen en haar doorzettingsvermogen zal ze er wel bovenop komen. Ik ga nu even naar haar toe, maar daarna moet ik weer weg.'

Emera keek hem vragend aan. 'Heb je al iets gevonden wat onze onschuld kan bewijzen, Benjamin?' vroeg ze zacht. 'Ik ben bang dat ze terug zullen komen om ons weg te jagen.'

Hij schudde zijn hoofd. 'Nee, maar ik geef het nog niet op.' Hij probeerde haar een beetje hoop te geven. 'Ik ben in ieder geval blij dat jij en je moeder niet langer alleen zijn. Je zussen lijken me erg aardig.'

'Dat zijn ze ook. Spijtig dat Theo of Peet hier niet kunnen blijven. Met een man in het huis zouden de dorpelingen wel twee keer nadenken voordat ze ons weer met stenen bekogelen. Maar ze kunnen hun werk nu eenmaal niet achterlaten.'

Benjamin knikte enkel. Hij zou gerust een paar dagen hier kunnen blijven, maar het paste nu eenmaal niet om als vreemdeling bij een stel vrouwen te overnachten. Dat was voer voor de roddelaars en het zou de beschuldigingen alleen maar erger maken.

Nadat hij Mimi een bezoekje had gebracht, verliet Benjamin het huis. De drie jonge vrouwen keken hem door het raam na tot ze hem niet meer konden zien.

'Ik weet eerlijk gezegd niet wat ik van hem moet denken,' bekende Trude toen ze zich eindelijk omdraaide en Emera aankeek. 'In het gerechtshof liet hij me haast van mijn stoel vallen van het schrikken toen hij zomaar kwam vertellen dat hij van je hield. Het feit dat hij het voor moeder opnam en daardoor zelf zijn ouderlijk huis uit werd uitgezet, maakte mijn waardering voor hem groot. Daarna liet hij je echter zonder pardon in de steek. Hij was weg, foetsie! We hebben niets meer van hem gezien of gehoord. Ik moet bekennen dat ik hem toen haatte omdat hij je verdrietig maakte. En nu komt hij hier plots weer terug om jou en moeder te helpen?' Ze keek haar jongste zus doordringend aan. 'Wat is er tussen jullie aan de hand, Emera? Wat is de ware reden van zijn bezoek?'

Emera sloeg onwennig haar blik weg, toen ze ook Lisa vragend naar haar zag kijken.

'Er is niets meer tussen ons,' stamelde ze zacht. 'Benjamin kwam een paar boeken halen die ik van hem geleend had. Toen hij hoorde wat hier gebeurd was, besloot hij om uit te zoeken wat er aan de hand was. Dat is alles.'

'O lieve help! Dat is alles, zegt ze!' Trude rolde met haar ogen. 'Kind, wat ben jij nog naïef! Denk je dat hij hier zou blijven als hij werkelijk niets meer voor je voelde?'

'Toch is het zo, Trude. Als hij nog om me gaf, dan had hij dat toch gezegd?'

'Ik maak me meer zorgen om jou,' kwam Lisa ertussen. 'Ik wil niet dat hij je weer ongelukkig maakt, Emera. Heb je nog bepaalde gevoelens voor hem? Eerlijk zijn, zus! Ons kun je niet zomaar iets wijsmaken, dat weet je. We kunnen het zo aan je zien!'

Het bleef even stil. Emera beet op haar onderlip. 'Ik... ik houd nog altijd van hem,' stamelde ze ten slotte zacht. 'Maar jullie moeten je geen illusies maken. Hij blijft alleen maar een paar dagen om voor moeder te zorgen en om uit te zoeken wat hier aan de hand is.'

'Waarom zeg je Benjamin niet dat je nog altijd van hem houdt?'

Emera keek hulpeloos naar haar beide zussen. 'En als jullie je vergissen? Hij zal mijn hart breken als hij weigert, dat weet ik zeker. Zolang hij niet laat merken dat hij nog van me houdt, durf ik het hem niet te zeggen.'

'Maar hij heeft het toch laten merken door hier te blijven?' Trude werd er wanhopig van. 'Dat zegt toch meer dan genoeg?'

Lisa zuchtte diep. 'Nou ja, we kunnen je natuurlijk niet dwingen om het hem te zeggen en we kunnen ook niet aan Benjamin vragen wat hij voor je voelt. Dat zou onbetamelijk zijn. Maar misschien brengt de tijd wel raad.' Ze besloot het onderwerp te laten rusten, maar ze was zeker niet van plan om zich er gewoon bij neer te leggen.

Benjamin voelde zich al net zo moedeloos. De gezellige sfeer in Mimi's huis had hem doen beseffen wat hij al heel zijn leven had gemist. Hij hoopte dat hij ooit zelf zo'n leven kon opbouwen, samen met een lieve, zorgzame vrouw. Dan zou zijn huis een warme thuishaven worden voor zijn kinderen, voor zijn familie en vrienden. Maar nu viel deze droom in het water. Hij was bang dat Emera nu niets meer met hem te maken wilde hebben. Hij had het gevoel dat hij van niemand anders kon houden, dat hij bij niemand dezelfde warmte en geborgenheid kon vinden. Op dit ogenblik voelde hij zich verschrikkelijk eenzaam. Hij had veel zin om bij zijn moeder aan te lopen, zodat hij zijn hart even kon uitstorten. Maar hij begreep drommels goed dat zijn vader hem niet eens zou binnenlaten. Het zou heel wat opschudding en herrie veroorzaken. Hij besefte dat zijn moeder eronder kon lijden en dus zag hij ervan af. Het was beter dat hij haar deze avond een lange brief schreef.

Met deze sombere gedachten bereikte hij het dorp. Hij sloeg het smalle paadje naast de kerk in en ging in gedachten verzonken de herberg van Trinette van Gansen binnen.

Een paar oude mannen zaten aan een tafeltje vlak bij de kachel. Ze keken hem wantrouwend aan toen hij aan een tafeltje bij de deur ging zitten. Trinette was nergens te zien, maar een van haar dochters kwam heupwiegend naar hem toe. Het was een goedgevormde jonge meid, met haar blonde haren slordig opgestoken. Ze glimlachte uitdagend. Het gebeurde nu eenmaal niet zo dikwijls dat een knappe vreemdeling de herberg binnenkwam. Toen Benjamin een borrel bestelde en een rondje gaf, keek het meisje hem even twijfelend aan. 'Hé, ik ken je!' zei ze plots. 'Ik heb je gezien in het gerechtshof. Jij bent de zoon van dokter Wouters, is het niet?'

Benjamin knikte. 'Inderdaad. Ik ben Benjamin Wouters.'

'En door zijn vader het huis uitgezet,' hoonde een van de oudere mannen.

'Houd je erbuiten, Gille!' wees het meisje hem terecht. 'Deze jongeman is zo vriendelijk om jullie te trakteren! Hij heeft dus zeker geen behoefte aan jullie commentaar.'

Gille mompelde nog even verontwaardigd, stopte zijn pijp weer in zijn mond en zweeg. Hij kon maar beter doen wat Mina zei, want anders zou ze hem van deze kachel wegjagen en waar kon hij anders naartoe om het een beetje warm te krijgen?

Het meisje wees even naar zijn gezicht. 'Ik ben blij dat je genezen bent.'

'Dank je.'

'En ik weet ook waarom je hier bent.'

'O ja? Waarom dan?'

'Om je broer te zien natuurlijk! Ik kan me voorstellen hoe verschrikkelijk het voor je moet zijn! Als ik eraan denk dat ik mijn zus Anna nooit meer te zien krijg, dan denk ik dat ik gek zou worden.'

Een van de oude mannen grinnikte. 'De man die een van hen wil trouwen, zal de andere erbij moeten nemen, vrees ik.'

Mina's verontwaardigde blik legde hem meteen het zwijgen op.

'Maar je hebt hem net gemist,' ging ze verder. 'Hij is samen met Dries weggegaan.'

'Met Dries Noten?'

Mina knikte.

'Trekken ze wel vaker samen op?'

'Soms.' Mina ging naar de kast en schonk vier borrels in. Ze plaatste twee glaasjes bij de oude mannen, zette het derde bij Benjamin en goot het vierde door haar keelgat. 'Proost,' zei ze nadat ze met haar lippen had gesmakt. 'Moet ik je broer zeggen dat je naar hem op zoek bent? Hij komt hier geregeld een glaasje drinken.'

'Nee, dank je. Ik zal hem wel weten te vinden.'

Benjamin dronk zijn glaasje leeg en stond op. 'Het was een genoegen om met u kennis te maken,' zei hij terwijl hij zijn hoed opzette. Hij betaalde en gaf een flinke fooi, waarna hij even gedag knikte naar de mannen bij de kachel en de herberg verliet.

Mina keek hem nog even na door het raam. Nu zijn gezicht gaaf is, is hij haast net zo knap als zijn broer, dacht ze. Zou hij ook een vrouw het hoofd zo op hol kunnen brengen? Ze schudde het hoofd. Natuurlijk, domme gans, berispte ze zichzelf in stilte. Hij heeft Emera toch van haar stuk gebracht. Haar handen, die ze in een automatisme aan haar schort droogde, vielen even stil. Zou hij voor haar teruggekomen zijn? Er gaan toch geruchten dat hij regelmatig in de richting van De Bist verdwijnt, niet? Nu, dan zal hij wel bedrogen uitkomen! Niemand wil een vrouw die door de duivel bezeten is!

Toen ze zag dat Benjamin aan haar oog onttrokken was, draaide ze zich met een zucht om. Nu ja, het waren nu eenmaal haar zaken niet.

Het feit dat Kasimir met Dries Noten optrok, zette Benjamin tot nadenken. Wat was er tussen die twee? Hij kon zich niet voorstellen dat Kasimir vriendschap sloot met dat ongure heerschap. Dat lag nu eenmaal niet in zijn aard. Maar hij stond er niet lang bij stil. Hij vroeg zich af wat hem nu te doen stond. Een gesprek met Dries Noten kon hij vandaag wel vergeten. Misschien kon hij nog even langs Mimi's huis. Het was er zo gezellig en knus. Zonder het echt te beseffen was hij de richting van De Bist al ingeslagen, maar toen hij het modderige karspoor naar haar huis op liep, hield hij zijn stappen in. Hij realiseerde zich plots dat het verkeerd was om zich op te dringen. Emera had in niets laten merken dat ze nog iets voor hem voelde en dus was het ongepast om zomaar binnen te lopen. Het was natuurlijk anders als hij in de hoedanigheid van dokter kwam om te kijken naar Mimi's toestand, maar dat had hij deze ochtend al gedaan. Benjamin schudde het hoofd en kreunde. Hij verlangde ernaar om bij haar te zijn en realiseerde zich tegelijkertijd dat hij vocht voor een verloren zaak. Terwijl hij daar stond te worstelen met zijn gevoelens, zag hij in de verte een beweging tussen de kale struiken van het bos. Nadat hij aandachtiger naar de plaats keek, merkte hij een gestalte op die met zijn rug naar hem toe stond. De persoon trachtte zich duidelijk te verschuilen. Met de nachtelijke aanval in gedachten, was Benjamin dadelijk verontrust. Voorzichtig ging hij van boom tot boom tot hij dicht genoeg genaderd was om te zien wie het was. Hij schrok en zijn hart hamerde in zijn keel toen hij Kasimir herkende. Flarden van zacht uitgesproken woorden kwamen hem tegemoet en deden hem beseffen dat zijn broer niet alleen was. Benjamin wachtte geduldig tot hij de andere persoon te zien kreeg. Hij hoefde niet lang te wachten. Een donkerblonde, pezige jongeman kwam achter de laaghangende takken van een den vandaan. Benjamin kende hem niet, maar hij had een sterk vermoeden dat deze man Dries Noten moest zijn. De mannen spraken zacht met elkaar, zodat hij niet verstond waarover ze het hadden. Plots draaiden ze zich om. Benjamin drukte zich tegen de stam en hield zijn adem in. De twee mannen kwamen rakelings langs zijn schuilplaats.

'Ik reken erop dat het deze nacht gebeurt, Dries,' hoorde hij zijn broer zeggen.

'Daar kun je van op aan, Kasimir. Ik zal ze de schrik van hun leven bezorgen!'

Daarna werd het stil en even later verdwenen ze langs het kar-spoor in de richting van het dorp. Benjamin bleef verslagen staan. Hij twijfelde niet over de bedoeling van deze woorden. Ze stonden tenslotte Mimi's huis stiekem in de gaten te houden. Het drong nu glashelder tot hem door dat zijn bloedeigen broer bij dit gemene complot betrokken was!

Het duurde even voordat Benjamin zich van de boom losmaakte. De groeven van de schors hadden zich in zijn voorhoofd gedrukt. Hij balde woedend zijn vuisten. Het eerste wat in hem opkwam was om de veldwachter op de hoogte te brengen zodat hij hen op heterdaad kon betrappen. Maar toen dacht hij aan zijn moeder. Het zou haar dood betekenen als Kasimir in de gevangenis zou belanden! Toch kon hij ook Emera niet in de steek laten. Hij moest deze hetze stoppen! Wat moest hij doen? Maar hij wist al wat hem te doen stond. Er was maar één ding dat hij kon doen: het zelf pro-beren op te lossen.

Die avond zat hij op ongeveer dezelfde plaats waar hij zijn broer enkele uren eerder gezien had. Van hieruit kon hij zowel de voor-als de achterkant van Mimi's huis in de gaten houden. Het was bit-terkoud. Op de modderige plassen was een laagje ijs verschenen. Benjamin had een oude krant tussen zijn hemd en trui gestopt. Daarover zijn jas, een paar dikke handschoenen en een sjaal. Maar de kou begon al vlug door alles heen te dringen. De huid op zijn gezicht begon te jeuken. Hij wist dat de uitslag weer op begon te komen en hij negeerde de neiging om eraan te krabben. Hij sloeg zijn armen om zich heen om het een beetje warmer te krijgen en hoopte dat de meute vlug zou komen. Er zat niets anders op dan deze opgezweepte mensenmassa alleen aan te pakken. Hij hoopte dat hij ze met woorden kon kalmeren, maar als het moest dan zou hij zich niet onbetuigd laten. Hij keek even naar de stevige knuppel aan zijn voeten, die hij voor dat doel had meegebracht. Even later bewoog hij zijn benen omdat ze begonnen te tintelen. Als ze nu maar vlug kwamen voordat hij helemaal verstijfd was van de kou. Gelukkig was de hemel onbewolkt en gaf de maan voldoende licht om iets te kunnen zien. Maar hij vreesde niet om hen mis te lopen. Een bende opgehitste mannen was nu niet bepaald muisstil, daar was hij van overtuigd.

Juist omdat hij verwachtte dat ze met veel kabaal zouden verschijnen, zag hij de eenzame, sluipende figuur niet. Pas toen het geluid van een uil zijn hoofd naar het huis deed draaien, merkte hij nog net de donkere schim op, die aan de achterkant van Mimi's huis verdween. In een oogwenk was de kou verdwenen. Hij greep de knuppel, verliet zijn schuilhol en sloop behoedzaam naar de plaats waar hij de gestalte had zien verdwijnen. In het stalletje naast het huis, hoorde hij een zacht schurend geluid. Hij keek door een kier, maar het was er aardedonker, zodat hij niets kon onderscheiden. Plots vlamde er een lichtpuntje op, dat dadelijk overging in enkele vlammen die gretig naar het omliggende droge stro lekten. Hij zag nu duidelijk het gezicht dat erboven hing. Het drong tot Benjamin door dat hij de boodschap verkeerd had begrepen. Er zou helemaal geen meute mannen komen! Dries handelde alleen en wilde het huis in brand steken! Ogenblikkelijk dacht Benjamin aan de vrouwen en de kinderen die binnen lagen te slapen. Zonder verder nog na te denken wierp hij de staldeur open. Dries schrok zich rot toen hij een donkere gestalte met opgeheven knuppel op zich toe zag komen. Maar voordat hij kon reageren had hij al een stevige klap te pakken. De slag wierp hem in het stro. Hij taste kreunend naar zijn arm. Benjamin probeerde het beginnende vuur te doven en had daardoor niet dadelijk in de gaten dat de brandstichter weer was opgestaan. Hij wilde achter zijn rug ongezien de stal uitglippen. Benjamin greep net op tijd Dries' jas beet en trok hem met een ruk terug. 'Jij gaat nergens heen,' siste hij woedend. Maar Dries liet zich niet graag vastgrijpen. Hij gooide onverwachts zijn lichaam tegen Benjamin aan. Door deze manoeuvre kwamen ze beiden in het stro terecht waar ze worstelend bleven liggen. Het smeulende vuur was weer aangewakkerd en kwam gevaarlijk hun kant op. Een dikke rook vulde de kleine ruimte en deed Benjamins ogen prikken zodat hij een ogenblik niets meer zag. Daar maakte Dries gretig gebruik van! In een oogwenk zat hij boven op Benjamin. Hij had zijn handen strak

om diens keel. 'Het zal je berouwen om je te bemoeien met zaken die je niet aangaan,' gromde hij boosaardig. 'Als ze je lijk hier vinden dan zullen ze denken dat jij de schuldige bent!' Hij grijnsde en drukte nog harder. Benjamin probeerde vruchteloos om hem van zich af te krijgen. Even zag hij het einde voor zich, maar toen dacht hij weer aan de vrouwen en kinderen die zouden sterven als hij Dries zijn gang liet gaan. Met een laatste krachtsinspanning duwde hij zijn hand in Dries' gezicht. Hij voelde de weke oogbollen onder zijn vingertoppen terugdeinzen. Dries probeerde zijn hoofd weg te wenden, maar Benjamin drukte nog harder. De greep rond zijn keel verminderde. Het lukte hem eindelijk om Dries van zich af te werpen. De onfortuinlijke man kwam op zijn rug in het vuur terecht en gilde het uit. Benjamin kokhalsde en probeerde gierend wat lucht in zijn longen te krijgen. Het was die schoft bijna gelukt om hem te vermoorden! Toch kon hij het niet over zijn hart verkrijgen om Dries gewoon aan zijn lot over te laten. Toen hij zag dat deze gillend als een varken over de grond rolde, trok hij zijn eigen jas uit en doofde daarmee het vuur op de rug van zijn belager. Op dat ogenblik hoorde hij een kreet. Emera stond in de deuropening en keek verbijsterd naar de twee mannen en de brandende stal. Achter haar stonden Mimi en Lisa. Ze waren allemaal in hun nachtkledij met daarover een wollen schouderdoek of jas.
'Vlug! Water!' schreeuwde Benjamin. 'Misschien kunnen we het vuur nog op tijd blussen!'
Dat lieten Mimi en Emera zich geen twee keer zeggen. Ze holden naar de waterput. Lisa liep het huis weer in om haar kinderen uit hun bed te halen. De stal was immers tegen het huis aangebouwd en de kans was groot dat ook het huis in de vlammen zou opgaan. Benjamin nam een stuk touw dat aan een haak tegen de muur hing en sleurde de jammerende Dries naar de buitenlucht. Beide mannen hoestten de longen uit hun lijf door de rook die in de stal hing. Hij bond Dries' handen en voeten samen zodat hij geen mogelijkheid meer had om er vandoor te gaan. Daarna greep hij een hark om het brandende stro uit de stal te trekken. De rook was nu zo dik dat hij haast geen hand voor ogen meer zag. Hij hoestte en kokhalsde, maar gaf het niet op. Emera en Mimi kletsten de ene emmer na de andere over het brandende stro. Gelukkig had het vuur nog geen kans gekregen om zich massaal uit te breiden en ze slaagden er met zijn allen in om het uiteindelijk te blussen. Benjamin wiste het roet en het zweet van zijn voorhoofd. Gelukkig

was hij op tijd gekomen! Vijf minuten later en heel het huis had in lichterlaaie gestaan. Hij moest er niet aan denken wat er dan gebeurd zou zijn!

De twee vrouwen keken wezenloos naar de zwartgeblakerde stal. Lisa stond in de deuropening van het huis met haar twee kinderen goed ingepakt tegen zich aangedrukt, klaar om te vluchten indien dat nodig zou zijn.

'Wat is er gebeurd, Benjamin?' vroeg Emera ten slotte verbijsterd. Benjamin wees met een beschuldigende vinger naar Dries. 'Dat stuk ongeluk wilde jullie stal in brand steken!'

'Dries?' Mimi keek ontsteld naar de man die gebonden op de grond lag. 'Maar waarom dan?'

'Omdat hij daartoe de opdracht heeft gekregen van mijn bloedeigen broer! En met geld is veel te bereiken, is het niet, Dries?'

Dries keek hem even verwonderd aan. Hij vroeg zich af hoe hij dat wist.

'Ach, houd toch je bek, man!' siste hij. 'Als jij je eigen familie niet ten schande wil maken, dan kun je maar beter je mond houden!'

'Mijn broer kan me gestolen worden, Dries. Maar ik zou weleens willen weten waarmee je al die dieren vergiftigd hebt?' Het was een gok. Niet helemaal natuurlijk. Het feit dat hij geen dodelijke oorzaak had gevonden bij Mimi's geit, deed hem vermoeden dat hier weleens gif in het spel kon zijn. En wie zou daar beter voor in aanmerking komen dan Dries?

Dries keek hem even opmerkzaam aan. Zou hij daar ook achter gekomen zijn? Maar hij was niet van plan om nog meer prijs te geven. Hij wendde zijn hoofd af en zweeg.

'Ook goed. Dan gaan we dadelijk naar de veldwachter. Het zal niet mis zijn! Poging tot moord…'

'Ik heb niemand proberen te vermoorden!'

'O nee? Ik hoef de veldwachter alleen maar de striemen aan mijn hals te laten zien en je hangt, mannetje. Bovendien heb je drie willoze vrouwen en twee kinderen willen vermoorden door de stal in brand te steken!'

'Dat is ook niet waar! Ik zou hen op tijd gewekt hebben, zodat ze nog konden vluchten!'

'Dat alleen al is voldoende om je levenslang achter de tralies te gooien en dan heb ik het nog niet over het vergiftigen van de dieren, het ophitsen van mensen en de leugens die je hebt rondgestrooid.' Benjamin zette nu alles op alles. Hij knoopte het touw rond Dries' voeten los en trok hem recht. 'De veldwachter zal een vette kluif aan je hebben!'

Dries begon te jammeren. 'Mijn hoofd en mijn rug zijn vreselijk verbrand. Je moet me eerst naar dokter Wouters brengen.' Hij hoopte op hulp.

Benjamin grinnikte. 'Nou, dan heb je geluk. Ik ben dokter Wouters!'

'Ik bedoel je vader! Ik moet een ervaren dokter hebben. Heel mijn lijf is verbrand!' Hij kreunde en trok een pijnlijk gezicht.

'Doe niet zo belachelijk, man! Je hebt alleen maar een schroeiplek achter op je hoofd en je jas heeft ervoor gezorgd dat het vuur niet tot bij de blote rug kon komen. Misschien was het beter geweest als ik je had laten creperen. Dan had je pas reden om te klagen!' Benjamin trok hem zonder pardon mee naar het pad.

'Nee, nee! Je kunt me niet meenemen!' Dries raakte in paniek. Hij had gedacht dat Benjamin het toch niet meende en dat hij alles zou doen om zijn familie hierbuiten te houden. Maar blijkbaar had hij zich vergist. En hij wilde niet naar de gevangenis. Boven alles wilde hij niet opgesloten worden. 'Laat je me vrij als ik je alles vertel?'

Benjamin stopte. 'Vertel op!'

'Alleen als je belooft om me vrij te laten! Mijn vrouw en mijn kinderen zullen creperen als ik niet voor hen zorg.'

Benjamin keek even over zijn schouder naar Mimi en Emera, die stilzwijgend het gesprek volgden. Zij verdienden het dat deze man voorgoed opgesloten zou worden. Maar hij moest niet enkel aan hen denken. Zijn moeder was er ook nog.

Hij aarzelde enkele seconden, maar knikte ten slotte. 'Ik ben geen schoft zoals jij, Dries en ik wil niet dat je kinderen verhongeren. Vertel me alles wat ik wil weten en ik laat je gaan.'

Het bleef even stil, maar toen liet Dries zijn hoofd hangen. 'Je hebt gelijk,' begon hij zacht. 'Ik heb de dieren vergiftigd.'

Benjamin hoorde een lichte, ontzette kreet achter zijn rug.

'Waarmee dan?'

Het bleef weer even stil.

'Waarmee heb je die dieren vergiftigd, Dries?'

'Met vingerhoedskruid,' kwam het er ten slotte uit.

Benjamin keek naar Mimi en Emera. 'Kan dat?'

Mimi knikte. 'Vingerhoedskruid is een van de giftigste planten. Een geringe hoeveelheid is al voldoende om bij een klein dier een hartstilstand teweeg te brengen,' zei ze zacht.

Benjamin keek Dries weer aan. 'Ik vraag me af waar jij dat gedroogde kruid vandaan hebt gehaald? Het zou me verbazen als je in de zomer al wist dat je het kruid nu nodig zou hebben?'

'Waarom niet? Ik kan net zo goed planten drogen.'

'Ik wil de waarheid, Dries! Het feit dat je een gezonde, jonge geit in je stal hebt staan en een aantal weldoorvoede kippen, zegt me meer dan genoeg. Wie heeft je aan dat gedroogde vingerhoeds-kruid geholpen en wie was je opdrachtgever?'

Het bleef weer even stil. Dries aarzelde om nog meer prijs te geven, maar wat voor zin had het om nog langer te zwijgen? Alles was nu toch al naar de bliksem.

'Je broer,' bracht hij er ten slotte uit. Hij knikte met zijn hoofd in de richting van Mimi en Emera. 'Hij wilde hen hier weg hebben en ik kon de vergoeding best gebruiken.'

'Wou mijn broer hen dan ook dood door jou dit vuur te laten aan-steken?'

Dries schudde zijn hoofd. 'Ik heb het je toch al gezegd! Ik zou hen gewaarschuwd hebben, zodat ze op tijd konden vluchten. Het was de bedoeling dat ze daarna uit dit dorp zouden verdwijnen.'

'Heb je er dan niet bij stilgestaan dat je waarschuwing weleens te laat had kunnen komen? En dat je dan de dood van deze vrouwen en kinderen op je geweten had?'

Dries haalde zijn schouders op. 'Zover had ik het niet laten komen. Luister: ik heb gewoon gedaan wat Kasimir van me wilde. Hij wilde dat ik de dieren vergiftigde en dat ik de mensen ophitste, zodat Mimi en Emera uiteindelijk dit dorp zouden ontvluchten. Dat is alles wat ik je kan vertellen.' Hij stak zijn handen vooruit. 'Je hebt me beloofd om me te laten gaan.'

Benjamin durfde niet naar de twee vrouwen te kijken terwijl hij het touw losknoopte. Hij moest hem wel laten gaan, hoe oneerlijk dat ook was tegenover Emera en Mimi.

'Ditmaal laat ik je gaan,' zei hij ferm. 'Maar als ik je nog eenmaal betrap op iets strafbaars, dan zal ik niet aarzelen om je alsnog ach-ter de tralies te krijgen!'

'Wees gerust. Ik heb er trouwens mijn buik van vol. Je broer kan zijn eigen vuile zaakjes opknappen.'

Na deze woorden verdween Dries in het donker van de nacht.

Benjamin draaide zich langzaam om. Hij durfde Emera niet aan te kijken.

'Het spijt me,' mompelde hij zacht. 'Ik kon niet anders dan hem vrijlaten. Mijn moeder… ze zou het niet kunnen verdragen om ook haar tweede zoon te verliezen. Maar ik zal ervoor zorgen dat Kasimir jullie verder met rust zal laten.'

Mimi drukte haar hand op zijn arm. 'Je hoeft je niet te verontschuldigen, Benjamin. We zijn je juist dankbaar omdat je ons gered hebt en omdat we nu weten dat er alleen maar een duivel in mensengedaante in het spel was. Je hebt gehandeld naar je hart, daar ben ik van overtuigd.'

'Ik ben je dankbaarheid niet waard, Mimi! Mijn familie en ik hebben jullie niets dan ellende bezorgd. Het zou goed zijn wanneer wij voorgoed uit jullie leven verdwenen.' Hij kon het nu toch niet laten om Emera aan te kijken en peilde haar grote, starende ogen, maar het was te donker om te zien wat er in haar omging. Hij was ervan overtuigd dat ze nu zeker niets meer met hem te maken wilde hebben na alles wat zijn broer had gedaan. Hij glimlachte onbehaaglijk. 'In ieder geval hoeven jullie niet bang meer te zijn voor een nachtelijk bezoek. Ik denk wel dat dit de laatste beproeving geweest is. En met jouw gezondheid gaat het ook beter, Mimi. Het heeft dan ook geen zin meer dat ik nog langer in dit dorp blijf. Misschien zal de rust zich nu eindelijk kunnen herstellen. Het ga jullie goed!'

Met een brok in zijn keel ging hij het donkere pad op.

Emera voelde de tranen over haar wangen lopen. Ze draaide zich met een ruk om en liep snikkend het huis in, een verschrikte Lisa achterlatend, die net de kinderen in bed had gestopt en weer naar buiten wilde gaan.

212

Toen Benjamin de volgende ochtend in de spiegel keek, zag hij een kleine schroeiwond op zijn ene wang, een sterk opkomende huiduitslag aan de andere kant van zijn gezicht en een aantal kneuzingen in zijn hals en op de rest van zijn lijf. Maar dat was nu zijn minste zorg. Toch was hij blij dat hij de gezusters Heberlin had wijsgemaakt dat hij de vorige avond een afspraak had met een chirurg uit Herentals zodat het weleens laat kon worden. Daarom had hij – gelukkig – een sleutel. Hij was ervan overtuigd dat ze anders een hartaanval hadden gekregen als ze hem deze nacht vol roet, schroei- en schaafplekken zagen binnenkomen. In ieder geval zag hij er nu al wat toonbaarder uit. Maar wat stond hij zich hier zorgen te maken om de hoteluitbaatsters? Dit was zijn laatste ochtend. Binnen een paar uur zou hij de tram nemen en dit dorp voorgoed verlaten. Hij keek afwezig naar zijn spiegelbeeld. Dat had hij al vaker gezegd en toch was hij teruggekomen. Hij kon haar niet vergeten en nu hij haar weer had gezien wist hij waarom. Wat hield hij van Emera! Maar het had geen zin. Hij had gehoopt dat ze hem zijn leugens kon vergeven, maar nu zijn naaste familie hen het bloed onder hun nagels vandaan had gehaald, was zijn kans verkeken. Hij zuchtte diep en kreunde. Hij verlangde sterk om weer aan het werk te kunnen. Zijn studie; de onderzoeken en operaties waren zijn redding. Hij kon zich erin onderdompelen, zodat hij al het andere kon vergeten.

Maar eerst moest hij er nog voor zorgen dat zijn vader en broer voor eens en voor altijd hun hetze tegen Mimi zouden staken. Daarom was hij zo vroeg opgestaan. Hij wist dat zijn vader rond dit uur in zijn kabinet zat, waar hij nog wat medicatie aanmaakte of zijn administratie bijwerkte voordat de consultatie begon. Dit was het moment om hem alleen te treffen, want hij was ervan overtuigd dat Kasimir nog in zijn bed lag en dat zijn moeder aan de ontbijttafel zou zitten. Benjamin zag ertegen op. Het was niet prettig wat hij tegen zijn vader te zeggen had en het zou hun relatie zeker niet ten goede komen.

Hij zuchtte weer, schudde het wrange gevoel van zich af en verliet zijn hotelkamer.

Anna, het nieuwe dienstmeisje, kwam opendoen. Het was nog een jong meisje, met een wipneus en zomersproeten. 'De dokter kan nu nog geen patiënten ontvangen,' zei ze vinnig.

Benjamin glimlachte. 'Jij bent nieuw hier, niet? Ik heb je nog niet eerder gezien. Nou, dan mag je gerust zijn, hoor. Ik ben helemaal geen patiënt. Ik kom alleen mijn vader even opzoeken.'

Voordat het meisje zijn woorden goed en wel begrepen had, was hij de hal al ingelopen en hij opende zijn vaders werkruimte. Viktor stond met zijn rug naar de deur en bladerde in een dik medisch boek. 'Ik heb je gezegd dat ik niet gestoord wil worden, Anna!'

Benjamin sloot de deur. 'Dat heeft ze me ook gezegd, papa, maar ik heb haar genegeerd.'

Als door een wesp gestoken, draaide Viktor zich om. Het boek viel uit zijn handen. Met een doffe bons kwam het op de grond terecht...

'Mijn huis uit!' siste hij. 'Maak dat je wegkomt!'

'Ik blijf niet langer dan nodig. Ik wil alleen dat je even naar me luistert.'

'Waarom zou ik naar je luisteren? Je hebt me niets meer te vertellen, Benjamin!'

'Ook niet wanneer Kasimirs toekomst aan een zijden draadje hangt?'

'Wat bedoel je?' Viktors interesse was gewekt.

'Ik ben te weten gekomen dat Kasimir de oorzaak is van de zogenaamde hekserij waarvoor de dorpelingen Mimi en Emera schuldig achtten.'

'Dat is een zware beschuldiging en onterecht. Kasimir heeft daar niets mee te maken!'

'Ik was deze nacht getuige van een brandstichting in Mimi's stal, papa. Gelukkig hebben we het vuur tijdig kunnen blussen, anders had Kasimir de dood van drie vrouwen en twee kleine kinderen op zijn geweten gehad.'

Viktor keek hem even onthutst aan. 'Heeft Kasimir de stal in brand gestoken?'

'Nee, het was Dries Noten.'

'Wel dan! Wat zit je dan voor onzin uit te kramen! Ik weet niet waar je het lef vandaan haalt om...'

'In opdracht van Kasimir,' onderbrak Benjamin hem. 'Hij wist me ook te vertellen dat Kasimir hem had gevraagd om de dieren te vergiftigen, tegen een flinke vergoeding.'

'Die man liegt!'

'Het spijt me om je te moeten teleurstellen, papa, maar Kasimir is wel degelijk schuldig.' Benjamin wist niet dat zijn vader op de hoogte was van deze feiten en had in zekere zin met hem te doen. 'En volgens mij zal het niet zo lang meer duren voordat de dorpelingen er ook achter komen! Dries heeft een geit in zijn stal staan en een tiental stuks pluimvee en dat vlak na de dood van zijn eigen veestapel? Als je dat tenminste een veestapel kon noemen! Hij had alleen een uitgemergelde waakhond en een paar konijnen. Het zal niet zo lang meer duren voordat de mensen zich afvragen hoe Dries aan deze dieren is gekomen. Bovendien heeft hij me alles opgebiecht. Als het moet, dan kan ik een kadaver laten opgraven om je te bewijzen dat ik daar hetzelfde gif zal aantreffen als hij me vertelde.'

Viktor liep rood aan. 'Dus jij zou je eigen broer verraden?'

'Als ik dat wilde dan had ik Dries niet laten gaan, maar dan zat hij nu achter slot en grendel. Ondanks het feit dat jij mij niet meer als je zoon erkent, blijven jullie toch nog altijd mijn familie. Ik wil dat Kasimir dadelijk uit dit dorp weggaat, papa, en dat hij Emera en Mimi eens en voorgoed met rust laat. Ik weet dat hij volgende maand op de staalfabriek begint. Hij kan dus maar beter daar een onderkomen zoeken. Hij hoeft niet eens te mopperen. Op die manier woont hij dicht bij zijn aanstaande bruid en kan hij ongehinderd van het Monardkapitaal genieten. Ik wilde dat ik een manier vond om hem te straffen, om hem te laten voelen wat hij heeft aangericht, maar ik kon spijtig genoeg zo vlug niets anders bedenken. Maar mijn broederliefde reikt niet erg ver. Ik zal dan ook niet aarzelen om hem alsnog te beschuldigen als hij niet doet wat ik wil.'

'Jij bent inderdaad geen zoon van me,' siste Viktor woedend. 'Als dat wel zo was, dan zou je me steunen zoals Kasimir en er alles aan doen om dat gebroed hier weg te krijgen in plaats van hen te beschermen. De liefde voor die teef maakt je blind!'

Op dat ogenblik besefte Benjamin dat zijn vader van alles op de hoogte was. Het ging als een schok door hem heen en ontnam hem het laatste beetje liefde dat hij nog altijd voor zijn vader had gevoeld.

'Waag het niet haar nog eens zo te noemen!' zei hij met een lage stem. 'Ook zonder deze liefde zou ik jullie praktijken verachtelijk en walgelijk gevonden hebben!'

'O ja? Wel, laat ik je dan zeggen dat ik niet zal buigen! Ook wanneer je Kasimir van hier verbannen hebt, zal ik niet aarzelen om die twee hier het leven zuur te maken!'

'Dan laat je me geen enkele keus dan rond te strooien waarom een uitstekende chirurg als jij hier in dit dorp is terechtgekomen. Ik heb altijd verzwegen dat ik wist waarvoor je vluchtte. Je bent tenslotte mijn vader en ik stond achter je, ook al keurde ik de onnodige sterfgevallen helemaal niet goed. Maar nu dwing je me om de waarheid te onthullen indien je Mimi en Emera niet in vrede laat leven. Als je niet wilt dat iedereen je met de vinger nawijst, dan kun je beter naar een stad verhuizen en je werk als chirurg weer opnemen. Ik geef je twee maanden de tijd om te verhuizen. Ben je daarna niet weg, dan zal ik heel dit dorp op stelten zetten, neem dat maar van me aan! Bovendien zou deze onwelriekende toestand dan weleens bij de medische faculteit bekend kunnen worden, zodat heel je verdere toekomst aan diggelen geslagen wordt. Twee maanden! Meer niet!'

Na deze woorden draaide hij zich bruusk om en verliet het kabinet.

Viktor keek hem met vlammende ogen en gebalde vuisten na. Hij vloekte hartgrondig.

Zodra Benjamin zijn ouderlijk huis had verlaten, zakten zijn schouders naar beneden. Het viel hem zwaar om zijn vader voor het schavot te plaatsen. Nu had hij alle kans op een verzoening verspeeld. Maar hij kon niet anders. Enkel op deze manier kon hij ervoor zorgen dat Kasimir aan de schande van een gevangenisstraf ontsnapte en dat Emera en Mimi toch een beetje gerechtigheid ontvingen, ook al was het in de vorm van een onbekommerd leven. Hij wilde dat hij Kasimir een gepaste straf kon geven in plaats van hem naar zijn bruid te sturen, maar hij kon niets anders bedenken zonder dat zijn moeder argwaan koesterde. Bovendien wist hij zeker dat zijn vader zich veel beter zou voelen als hij weer aan de chirurgie kon beginnen. Hij was nu al een hele tijd uit dat milieu weg, zodat hij wel aan een herkansing toe was. Als hij zijn lesje geleerd had en een beetje voorzichtiger met mensenlevens omsprong, dan was hij ervan overtuigd dat zijn vader de rest van zijn leven veel gelukkiger zou zijn. Ook zijn moeder zou er wel bij varen. Zij hield van de stad met zijn opera's, musea en welgestelde burgers. Misschien werd ze dan wel weer gelukkig. De enige die er bekaaid afkwam was hijzelf. De band tussen zijn vader en zijn broer was nu definitief verbroken en zijn liefde voor Emera kon hij vergeten. Hij had zich nog nooit zo ongelukkig gevoeld als op dat moment.

Terneergeslagen en met een brok in zijn keel ging hij terug naar het hotel. Hij zou zijn pyjama en toilettas in zijn plunjezak stoppen en de deur voorgoed achter zich dichttrekken. Binnen een uur kwam de tram die hem naar het station zou brengen.

HOOFDSTUK 22

Emera had de hele nacht gehuild. Lisa, die dacht dat de brandstichting de druppel was die Emera's weerstand gebroken had,
probeerde haar zus te troosten, maar niets hielp. De volgende ochtend waren de tranen eindelijk gestopt, maar ze zag heel bleek en
was stil en afwezig. Toen Lisa haar moeder op de hoogte bracht
van de slapeloze nacht, vermoedde Mimi dat hier meer achter zat.
Soms waren woorden overbodig, dan was een blik genoeg om te
zien wat er in iemand omging. Mimi was er de vrouw niet naar om
tussenbeide te komen in dingen die haar niet aangingen. Zeker
niet tussen twee geliefden. Maar nu kon ze het niet langer verdragen om haar jongste dochter zo gebroken te zien.
'Houd je zoveel van hem, liefje?' vroeg ze zacht toen Emera afwezig door het raam zat te staren.
Emera knikte zonder haar moeder aan te kijken. Haar ogen liepen
weer vol met tranen. 'Ja moeder, ik houd van hem. Maar het heeft
geen zin. Hij houdt niet van me, hij is weg en ik zal hem nooit meer
zien.'
'Weet je wel zeker dat hij niet van je houdt?'
Nu keek ze haar moeder aan. 'Ach moeder. Hij kwam gewoon zijn
boeken ophalen en hij heeft in niets laten merken dat hij nog om
me geeft. Dat zegt toch genoeg, niet? Bovendien lopen onze wegen
te sterk uit elkaar. Waarom zou hij genoegen nemen met mij, als
hij veel beter kan krijgen?'
'Maar hij is zelf teruggekomen, liefje, en hij is hier gebleven tot hij
Dries ontmaskerd had. Zou hij dat ook gedaan hebben als hij niet
om je gaf?'
'Waarom niet? Hij is een man van eer, moeder, iemand waarop je
kunt bouwen. Dat maakt hem juist nog meer geliefd.'
Mimi schudde het hoofd. 'Hij deed het voor jou, Emera. De manier
waarop hij naar je keek vertelde me meer dan genoeg.'
'Als dat waar zou zijn… waarom heeft hij het me dan niet gezegd?'
'Waarschijnlijk om dezelfde reden waarom jij het hem niet gezegd
hebt? Misschien voelt hij zich schuldig of denkt hij dat je toch niet
van hem kunt houden en is hij bang voor een weigering? Er zit
maar één ding op om het te weten te komen: ga naar hem toe en
vraag het hem.'
'Ach, moeder, mijn hart zal breken als hij me weigert.'
'Misschien, maar dan weet je het tenminste! Anders zul je de rest

van je leven met vragen en gevoelens blijven zitten die je ongelukkig maken. Ga naar hem toe, kindje, ga naar het dorp voordat hij weg is. Als je echt van hem houdt, dan moet je alles op alles zetten!'

Lisa, die het gesprek van op een afstand gevolgd had, zette Seppe naast Lode en liet nu ook van zich horen: 'Moeder heeft gelijk, zus. Je hebt niets te verliezen! En als jij niet naar hem toe gaat, dan doe ik het wel.'

Emera keek haar moeder en zus even besluiteloos aan.

'Ik méén het, Emera!' Lisa deed er nog een schepje bovenop. Emera knikte ten slotte. Ze nam haar wollen jas en sloeg een sjaal om haar hals.

'Mag ik mee?' vroeg Lode. De kinderen hadden – onwetend van dit alles – doorgespeeld, maar nu Lode zag dat Emera haar jas aantrok, was hij zijn spel voor even vergeten.

'Nee lieverd,' zei Lisa. 'Nu kun je echt niet mee, maar het zal niet zo lang duren voordat...' De rest van Lisa's woorden hoorde Emera niet meer omdat ze al door de deur verdwenen was. Nu ze eenmaal besloten had om Benjamin te confronteren met haar liefde, kon ze niet vlug genoeg in het dorp zijn. Ze hoopte vurig dat hij nog niet weg was. Ze holde haast en voelde niet eens dat haar sjaal losraakte en de koude noordenwind langs haar blote hals en oren blies. Hijgend en met bonzend hart bereikte ze hotel Heberlin. Vol verwachting vroeg ze aan de jongste Heberlinzuster of ze jongeheer Wouters even kon spreken. De oudere vrouw bekeek haar even misprijzend. Haar achting voor jongeheer Wouters was groot, maar ze keurde zijn omgang met dit meisje helemaal niet goed. Ze had immers ook de verhalen gehoord over hekserij en duivelse kunsten. Ze haalde opgelucht adem bij de gedachte dat hij nu niet langer in de verleiding gebracht zou kunnen worden. 'Jongeheer Wouters is een halfuur geleden vertrokken,' zei ze dan ook voldaan, waarna ze zich omdraaide en Emera aan haar lot overliet. Emera's hoop zonk als een loden blok in haar schoenen. Ze was te laat!

Met een brok in haar keel ging ze terug. Maar in plaats van de weg naar huis te nemen, sloeg ze een smal karspoor in naar de Grote Nete. Eenmaal bij het water aangekomen, kon ze haar tranen niet langer bedwingen. Ze liet zich snikkend neerzakken tegen de ruwe stam van een eik en huilde tot haar schouders ervan schokten.

'Emera...? Emera, wat is er aan de hand?'

Twee handen grepen haar schouders beet en draaiden haar voorzichtig om. Als door een waterige mist zag Emera zijn gezicht. Zijn zachte bruine ogen. Ze begon nog harder te snikken, nu deels van blijdschap. 'Hotel Heberlin… Ik dacht… ik dacht dat je weg was…' bracht ze er hortend en stotend uit. Hij knikte. 'Ja, ik wilde de tram tegemoet gaan. Maar toen bedacht ik me en ik wilde nog eenmaal een stukje langs de Grote Nete wandelen. Gelukkig maar, want anders had ik je hier niet getroffen! Wat is er aan de hand? Waarom huil je zo?' De angst en bezorgdheid stonden op zijn gezicht te lezen.

Emera schudde zacht haar hoofd, haar keel verstikt van tranen. Ze kon geen woord uitbrengen. Ze was zo blij om hem hier te zien, maar ook zo bang dat hij haar liefde niet zou beantwoorden. Ze schudde enkel haar hoofd en keek hem wanhopig aan. Benjamin kon het niet langer verdragen om haar zo ontredderd te zien. Hij trok haar zacht tegen zich aan en streelde troostend haar rug. 'Is er iets gebeurd?' vroeg hij angstig. 'Is er iets met je moeder gebeurd?'

'Nee,' kreunde Emera ten slotte terwijl ze snikkend haar hoofd schudde. 'Er is helemaal niets gebeurd. Ik… ik was alleen zo bang dat je… dat je weg zou zijn.'

Hij maakte zich van haar los en duwde zacht haar kin omhoog zodat ze hem aan moest kijken. Toen zag hij in haar tranende ogen iets wat verdere woorden overbodig maakten. Hij lachte. Een intens gelukkige gloed gleed over zijn gezicht. Als door een magnetische kracht werden ze naar elkaar toe getrokken. Ze voelden de ijskoude wind niet eens meer. Hun liefde verwarmde hen als een krachtveld…

EPILOOG

Kasimir trouwde met Elisabeth Monard en kreeg medezeggenschap in de staalfabrieken. Hij leidde een leven in welstand. Maar hij had zich vergist in Elisabeths naïviteit. Het bleek een sterke persoonlijkheid te zijn, verwend en gewend om haar zin te krijgen. Zij wilde Kasimir voor haar alleen. Elisabeth en haar moeder lieten hem geen ogenblik met rust. Zelfs toen hun zoon werd geboren en Elisabeth verder geen kinderen meer wilde en hem dus ook niet meer in haar bed duldde, kon hij geen stap zetten zonder zijn schoonmoeder of zijn vrouw in zijn kielzog. Bovendien werd hij in de fabriek door zijn schoonvader in de gaten gehouden. Hij durfde geen misstap te zetten uit angst om zijn fortuin te verliezen. Bij zijn ouders hoefde hij niet te klagen, want hij kon moeilijk toegeven dat hij ongelukkig getrouwd was. Het was tenslotte zijn eigen keus. Hij zat vast in een liefdeloos huwelijk, gevangen voor de rest van zijn leven.

Viktor Wouters vond werk als chirurg in een Leuvens ziekenhuis. Hij leefde weer helemaal op en besefte nu pas goed hoe graag hij dit werk deed en hoezeer hij het had gemist. In tegenstelling tot vroeger ging hij voorzichtiger om met zijn patiënten en verrichtte baanbrekend werk. Zijn vrouw, Hélèna van Dormael, voelde zich in de stad weer gelukkig. Nu haar echtgenoot zo goed als altijd in het ziekenhuis bezig was, kon ze gaan en staan waar en wanneer ze wilde. Ze genoot dan ook van haar vrijheid en van de vriendinnen die ze hier had gemaakt. Haar oudste zoon had in haar ogen een perfect huwelijk gesloten en met haar jongste zoon sprak ze regelmatig af om hem te ontmoeten. Het zou nooit meer goedkomen tussen vader en zoon, maar daar had ze zich bij neergelegd. Ze wist dat Benjamin gelukkig was. Als ze naar hem toe ging, dan was het er altijd zo gezellig en warm. Ja, hij was gelukkig, dat zag ze zo. Hij had er goed aan gedaan om met Emera te trouwen. Het had een tijdje geduurd voordat Hélèna daar genoegen mee kon nemen, maar uiteindelijk was ze heel tevreden. Ze had zich geen betere schoondochter kunnen wensen.

Emera en Benjamin trouwden in het voorjaar van 1906. Benjamin Wouters vestigde zich als dorpsdokter in Westerlo en Emera Stevens werd vroedvrouw of baker, zoals het toen genoemd werd. Samen brachten ze het beste van de twee geneeswijzen bij elkaar en oefenden hun beroep met veel liefde en toewijding uit.

Hun huwelijk resulteerde in de geboorte van twee zonen en twee dochters.

Nadat de storm, die Dries Noten ontketend had, geluwd was en alles weer zijn gewone gang ging, vergaten de dorpelingen al snel wat er was gebeurd. Mimi werd weer met respect behandeld en velen kwamen naar haar toe voor troost of hulp. Naargelang de jaren verstreken bouwde Mimi langzaam haar werkritme af en genoot intens van haar kinderen en kleinkinderen. Emera nam haar taak over, maar ging haar nog dikwijls om raad vragen.

Emera Stevens werd de beste en bekendste vroedvrouw uit de verre omstreken. Zelfs nu is ze nog altijd een legende in de Kempen.